*De laatste geheimen*
*van de Zijderoute*

Alexandra Tolstoy

# De laatste geheimen van de Zijderoute

Vertaald door Carla Benink

ARENA

*Voor mama en papa*
*met veel liefs*

Oorspronkelijke titel: *The Last Secrets of the Silk Road*
© Oorspronkelijke uitgave: Alexandra Tolstoy 2003
© Nederlandse uitgave: Arena Amsterdam, 2004
© Vertaling uit het Engels: Carla Benink
Omslagontwerp: Mariska Cock, Amsterdam
Foto voorzijde omslag: Charlotte Dugdale
Typografie en zetwerk: Studio Cursief, Amsterdam
ISBN 90 6974 5143
NUR 302, 508

# INHOUD

Nadat ik in de zomer van 1996 was afgestudeerd aan de Universiteit van Edinburgh werd ik toegelaten tot het postdoctorale opleidingsprogramma van Credit Suisse First Boston, een Amerikaanse investeringsbank. Ik had het geluk eerst voor drie maanden naar New York te worden gestuurd voordat ik in Londen als effectenmakelaar te werk werd gesteld op de afdeling Oost-Europese aandelen. Uit materieel oogpunt bezien had ik een benijdenswaardige baan, goedbetaald en interessant, maar ik had er elke dag meer moeite mee. 's Morgens om vijf uur wakker worden en twaalf uur per dag tussen rinkelende telefoons en schreeuwende handelaars aan een bureau zitten bleek veel minder leuk dan me was voorgespiegeld. Ik keek spijtig terug op mijn studietijd en wilde dat ik toen meer van mijn vrijheid had genoten. Ten slotte diende ik binnen een jaar mijn ontslag in, terwijl ik geen ander plan had dan te gaan reizen of ergens in het buitenland een baan te zoeken. Mijn ouders waren verbaasd, maar ze hadden er begrip voor, en de maanden daarna ging ik op vakantie en deed ik allerlei klusjes.

Een van die klusjes was op de Chelsea Flower Show een vriendin helpen die daar de Country Life Garden beheerde. Ze had allerlei vriendinnen opgetrommeld om folders uit te delen en ik werkte er samen met Sophia ('Mouse') Cunningham, die ik in Edinburgh weleens had ontmoet. In die paar dagen kletsten we heel wat af en ze vertelde me dat ze er altijd van had gedroomd ooit te paard en per kameel de oude Zijderoute af te leggen. Ze had theologie gestudeerd en haar scriptie geschreven over de verspreiding van het boeddhisme langs de Zijderoute, waarvoor ze zich in deze belangrijke handelsroute had moeten verdiepen. Ik vond het een spannend idee, maar ik dacht er pas een maand later weer aan, toen ik met een paar vrienden op vakantie was op Paxos, het Griekse eiland ten noorden van Korfoe. Op een avond besloten Lucy Kelaart, een vriendin van de middelbare school, en ik een wandeling te maken over een van de herderspaden die kronkelend door de rotsachtige heuvels naar de kust lopen. Het was zo'n heerlijk zoele zomeravond waarop alles perfect is en je je intens gelukkig voelt. We lachten en praatten en ze vertelde me dat haar werk als literair agent haar verveelde en dat ze erover dacht naar Zuid-Amerika te gaan. Ik vertelde haar over de droom van Mouse en ze werd meteen enthousiast. We besloten Mouse te bellen zodra we terug waren in Engeland.

Niet alleen had Lucy net als ik aan de Universiteit van Edinburgh gestudeerd, maar ook had ze zeven jaar bij Mouse op school gezeten, tot haar achttiende, dus ze waren oude bekenden. Mouse vond het geweldig dat haar plan ons aansprak en zij stelde voor dat we een andere vriendin, Victoria (Wic) Westmacott, zouden vragen of ze het vierde lid van onze Zijderoute-expeditie – zoals we ons project algauw noemden – wilde worden. Wic had ook in Edinburgh gestudeerd, waar ik haar slechts één keer had ontmoet, maar Mouse en Lucy waren dik met haar bevriend. Wic hoefde niet overgehaald te worden en in de winter van 1997 hadden we onze eerste officiële 'expeditievergadering'. Die avond kozen we de route: achtduizend kilometer door de woestijn, steppen, bergen en bossen van Centraal-Azië en China, te paard of per kameel. Toen we in de knusse flat van Mouse in Chelsea de kaart bestudeerden, konden we ons bijna niet voorstellen dat we ooit door die ruige, onbekende gebieden zouden galopperen.

De vergaderingen gingen door tot het voorjaar van 1999, maar we konden ze maar zelden alle vier bijwonen. Mouse ging voor een paar maanden naar China om het Chinese deel van onze tocht te organiseren, met inbegrip van kamelen en gidsen, terwijl ik een winter in Rusland doorbracht om paarden en gidsen voor het stuk door Centraal-Azië te regelen. Wic, Mouse en ik werkten ook periodes in het buitenland, en in het voorjaar liep ik een keer achthonderd kilometer door Noord-Spanje om de beroemde Camino de Santiago, de pelgrimsroute, af te leggen. Maar op de een of andere manier slaagden we erin samen te werken en ondanks ons gebrek aan ervaring de logistieke kant van de reis te regelen en genoeg sponsoren te vinden om die te kunnen betalen.

We wisten dat de tocht minstens acht maanden zou duren en dieren zijn een duur vervoermiddel, dus de financiële kant was het grootste probleem. Hoewel ze sterke rivalen had, won Mouse een Winston Churchill-reisbeurs, en de rest van het geld kwam van bedrijven en personen. Om dit voor elkaar te krijgen, hebben vooral Lucy, Wic en Mouse in de zes maanden voor ons vertrek keihard gewerkt.

We besloten ook geld in te zamelen voor Merlin, een Engelse medische liefdadigheidsinstelling die hulp biedt in rampgebieden overal ter wereld. Vrienden, familieleden en bedrijven waren bijzonder scheutig en we slaagden erin ruim vijftienduizend pond op te halen.

We zijn alle vier erg verschillend, en we benaderden de expeditie dan ook op een verschillende manier. Mouse is klein, blond en atletisch, ze is dol op de natuur en heeft een hang naar avontuur. Ze was al bijna haar hele leven lid van de Flint and Denbigh Hunt in Noord-Wales en reed dus veel beter paard dan de andere drie. Ze is zeer vastberaden en eerzuchtig, en we wisten meteen dat ze alles op alles zou zetten om de tocht tot een goed einde te brengen en de fysieke beproevingen te doorstaan. Ik denk dat vooral het idee van een sportief avontuur haar aansprak, en het feit dat wij de eersten zouden zijn die deze historische route te paard en per kameel opnieuw zouden afleggen. Ze wilde vooral geen zwakkeling lijken en deed zo haar best om iedereen thuis te laten geloven dat er nauwelijks een zwaardere tocht bestond dat we haar enthousiasme soms moesten beteugelen om de waarheid geen geweld aan te doen! Ze is goedgehumeurd en vriendelijk, en ze was bijzonder diplomatiek op momenten dat de stress de anderen een beetje te veel werd. Ik was diep onder de indruk van haar zelfbeheersing, en achter haar zachtmoedige uiterlijk verbergt ze een ijzeren wil en grote lichaamskracht. Ze liet zelden merken dat ze boos was en was bijna altijd opgewekt, ook al moeten er momenten zijn geweest dat ze verhulde wat ze werkelijk voelde.

Wic is lang en heeft grote bruine ogen. Zij is de grootste dierenliefhebster van ons groepje. Ze adoreerde de paarden en de kamelen, en beleefde intens veel genoegen aan dit aspect van onze reis. Ze was altijd bezorgd om hun welzijn en hield ze voortdurend in de gaten, en soms waren we bang dat zij de Zijderoute lopend zou afleggen om haar paard of kameel de extra last te besparen! Haar medeleven was zo groot dat het een enkele keer tot verdriet leidde, omdat ze vond dat de gidsen minder zachtaardig met de dieren omgingen dan volgens haar gekund had. Wic heeft een dromerig, zorgeloos karakter en alleen als ze van streek was om haar paard of kameel kon ze woedend uitvallen. Ze heeft grote verbeeldings-

kracht en was diep onder de indruk van de prachtige landschappen en kleurrijke mensen op onze weg. Ze vond het geweldig om te filmen en zat urenlang tevreden onze belevenissen op te nemen.

Onze gids Shamil noemde Lucy een amazone. Ze is lang en
slank met een exotisch, donker uiterlijk. Mijn belangstelling
voor de expeditie lag op hetzelfde vlak als de hare. Volgens mij
vond zij het net zo spannend als ik om die historische handelsweg opnieuw af te leggen en was ze net zo nieuwsgierig
naar de verafgelegen gebieden waar we doorheen zouden
trekken. Lucy pakt alles wat ze doet geestdriftig aan en voor
ons vertrek las ze gretig alles wat ze kon vinden over de Zijderoute, vooral geboeid door Tamerlane en Dzjengis Khan. Ze is
ongelooflijk aardig en goedhartig, en bijzonder onzelfzuch-
tig. Ze doet veel aan zelfonderzoek en kon soms erg somber en
stil zijn, maar dat gebeurde niet vaak; meestal werden onze
dagen opgevrolijkt door haar scherpe humor en karakteris-
tieke lach.

Geïnspireerd door de beeldend geschreven boeken van Peter Hopkirk werd ik bijzonder aangetrokken door de roman-
tiek van het reizen door het gebied van het Grote Spel, een
van de kleurrijkste perioden in de geschiedenis. In de negentiende eeuw vochten de twee grootste wereldmachten, het
Victoriaanse Engeland en het tsaristische Rusland, een geheime oorlog uit op de vlakten en in de bergen van Centraal-
Azië, waarbij ze streden om de macht over dit ruige binnen-
land. Mijn persoonlijke geschiedenis was ook een reden
waarom ik dat gebied zo graag wilde zien, vooral Centraal-
Azië, vanwege de rol die het heeft gespeeld in de geschiedenis
van het Russische rijk en de Sovjet-Unie. Mijn vader wilde,
als hoofd van de familie Tolstoy en indirecte afstammeling
van de legendarische auteur van *Oorlog en vrede*, dat we de

geschiedenis van onze familie en het land van onze voorouders kenden. Al toen we jong waren, wees hij ons op onze Russische afkomst en net als mijn broers en zussen was ik Russisch orthodox gedoopt en grootgebracht. We onderhielden een nauw contact met de andere Wit-Russische immigranten en hun nakomelingen, en ontmoetten elkaar in de kerk en thuis in flats in Kensington en Chiswick, waar het traditionele Rusland van de Romanovs in stand werd gehouden. Ik herinner me nog goed dat er in mijn jeugd Russen uit de hele wereld bij ons langskwamen, en ons huis staat vol Russische ikonen, boeken en andere memorabilia. Dit extra aspect van ons gezinsleven gaf me altijd het gevoel dat ik anders was dan mijn Engelse vriendinnen, en was beslist ook een reden dat ik later zo graag wilde reizen.

In 1992 besloot mijn vader dat ik als oudste na mijn schooltijd een half jaar naar Moskou moest om Russisch te leren, voordat ik zou gaan studeren. Mijn grootvader was in 1920 aan de Bolsjewieken ontsnapt en met zijn Engelse kinderjuf naar Portsmouth gevaren, en mijn vader was tijdens het gruwelijke regime van Stalin in Engeland geboren. Ik hoorde dus bij de tweede generatie die buiten Rusland was opgegroeid. Pas na de val van de Sovjet-Unie konden we vrij terugkeren naar de *rodina*, het moederland. Als historicus die veel kritiek had op het communisme en vooral op Stalin was dit voordien te gevaarlijk geweest. Hoewel ik eerst nogal nerveus was, ging ik later erg veel van Rusland houden, en ik heb in de afgelopen tien jaar dan ook veel tijd in Moskou doorgebracht.

Vanzelfsprekend is het moeilijk voor me om mezelf te beschrijven, maar ik zal mijn best doen om het beeld van ons groepje compleet te maken. 'Sterk' is een bijvoeglijk naamwoord dat vaak met mij in verband wordt gebracht, en ik weet dat ik een onwrikbare wil en veel doorzettingsvermogen heb.

Daarnaast ben ik ongeduldig en nogal opvliegend, maar ik kan een woordenwisseling meteen vergeten. Mijn ouders, broers, zus en ik vormen een hecht gezin, maar we nemen geen blad voor de mond en bezoekers amuseren zich vaak kostelijk om de drama's die zich bij ons thuis afspelen. Maar we maken ook veel plezier en schuwen geen enkel onderwerp, dus als ik op de Zijderoute voor problemen heb gezorgd, ga ik ervan uit dat er ook om me gelachen is. De drie anderen waren vaak verbaasd dat ik zoveel belangstelling toonde voor de simpelste gebeurtenissen in hun leven of voor verre familieleden, maar volgens mij heeft dat ertoe bijgedragen dat de dagen in de woestijn minder lang leken.

Na onze terugkeer in Engeland gingen we dingen doen die op de een of andere manier uit de expeditie voortkwamen. Samen hielden we lezingen voor de Royal Geographical Society, en Mouse en Wic hielden een jaar lang lezingen op scholen door heel Engeland. Daarna is Mouse naar India gegaan, waar ze werkt voor een liefdadigheidsinstelling die zich bekommert om zwerfkinderen: Youth Reach. Wic is een succesvolle cameravrouw geworden en doet research voor een productie van Channel 4, waarbij de ervaring die ze op de Zijderoute heeft opgedaan goed van pas komt. In het jaar na onze terugkeer haalde Lucy een Masters-graad in Centraal-Aziatische geschiedenis en Russisch aan SOAS en verhuisde daarna naar Almaty in Kazachstan, waar ze werkt voor een regionaal project op het gebied van de gezondheidszorg. Ik kreeg een contract voor dit boek en besloot het niet in Londen, maar in Moskou te schrijven, wat het gemakkelijker voor me maakte mijn zomervakanties te paard in Centraal-Azië door te brengen. Omdat ik de Zijderoute-expeditie als het grootste avontuur van mijn leven beschouwde, begon ik een jaar geleden opnieuw te verlangen naar weidse lucht en steppen, en kreeg ik het idee om een paardrijtocht door Mongolië en Oost-Siberië te maken. Samen met een andere vriendin van de universiteit, Katherine Turner, hebben Shamil en ik onlangs een vierduizend kilometer lange tocht van een half jaar gemaakt door net zulke ruige gebieden als die van de Zijderoute.

Maar mijn honger naar avontuur is nog steeds niet gestild, en Shamil en ik zijn van plan de veldtocht te herhalen die Dzjengis Khan in 1219 maakte van Mongolië naar Oezbekistan, weer te paard en deze keer in de vorm van een race. Ik kan me nu geen leven meer voorstellen zonder Centraal-Azië en paarden, en ik prijs mezelf eindeloos gelukkig dat ik deze hartstocht heb ontdekt door een gezellig praatje op de Chelsea Flower Show.

# 1  Het begin

We kwamen in het donker in Merv aan, nadat we een paar keer rondgereden waren door Mary, de moderne stad die naast de oude oase is ontstaan. Uiteindelijk hadden we in het enige hotel van die stad de weg gevraagd naar de archeologische overblijfselen van het oude Merv, en even later reden we hotsend over een stoffige weg door de woestijn. Toen we in het licht van de koplampen iemand zagen staan die druk naar ons zwaaide, zette de chauffeur de minibus stil en opende de deur, waarna we werden begroet door een jongeman die zich in gebrekkig Engels voorstelde als Evgeniy. Hij klom in de bus en legde uit dat hij onze gids was en dat ons kamp iets verderop lag. Vijf minuten later zagen we een groot gebouw uit het vlakke woestijnlandschap oprijzen, met daarvoor zes figuurtjes: onze paarden.

In het kamp stelde Evgeniy ons voor aan Sacha, de kok; Igor, de chauffeur; en Dzhuma, de verzorger van de paarden. Ze schudden ons allemaal een beetje verlegen de hand, lieten ons de twee tenten zien die ze voor ons hadden opgezet en gaven ons een kom hete soep. Zwijgend aten we de soep en staarden naar de woestijn, die onder de zwakverlichte avondhemel nog net zichtbaar was. Toen ik die avond ging slapen, wist ik niet of ik het spannend of doodeng vond. Ik was in een andere wereld beland, die leek op een droomwereld waarin alles afweek van de werkelijkheid.

Toen we de volgende morgen opgewonden uit onze tenten kropen, was het buiten warm en zonnig. Dat wat de vorige avond een onafzienbare vlakte had geleken, leek nu kleiner en minder mysterieus. Het gebouw dat we hadden gezien (het Middeleeuwse mausoleum van sultan Sinjar) was minder imposant en we zagen dat het een eind bij het kamp vandaan stond. Helaas waren de paarden in het daglicht ook minder imposant: ze waren broodmager en een ervan had een langwerpig, bloedend gezwel aan zijn hals hangen.

'Evgeniy, wat mankeert dit paard?' vroegen we.

'O, ze zijn hier in een vrachtwagen naartoe gebracht en hij heeft zich gestoten tegen de zijwand.'

'Maar waarom zijn ze zo mager?'

'Dat is normaal.'

De dieren waren duidelijk ondervoed, maar we konden er niets aan doen, behalve Dzhuma opdracht geven ze zoveel mogelijk voer te geven. Na het ontbijt stelde Evgeniy, of Zheniya, zoals hij liever werd genoemd, een bezoek voor aan de overblijfselen van het oude Merv.

Merv, de 'Parel van het Oosten', was vroeger een stad aan de Zijderoute en op Bagdad na de grootste stad in de islamitische wereld. Hij bereikte zijn hoogtepunt onder de heerschappij van de Seltsjoeken in de elfde en twaalfde eeuw, de periode waarin het ietwat lugubere mausoleum was gebouwd voor een van de heersers, sultan Sinjar. Een plaats iets ten noorden van de stad, Margoesj, was in de negende eeuw voor Christus al bewoond. Driehonderd jaar later zakte een aantal inwoners van Margoesj de rivier de Morghab af naar Merv, terwijl andere naar Perzië en Afghanistan gingen. Deze verspreiding vormt de aanleiding tot een controversiële nieuwe discussie, die is aangezwengeld door Victor, een archeoloog en onze gids, en die inhoudt dat de leer van Zarathoestra in

Merv is ontstaan. Onlangs is er in Margoesj een tempel opge-graven die volgens hem het bewijs levert dat het zoroastrisme dateert uit een tijd die ruim driehonderd jaar voor die van de stichter van deze religie ligt, die in de zesde eeuw v.C. in Perzië leefde.

In de derde eeuw v.C. bracht Alexander de Grote enkele jaren in Merv door voordat hij Antiochus, zijn favoriete ge-neraal en de zoon van Seleucus, opdracht gaf de stad te bestu-ren. Antiochus herbouwde Merv en noemde de stad voor-taan Antiocha Margiana, waarna het er vrij rustig bleef tot in de zevende eeuw n.C., toen hij werd veroverd door de Ara-bieren. In de twaalfde eeuw volgde er een brutere verovering door Tuli, de lievelingszoon van Dzjengis Khan. De horde Mongolen sloeg een bres in de goedbeschermde stadsmuur door een dam te vernietigen in de Morghab, die dwars door Merv heen stroomt, en plunderde de stad.

De overblijfselen van het oude Merv bevatten een boed-dhistische tempel, een moskee, een nestoriaanse kerk en een tempel van de aanhangers van de leer van Zarathoestra – een unieke combinatie van religies in Centraal-Azië – en liggen op een zandvlakte aan de rand van de Karakumwoestijn. Het is een indrukwekkende plaats, en het mausoleum van Sinjar dwingt zelfs bij ongelovigen respect af.

Nadat we de hele dag hadden doorgebracht in het oude Merv liepen we terug naar ons kamp, moe van de hitte, het stof en de overvloedig door Victor verstrekte informatie.

Onze paarden stonden er nog treuriger bij dan de vorige dag. Vol nerveuze verwachting gingen we naar bed, want de volgende dag zouden we gaan rijden. Alhoewel we vroeg wakker waren geworden, gingen we pas drie uur later weg. Het kleinste paard, dat als pakpaard zou dienen, kon geen stap zetten. Toen we hem aan de teugel mee wilden nemen, zakte hij door zijn benen. Na enig overleg stemde Evgeniy ermee in dat hij en Sacha een nieuw thuis voor hem zouden zoeken terwijl wij met Dzhuma op de andere paarden zouden vertrekken.

Het was een vreemde anticlimax eindelijk op een paard te zitten, vooral omdat we de rest van de ochtend door de buitenwijken van de nieuwe stad reden. Aan weerskanten van de weg stonden gammele gebouwen van één verdieping, en het wemelde er van de mannen, vrouwen en kinderen in bonte Turkmeense gewaden. Iedereen staarde ons na, en soms keek iemand ons met een nieuwsgierige glimlach aan en liet blikkerende gouden tanden zien. Stapvoets vervolgden we onze weg en we voelden ons absoluut niet op ons gemak in onze Westerse kleren en met onze opzichtig nieuwe uitrusting. We waren dan ook blij dat we de stad achter ons konden laten, ook al bevonden we ons toen in een vlak, met kreupelhout begroeid landschap met slechts hier en daar een acacia.

Omdat we niet hadden verwacht de eerstkomende weken nog weelderig natuurschoon te zien, waren we verrukt toen Dzhuma ons naar een met gras begroeide open plek leidde, omzoomd door bomen die gevlekte schaduwen wierpen. Na de eerste dag was ik teleurgesteld dat deze zo kalm was verlopen. Toen we de volgende dag wakker werden, merkten we tot onze verbazing dat onze paarden opeens een stuk energieker waren. Door het struikgewas reden we naar de lage duinen aan de rand van de Karakum. De paarden draafden omhoog en omlaag, de schildpadden ontwijkend die zich warmden in de zon. Later volgden we de spoorweg van Asjchabad naar Chardzjoe, en verder naar Buchara in Oezbekistan. We reden naast de spoorlijn en zagen geen enkele trein, alleen een eindeloze rij telegraafpalen en golvende duinen.

De volgende dag reden we naar Ravnina, vroeger een

standplaats van het Rode Leger en nu een Turkmeens dorp. Hier besloten we een dag rust te houden, die samenviel met het moslimfeest Koeban-Bairam. Op deze feestdag, waarop wordt gevierd dat Mohammed zijn zoon offerde aan Allah, slachten alle moslims voor zonsopgang een dier en houden tot zonsondergang open huis. Evgeniy vertelde ons dat volgens de traditie iedereen die dag veertig huizen moet bezoeken om te boeten voor zijn zonden. Dzhuma, een Turkmeen, had vrienden in Ravnina die ons bij hen thuis uitnodigden, waar we in kleermakerszit op de met felgekleurde tapijten bedekte vloer van de woonkamer tussen de hele familie zaten – een man of twintig – en verbijsterd naar het feestmaal staarden. Een van de oudere vrouwen, in een bonte lange jurk en met een hoofddoek om, zette griezelig uitziende kommen schapenvlees in vettig water voor ons neer. Beleefd probeerden we het vlees en de bouillon door te slikken. Gelukkig kregen we er de heerlijkste abrikozenjam bij die ik ooit heb geproefd, en zalige zoete cakejes. We dronken thee met kameelmelk, die iets vetter is en scherper smaakt dan koemelk. Tijdens het middagmaal werd ons getoond hoe een Turkmeense bruid eruitziet, compleet met metalen hoofdtooi en handsieraden. Wic mocht alles aantrekken en kreeg te horen dat de bruidskleren haar goed stonden. Wilde ze misschien trouwen met een van de zoons?

Blijkbaar waren wij de eerste Engelsen die ooit het dorp bezochten, en tijdens onze wandeling na de lunch kregen we een sleep smoezelige kinderen achter ons aan. Het verbaasde me dat er maar zo weinig mensen Russisch spraken en dat de Russen er nauwelijks sporen hadden achtergelaten. We werden naar een levensgevaarlijk uitziende schommel gebracht, die, zo werd ons uitgelegd, samen met de veertig visites elke denkbare zonde zou uitwissen. Mouse en ik gingen erop staan en ze duwden ons steeds hoger, tot ik het gevoel had dat we de wolken raakten en begon te gillen.

Hierna bood een van de oude mannen, een vriend van Dzhuma, aan ons mee te nemen de woestijn in om ons de restanten van een oude goudmijn en een bron te laten zien. Nadat we een paar kilometer door de duinen hadden gelopen, kwamen we bij een plek die er niet veel anders uitzag dan het gebied eromheen, maar de oude man wees aan waar volgens hem de bron had gelegen voordat die opdroogde. Van de goudmijn was nog minder te zien, maar de man wees ook elk bloempje en elke plant aan en kende alle namen. In eenvoudig Russisch vertelde hij dat zijn grootouders herders waren geweest en respectievelijk 105 en 118 waren geworden, en dat ze nooit een stad of dorp hadden bezocht, behalve toen ze werden begraven. Als ze een vliegtuig zagen, dachten ze dat het een ijzeren arend was. Ik vroeg of er nog steeds nomaden waren en hij antwoordde dat de Russen hun levenswijze onmogelijk hadden gemaakt door de mensen bijeen te drijven in verschrikkelijke kolchozen, collectieve boerderijen. Maar de huidige generatie houdt nog steeds veel van de woestijn; ze zijn er allemaal trots op en koesteren de geschiedenis en de verhalen. Ze kennen elk bosje en weten perfect de weg in een landschap zonder voor ons zichtbare bakens.

Het was eind maart en de woestijn was aan het ontwaken. Na ons vertrek uit Ravnina vingen we voor het eerst een glimp op van een dunne, bruine hoornratelslang, die zijn lichaam strekte na de winterslaap. De duinen zaten vol gaten en holen, en er groeiden losse pollen gras. We zagen de eerste bomen die op kleine wilgen lijken. Boven ons cirkelden arenden rond, en overal liepen woestijnratten en schildpadden. Minder welkom waren de teken die opeens overal opdoken; ze sprongen in onze oren, kropen omhoog in onze rijbroeken, en wipten vanuit de schapenvellen op ons bovenlichaam, onder onze shirts. De paardenbuiken zaten binnen een mum van tijd onder de teken, die opzwollen tot de grootte van amandelen.

Wic schreef in haar dagboek: 'Ik kan me niet herinneren wanneer ik voor het laatst "niets" heb gehoord. Ik heb zo lang in Londen gewoond dat mijn idee van stilte gepaard gaat met een orkest van gillende autoalarmen, krijsende kattengevechten en scheldende buren. Hier beleefde ik het hoogtepunt van de dag toen Fang (mijn kakenklapperende knol) en ik naar een duintop klommen om uit te kijken over het oneindige landschap en ik daar genoot van het heerlijke, rustgevende gevoel dat echte stilte teweegbrengt.'

Het was inderdaad vreemd om door zo'n leegte te rijden, vooral na de laatste jachtige voorbereidingen de afgelopen maanden in Engeland. Maar ik reageerde er lang niet zo positief op als Wic: hadden we dan zo hard gewerkt om alleen maar door een kale vlakte te rijden? Ik dacht aan de glooiende heuvels rondom mijn ouderlijk huis op het Engelse platteland en vroeg me af of het dom van me was geweest zo'n verre ontdekkingsreis te willen maken. Maar de desillusie duurde maar kort, want een paar dagen later besloot ik dat ik nooit meer een ander leven wilde.

De volgende morgen wekte Zheniya ons met slecht nieuws: het paard van Mouse was die nacht door een schorpioen gebeten en had nog maar een paar uur te leven. In paniek kropen we uit onze tent en zagen dat Dzhuma stond te schudden van de lach – Turkmenen doen ook aan eenaprilgrappen. Die dag reden we naar het Repetekreservaat, een kleine enclave in de Karakum die door de Russen wordt gebruikt voor het bestuderen van het klimaat en het planten- en dierenleven. Onze gids was met zijn klompneus en dikke brillenglazen niet bepaald knap om te zien, maar hij bleek boeiend te kunnen vertellen. Hij gaf ons een rondleiding door het kleine museum en vermaakte ons met verhalen over het leven van slangen. Hoewel cobra's het gevaarlijkst zijn, zijn karakulspinnen (zwarte weduwen – *kara* betekent zwart in het Turkmeens) driemaal zo giftig. In de huwelijksnacht eten ze hun partner op. Maar sommige mannetjes weten dit en nemen stiekem een vlieg mee. Nadat het mannetje zijn echtelijke plicht heeft gedaan, ontsnapt hij en laat de nietsvermoedende vlieg in zijn plaats achter. De gids wees ons kruiden, bloemen en grassen aan die specifiek in die streek groeien, en een bloem die volgens Lucy op gebrande popcorn leek, bleek cypergras te heten. Deze plant is een essentieel onderdeel van het dieet van karakulschapen, want hij zorgt voor hun krullende vacht. Toen ooit enkele van deze schapen naar Kazachstan werden gebracht, kregen ze steil haar. We leerden ook dat de witte versie van de heilige saksaulboom overal groeit, maar de zwarte alleen bij water. De flora van de Karakum is uniek omdat ze hittebestendig is. In andere woestijnen waar de temperatuur tot boven de vijftig graden Celcius kan stijgen, wil niets groeien, terwijl hier de planten juist weelderiger groeien en de fotosynthese versnelt.

We verlieten het Repetekreservaat en reden twee dagen door de duinen naar Chardzjoe, ongeveer vijfendertig kilometer van de grens van Oezbekistan. Opgewonden reden we het vuile stadje binnen, want het was alweer twee weken geleden dat we door een nederzetting waren gekomen met meer dan twee gezinnen en een paar kippen. Opeens voelden we ons erg belangrijk toen de mensen ons aanstaarden en in het Russisch riepen: 'Otkuda?' – 'Waar komen jullie vandaan?' Helaas werden we niet alleen begroet met nieuwsgierige blikken en vragen, maar ook met stokken en stenen. De situatie werd precair toen een groep jongens om Lucy heen ging staan en met lange bamboestokken naar het hoofd van haar paard begonnen te meppen. Wic en Mouse hielden in en schreeuwden tegen de jongens dat ze hun wapens moesten laten vallen, maar de grootste jongen reageerde door Wics paard met zijn stok hard op de flank te slaan. Wic schreef later dat haar huid groen werd en ze uit haar naden knapte toen ze veranderde in de 'Incredible Wic'. Ze draaide haar paard om naar de jongens, spoorde het met een strijdkreet aan en galoppeerde op hen af, waarna ze hard wegrenden. We werden afgeleid door een plensbui en draafden door de hoofdstraat van Chardzjoe naar de grens van het stadje en ons kamp.

Die nacht sliepen we op de oever van de Amoe Darja, de machtige Oxus uit de Oudheid. Deze rivier, de westelijke grens van het vroegere land Oxiana, ofwel het Sogdiania van Alexander de Grote, is een van de belangrijkste waterleveranciers van Azië. We staken de rivier over via een gammele ijzeren brug, die trilde bij elke stap van de paarden. Langs de oevers stonden vervallen gebouwen en het water was troebel bruin, wat onze romantische ideeën over deze rivier meteen verjoeg. Aan de overkant sloegen we ons kamp op terwijl Igor zijn vishengel te voorschijn haalde en er geduldig bij ging zitten, tot de zon onderging en we zijn pet en hengel als een silhouet zagen afsteken tegen de roze lucht.

De volgende morgen, nadat we strijd hadden geleverd met de gulzige teken op onze paarden, reden we naar de grens van Oezbekistan, over smalle wegen waar het groene graan langs de kant in de zanderige omgeving nog groener leek. Elk graanveld hoorde bij een bijna bijbels uitziend boerderijtje, met stallen van takken en een strodak. Vanuit veldjes en keurig gewiede groentetuintjes staarden kamelen, ossen, schapen, honden en mensen onze ongewone stoet na. Een oude vrouw, gekleed in lagen patchwork, hees een laken met een bundel aanmaakhout op haar rug en groette een oude man in hetzelfde soort kleren en met een hoge bontmuts op, die met gekruiste benen op de modderige grond zat.

Tegen lunchtijd bereikten we een moskee die in 1996 was gebouwd op de plaats waar een heilige man had gewoond. We werden naar een door bomen beschaduwde binnenplaats gebracht, waar lage houten tafels stonden. De beheerder legde er kleden en kussens op, en zette daarna overal cakejes neer. Vervolgens gebaarde hij dat we moesten gaan zitten, en nadat we onze laarzen hadden uitgetrokken, klommen we op de tafels en installeerden ons in kleermakerszit.

Na het eten nam de beheerder ons mee naar binnen en zei een gebed voor een veilige reis. Toen we vertrokken, was het snikheet; de arme paarden konden het nauwelijks volhouden. Lucy's paard was er het ergst aan toe. Het moest na elke twee stappen stilstaan, dus besloot Lucy af te stijgen en het aan de teugel mee verder te nemen. Niet veel later werd de hitte verdreven door een donderslag en opeens werden we, stapvoets voortsjokkend op de rechte weg naar de grens, bekogeld met enorme hagelstenen. Een paar kilometer voor de grens stond onze vrachtwagen, waar Igor ons begroette met het nieuws dat de Turkmeense vergunning voor de auto verlopen was. We besloten die avond de grens over te steken. Terwijl we langzaam verder zwoegden, kwam de zon vanachter een dikke wolk te voorschijn en schilderde twee regenbogen tegen de loodgrijze lucht.

Na wat een eeuwigheid leek, bereikten we eindelijk de grens, waar Igor, Sacha, Zheniya en de vrachtwagen weer stonden te wachten. Zheniya deelde ons mee dat we de paarden moesten achterlaten tot de volgende ochtend, omdat de papieren nog niet in orde waren. Dzhuma leidde ze weg en we zagen ze rustig tussen wat riet staan grazen, terwijl wij door enkele grenswachters meegenomen werden.

Zesenhalf uur later kwamen we weer naar buiten, na een uitputtend onderzoek van zowel onszelf als onze bagage, waarbij we twaalf keer onze paspoorten moesten laten zien. De douanebeambten, in uniformen van het Sovjetleger, wilden onze tassen tot in alle hoeken en gaten doorzoeken. Vervolgens werd Lucy meegenomen naar een kamertje verder het gebouw in, waar een ijzeren ledikant en twee hoge bureaus stonden, en waar ze door een Turkmeen werd ondervraagd. Hij schreef precies op waar we in Asjchabad hadden gelogeerd, en pakte vervolgens een agenda waarin hij op de bladzijden van 26 tot 30 mei de belangrijkste punten van ons leven tot dan toe noteerde.

'Waar hebben jullie gestudeerd?'

'In Edinburgh.'

'Welke vakken?'

Lucy vertelde hem waarin we waren afgestudeerd.

'Waar hebben jullie daarna gewoond?'

'Wat zegt u?'

'WAAR WONEN JULLIE?'

'In Londen.'

'Wat deed je daar?'

'Ik was literair agent.'

Onbegrip.

'Boekverkoper,' legde ze uit, waarna hij weer een bladzijde vol krabbelde.

Daarna wilde hij precies weten wat we in Turkmenistan hadden gefilmd. Gelukkig kwam Zheniya op dat moment binnen, en hij legde uit dat Turkmenistan baat zou hebben bij onze filmopnamen en waarom. Na zijn vleiende woorden mochten Zheniya en Lucy terug naar de grote zaal, waar een beambte met een dikke buik ons het slechte nieuws meedeelde dat onze paarden de volgende dag niet met ons mee mochten, omdat het 'Turkmeense nationale schatten' waren. We kwamen in de verleiding hem voor te stellen dat hij erop van Merv naar de grens zou rijden, want dan zou hij misschien van mening veranderen, maar het leek ons verstandiger hem niet boos te maken. Het was inmiddels donker en we hadden schoon genoeg van de ondervraging, dus we besloten ons lot te aanvaarden en het enige restaurant in niemandsland te proberen. We aten er heerlijke *pelmeni*, Russische knoedels, besmeerd met zure room, en spoelden ze weg met blikjes warm bier. We knapten er een beetje van op en reden met de vrachtwagen mee naar de Oezbeekse grens. De glimlachende beambte die vroeg hoe we heetten, riep toen hij Wics naam hoorde vol bewondering: 'Victoria!' Vijf minuten later liepen we hem weer tegen het lijf en toen begon hij Wic te bejubelen. 'Wat is ze lang!' 'Wat een mooie ogen, ze lichten op en stralen in het donker!' 'Wat een dun haar, net als een Oezbeekse, wat mooi!' Daarna stelde hij haar allerlei vragen. 'Is je moeder ook mooi? Wat doet ze?' Aan de muur hing een grote poster met het portret van de veertiende-eeuwse tiran Tamerlane, die streng op ons neerkeek, alsof hij nog steeds heerser van Oezbekistan was. Misschien dankzij de grote bewondering die de douanebeambte koesterde voor Wic mochten we de grens over nadat we slechts driemaal onze paspoorten hadden laten zien. Ongeveer twee kilometer verder sloegen we onze tenten op, doodmoe en bezorgd om onze paarden.

## 2  De eerste halte

We waren ontzettend opgelucht toen we veilig en wel in Oezbekistan waren. Omdat het vijf weken zou duren voordat we
opnieuw bij een grens kwamen, waren bureaucratische ambtenaren opeens heerlijk ver van ons bed. Zheniya was 's morgens vroeg teruggegaan naar de grens om te proberen onze
paarden mee te krijgen, maar de Turkmenen weigerden ze
te laten gaan, want het waren nog steeds nationale schatten.
Hoewel we ons schuldig voelden omdat we ze moesten achterlaten, wisten we dat het afscheid onvermijdelijk was omdat
ze eigenlijk te uitgeput waren om met ons verder te reizen. In
dat geval hadden we ze toch binnenkort moeten inwisselen
voor andere paarden en was het misschien moeilijker geweest
een nieuw thuis voor ze te vinden. Wic wilde per se weten wat
er nu met ze zou gebeuren. Waar gingen ze naartoe? Wie zou
voor ze zorgen? Wat zouden ze ermee gaan doen? Toen Zheniya haar vertelde dat Dzhuma ze mee terug zou nemen naar
zijn boerderij in Noord-Turkmenistan en dat ze daar een
goed leven zouden hebben, was ze enigszins gerustgesteld.

De volgende uitdaging was het vinden van nieuwe paarden. We moesten vóór de winter ons reisdoel bereiken en
wisten dat we daar minstens acht maanden voor nodig zouden hebben, en omdat we pas eind maart waren vertrokken,
mochten we geen tijd verspillen. Het zwaarste deel van de
route, in China, lag nog voor ons: de Taklamakanwoestijn,

dus moesten we er rekening mee houden dat we daar vertraging op konden lopen. Daarom stuurden we, terwijl wij in het kamp bleven, Zheniya meteen in de vrachtwagen naar Buchara, waar hij volgens hem paarden kon kopen in het hippodroom. Het was altijd beter iemand uit de streek in zijn eentje te laten onderhandelen, want zodra een buitenlander zich liet zien, schoten de prijzen omhoog.

We bevonden ons nog steeds in de woestijn, maar achter een heuveltje naast ons kamp stroomde een rivier. We besloten van de kans gebruik te maken om onze kleren te wassen, die vuil waren en vol zand zaten. Net toen Wic tussen het riet een shirt zat te schrobben, knalde de donder en kwamen er vanaf de horizon dikke grijze wolken aandrijven. Dikke regendruppels begonnen te vallen en vanuit windstilte stak er plotseling een storm op. In het kamp keken Lucy, Mouse en ik hulpeloos toe toen de wind onze tenten neerhaalde en de haringen uit de grond rukte. Even later lagen al onze spullen – slaapzakken, rugzakken en kleren – in grote plassen water. Op dat moment leek het ons een grote ramp en voorzagen we terneergeslagen dat niets ooit weer schoon en droog zou worden. Afgescheiden van de rest van de wereld en niet verder kijkend dan de komende nacht namen ongemakken zoals dit enorme proporties aan.

De storm was even plotseling voorbij als hij was opgestoken. Terwijl de lucht weer schoon werd, drapeerden we onze kletsnatte kleren over de tamarisken om in de avondzon te drogen. Toen we naar bed gingen, was Zheniya nog steeds niet terug.

Bij het ontwaken de volgende morgen hoorde ik buiten bekende geluiden, maar pas toen zacht gehinnik de stilte verbrak, drong het tot me door wat ze betekenden. Ik stak mijn hoofd door de tentopening en zag vijf paarden staan, gezonde, glanzende paarden, die na onze magere Turkmeense knollen bijna angstaanjagend groot en sterk leken. Terwijl hun miserabele voorgangers voor elke stap een schop moesten hebben, trokken deze aan hun touw en schraapten ongeduldig met hun voorhoeven over de grond. Ze zagen eruit alsof ze in één lange galop de hele Zijderoute konden afleggen.

Zheniya stond met een donkere jongeman bij een van de paarden. 'Dit is Abbas, de eigenaar van de paarden en jullie nieuwe gids,' zei hij. Abbas knikte hooghartig en draaide zich meteen weer om om een snee op het hoofd van een van de paarden te inspecteren. Hij was lang en knap, en had warrig zwart haar. Zijn kleren waren net zo opvallend als hijzelf: een oude, bontgestreepte zijden jas of *chopan*, een wijde broek en hoge laarzen. Hij paste zo goed bij het woeste landschap dat ik me opeens onbehaaglijk voelde in mijn rijbroek en beenkappen. Volgens mij ging hij nog meer op ons neerkijken toen bleek dat wij ons niet zoals hij met één lenige sprong in het zadel konden werpen. En niet alleen moesten we ons vernederen door Zheniya te vragen ons een opstapje te geven, maar ook lieten Lucy en ik merken dat het ons aan moed ontbrak. Abbas had gezegd dat we zelf een paard moesten kiezen; hijzelf zat op een prachtige Duitse hengst en de andere dieren waren merries, vergezeld van een veulen. Ik koos er een die ik er zachtmoedig vond uitzien, maar toen ik een voet in de stijgbeugel stak, schoot ze opeens weg en moest ik op de andere voet meehoppen, waardoor ik bijna viel. Ik gaf een gil en Mouse greep de merrie bij het hoofdstel, zodat ik mijn voet los kon trekken. Mouse bood aan van paard te ruilen, en toen kon ik opstijgen zonder me nog belachelijker te maken. Intussen had Lucy een zwarte merrie uitgekozen wier uiterlijk haar ware aard eveneens tegensprak. Lucy zat nog maar net in het zadel toen het dier begon rond te springen en met haar hoeven over de grond schraapte. Wic zag dat Lucy begon te huilen en stelde voor ook van paard te wisselen, waar Lucy na enig aandringen mee instemde. Lucy vond het altijd afschuwelijk ergens drukte om te maken en volgens mij haatte ze zichzelf omdat ze niet flinker was. Later die dag bekende ze, toen we naast elkaar reden, dat ze wilde dat ze net zo dapper was als Mouse en Wic. Ik probeerde haar een hart onder de riem te steken door te zeggen dat Mouse en Wic veel vaker op een paard hadden gezeten dan wij en dat mensen met meer ervaring vanzelfsprekend ook dapperder zijn, maar ze liet zich niet troosten. Later viel het me vaker op dat Lucy boos op zichzelf werd als ze niet aan haar eigen verwachtingen voldeed.

Aan ons ontzag voor Abbas kwam gelukkig gauw een einde. Het eerste deel van de dag reed hij voor ons uit en draaide zich alleen af en toe om om te zien of we hem konden bijhouden. Als we achterbleven, gebaarde hij met een rukje van zijn hoofd dat we hem moesten inhalen en wanneer we hem dan voorbijreden, schreeuwde hij iets tegen de merries. Hiervoor koos hij steeds een moment waarop hij op hogere grond stond dan wij en dan liet hij zijn hengst, Pasha, pas op de plaats maken om zich in volle glorie te tonen. Bijna overdreven leunde hij dan achterover in het zadel om Pasha's opzwiepende staart te aaien, waarbij hij de teugels iets liet vieren opdat het dier licht steigerde.

Maar dit indrukwekkende schouwspel begon ons algauw te vervelen. Lucy's paard werd mank en Abbas wist niet wat hij eraan moest doen, dus moesten we te voet verder. We hadden de rand van de Karakum achter ons gelaten en trokken nu over zandpaden tussen abrikozenboomgaarden en boerderijtjes door. Ze zagen er allemaal hetzelfde uit en pas na diverse keren de verkeerde weg te zijn ingeslagen, beseften we dat we kilometers bij het punt vandaan waren waar we de vrachtwagen zouden treffen. Abbas had zonder de kaart te raadplegen de weg gewezen en wij hadden zijn gezag schaapachtig aanvaard. Ik stond erop dat hij de kaart te voorschijn haalde en vroeg daarna iedereen die we tegenkwamen de weg, wat hij opvatte als een belediging. Plotseling keek hij me aan en zei: 'Je kunt beter niet met de mensen in Oezbekistan praten of tegen ze lachen.'

'Waarom niet?'

'Ze zijn gevaarlijk, zelfs de kinderen.'

Ik vertaalde het voor de anderen, die het uitproestten van het lachen, omdat de Oezbeken die we tot dusver waren tegengekomen allemaal boeren waren die niets agressievers hadden gedaan dan glimlachend vragen waar we naartoe gingen.

'Jullie begrijpen het niet,' zei Abbas verdedigend. 'Dit is een oosters land.'

Ik gaf hem zijn zin en sprak geen Oezbeken meer aan, wat zijn zelfrespect weer een beetje leek op te krikken. Maar blijkbaar rekende hij zichzelf niet tot de gevaarlijke categorie waarvoor hij me gewaarschuwd had, want opeens verbrak hij zijn afstandelijke stilzwijgen van die ochtend en begon druk te praten. Eerst vertelde hij me dat hij de karakters van ons allemaal onmiddellijk had doorgrond en hij voegde er zelfvoldaan aan toe dat we alle vier in Buchara zouden aankomen, maar dat er slechts drie van ons zouden vertrekken. Nummer vier – hij had nog niet besloten wie dat zou zijn – zou achterblijven als zijn vrouw.

Tegen zonsondergang bereikten we eindelijk het gehucht waar de vrachtauto op ons wachtte en we de nacht zouden doorbrengen. Zheniya had er een idyllisch, witgepleisterd boerderijtje gevonden met open stallen onder een strodak en een heleboel schapen, geiten, kippen en koeien. De eigenaar, een oude man, gaf ons toestemming daar die nacht onze paarden te stallen. We lieten Abbas als oppas achter en sloegen een paar kilometer verder ons kamp op.

De volgende morgen keerden we terug naar de boerderij. De zon scheen helder en het huisje leek nog stralender wit dan de vorige dag. Een vrouw met een hoofddoek, de dochter van de oude man, zat op haar hurken in de deuropening en bekeek ons met samengeknepen ogen. Haar man speelde op het erf met hun dochtertje en zwaaide haar omhoog om haar aan het lachen te maken. Ze hielden ermee op om ook naar ons te kijken en het kind verstopte zich verlegen achter de benen van haar vader. We troffen Abbas aan bij de paarden, maar het veulen van de merrie van Mouse, dat de hele vorige dag achter haar aan had gedraafd, ontbrak. Even later kwam de boer met het veulen aan de teugel vanachter een stal aanlopen. Hij vertelde ons dat hij midden in de nacht wakker was gemaakt door het veulen, dat in zijn slaapkamer een onwelkom cadeautje had achtergelaten. Hij had het naar buiten gebracht, maar het een paar uur later teruggevonden op de akker van zijn buurman, waar het zich te goed deed aan diens belangrijkste gewas. Desondanks vroeg de oude man ons bij hem en zijn gezin te komen ontbijten. We gingen met hem mee naar binnen, trokken onze laarzen uit en lieten ons in kleermakerszit op de met gestikte dekens bedekte vloer zakken. Het was een heel eenvoudige, maar schone kamer, en het was duidelijk dat elk voorwerp, van een wazige foto van de schoonzoon in militair uniform tot de stapel kussens tegen een van de muren, werd gekoesterd. De dochter kwam binnen met gebakken eieren met heldergele dooiers, vers brood en komkommers. Het was een eenvoudige, maar heerlijke maaltijd en het was reuze genoeglijk in het gezellige huisje.

Nadat we waren vertrokken, werd het algauw duidelijk dat Lucy's merrie beslist niet in orde was. We hadden al meteen gezien dat ze in een stadium van vergevorderde zwangerschap verkeerde, maar Abbas had ons nadrukkelijk verzekerd dat het nog minstens drie maanden zou duren voordat ze haar veulen zou krijgen. Ze liep nog manker dan de vorige dag en nu leken haar achterbenen niet meer in staat haar grote gewicht te dragen. Ze kon zich nauwelijks meer bewegen. Toen Lucy een paar honderd meter op haar gereden had, riep ik tegen Abbas dat we moesten stoppen. Hij was niet onder de indruk – 'Ze is gewoon lui, geef haar maar een flinke schop'- maar na een nieuwe poging bleef Lucy steeds verder achter. Mouse bood aan het ook te proberen, met hetzelfde resultaat. De arme merrie leed duidelijk erge pijn. Ten slotte kon Mouse het niet meer verdragen; ze sprong op de grond en zei met tranen in haar ogen: 'Zo gaat het niet langer, het is afschuwelijk.' Abbas keek nors; hij vond ons blijkbaar overgevoelig. Maar Mouse hield vol dat we de merrie niet langer mochten kwellen en schoorvoetend gaf hij toe dat ze een oude wond in een van haar achterbenen had. Hij stelde voor dat wij de paarden ergens zouden vastbinden terwijl hij hulp ging halen. Hij galoppeerde weg op Pasha en kwam een uur later terug met de mededeling dat hij een boerderij had gevonden waar hij de merrie mocht achterlaten tot hij haar na onze aankomst in Buchara kon ophalen. Te voet bracht hij het paard weg, wat een eeuwigheid leek te duren. Doordat hij zijn eigen merrie als onderpand achterliet, kon hij gelukkig een ander paard lenen, zodat we door konden rijden. Dit schepsel leek meer op een ezel dan op een paard. Mouse klom erop en reed achteraan, maar het dier had genoeg pit om ons bij te houden.

De volgende paar dagen reden we verder door boerenland

en kaal terrein naar de oase van Buchara. Het landschap was vlak en zanderig, en er was weinig te zien. Het was niet warm meer en het voorjaar leek weer ver weg. Toen we Buchara naderden, reden we door witgepleisterde dorpen en langs boomgaarden met bloeiende appelbomen. Al van heel ver weg konden we de minaretten en koepels van Buchara zien. Zonder nog rust te houden, draafden en galoppeerden we door; na een paar weken in de woestijn snakten we naar een stad. We zouden de paarden naar het hippodroom brengen, dat in een buitenwijk lag, en onszelf twee dagen rust gunnen om de stad te bekijken en te genieten van de ongewone luxe van een hotelbed voordat we de reis zouden voortzetten naar Samarkand.

In de laatste paar dagen waren de anderen zich steeds meer gaan ergeren aan Abbas' arrogante houding en zijn gepronk met zijn knappe uiterlijk. Inmiddels had hij zijn chopan verwisseld voor een felgroen nylon jack en cowboylaarzen, waardoor hij er veel minder romantisch uitzag. Toch vond ik hem nog steeds geweldig, dus toen we bij het hippodroom waren, was ik blij dat Zheniya hem vroeg met ons mee te gaan eten. Maar Abbas sloeg de uitnodiging smalend af en duwde ons de vrachtwagen in. Ik voelde me diep gekrenkt, maar toen we naar het centrum van Buchara reden, werd mijn teleurstelling verdreven door een golf misselijkheid en ver-schrikkelijke maagkrampen. Die ochtend was ik om vijf uur wakker geworden met de ergste hoofdpijn die ik ooit had ge-had, maar na een paar tabletten en veel water was ik opge-knapt en had ik er niet meer aan gedacht. Nu kon ik nauwe-lijks meer nadenken, zo ziek en zwak voelde ik me. Zodra we in het hotel waren, ging ik naar bed, en ik bleef de hele avond en nacht tussen slaap- en badkamer heen en weer rennen. Ik deelde de kamer met Mouse, die natuurlijk geen oog dichtdeed. Maar ze werd niet boos en elke keer dat ik opstond, hoorde ik een zachte stem in het donker vragen: 'Gaat het een beetje?'

We beschouwden Buchara als een belangrijke mijlpaal, het was tenslotte de eerste halte op onze reis. Pas nu we een behoorlijke afstand hadden afgelegd, hadden we het gevoel dat de tocht echt begonnen was. Gedurende ruim twee millennia moeten reizigers en handelaars die de Zijderoute namen zich bij aankomst in Buchara net zo opgelucht hebben gevoeld als wij. Of ze nu alleen maar een klein stukje van deze handelsroute aflegden of helemaal van het andere eind van het Romeinse Rijk kwamen, deze oude oase was een adempauze na de hete, droge Karakumwoestijn. De lemen moskeeën, madrasa's en karavaanserais zijn zalig koele rustplaatsen. Dicht naast elkaar in de smalle, stoffige straatjes werpen ze heerlijke schaduwen, waar je aan de hitte van de woestijn kunt ontsnappen. De schaduwen worden echter gescheiden door grote pleinen waar de zomerzon brandt, als om je eraan te herinneren dat de woestijn vlakbij ligt.

Het mooiste plein, waar de kooplieden van de Zijderoute eeuwenlang hun goederen verhandelden, is het Poi Kalyan. Aan één kant rijst een enorme minaret op, waarvan men zegt dat hij destijds het hoogste gebouw van Centraal-Azië was. Dzjengis Khan was er zo van onder de indruk dat hij gebood de minaret tijdens de verwoesting van Buchara te sparen. De toren is zesenveertig meter hoog en doet dienst als baken voor reizigers doordat hij al van grote afstand is te zien. Hij is in 1127, ten tijde van het Charakanidische Rijk, gebouwd door Arslan Khan; de fundering is zestien meter diep en vastgeplakt met eieren (blijkbaar een duurzame lijm).

Bezoekers mogen in de minaret niet de trap op, maar laat in de middag ging Wic terug met de videocamera. Ze ging op zoek naar de beheerder en na veel gebaren en glimlachen mocht ze toch naar binnen. Na het beklimmen van de honderdvijf treden kwam ze op een overdekt balkon met een panoramisch uitzicht: een tapijt van kleine, bolle daken met turkooizen koepels en hoge minaretten, gespreid in de vlakke woestijn onder de felblauwe lucht. Wic genoot en was waarschijnlijk blij dat wij haar op dat moment niet konden storen. Toen we na ons vertrek uit Merv onze eerste dagrit achter de rug hadden, had ze in haar dagboek geschreven: 'Een paar dagen geleden had ik niet kunnen vermoeden wat voor effect een camera op me zou hebben, maar sinds ik hier ben, kan ik niet meer normaal denken. Alles wat ik zie, moet een mooie compositie vormen, scherp, in een kader en belicht... Ik denk voortdurend aan opmaak, geluid, licht en een verhaal...'

Die avond filmde Wic tot de zon onder was en daalde toen pas de smalle trap weer af naar de begane grond. De buitendeur bleek op slot te zitten, ze zat in de val. Hoe hard ze ook op de deur bonsde en schreeuwde, niemand hoorde haar. Net toen ze wanhopig dacht dat ze er voor eeuwig gevangen zat, hoorde ze buiten de deurknop knarsen. Even later was ze bevrijd, ook van het visioen van de legende die we eerder die dag hadden gehoord: na een ruzie had Arslan Khan een imam gedood. Die nacht zei de imam in een droom tegen hem: 'Je hebt me gedood, nu moet je me een dienst bewijzen door mijn hoofd op een plek te leggen waar niemand er ooit overheen zal lopen.' De toren was op zijn graf gebouwd. Wics opluchting trok weg toen ze zag dat haar bevrijder het gewaad van een imam droeg.

Aan weerszijden van het Poi Kalyan staan de Kalyanmoskee en de Mir-I-Arabmadrasa, waarvan de portalen zijn versierd met blauw met geel en wit geglazuurde tegels. De madrasa heeft twee turkooizen koepels – we hadden ze de vorige dag al gezien – vlak naast de minaret. In de zestiende eeuw, toen de Oezbeekse Shaybaniden Buchara uitkozen als hoofdstad van het kanaat, was de Kalyanmoskee de belangrijkste moskee van de stad, waar elke vrijdag tienduizend inwoners kwamen bidden. Tegenwoordig wordt hij alleen op islamitische feestdagen gebruikt en is de grote binnenplaats leeg, met uitzondering van een eenzame boom. De friezen zijn in 1996/97 hersteld door UNESCO, maar, zoals Lucy schreef: 'Als ik naar oude prentbriefkaarten kijk, word ik daar een beetje bedroefd van, omdat delen van het tegelwerk te felgekleurd en nieuw lijken. Maar de bakstenen muren en turkooizen koepels zijn perfect. De afmetingen, vormen en kleuren zijn mooier dan je van iets dat door mensenhanden is gemaakt, zou verwachten.'

De rest van de dag slenterden we door de stoffige straten en de bazaars, waar kooplieden ons aankeken in de hoop dat we aandacht zouden schenken aan hun 'unieke' en 'heel bijzondere' *suzani*. Buchara is beroemd om deze wandkleden met ingewikkelde zijden borduursels en fraaie krulpatronen. Helaas willen de Boecharen zelf liever modern zijn en nylon kleden aan hun muren hangen en worden de handgemaakte kleden vooral aan toeristen verkocht.

Mijn lievelingsplek in Buchara was Labi-Hauz, een openluchtrestaurant of *chai-khana*, waar je uitkijkt over een vierkante vijver. Daar lunchten we, in kleermakerszit gezeten op de lage houten banken, *topchans,* die in elk restaurant staan. De banken hebben aan drie kanten een houten leuning en er liggen kussens op, en in het midden staat een tafeltje voor de gerechten. Onder groen uitbottende moerbeitakken hingen we lui op de kussens en keken naar spartelende eenden in de vijver. Op de bank naast ons zat een groepje oude mannen in Oezbeekse gewaden. Ze aten kebabs van schapenvlees en grote ronde *lepyoshkas* (brood), en dronken kommen groene thee. Ze straalden totale rust uit. Maar hoewel het een idyllisch plekje was en het eten er verrukkelijk uitzag: sappige kebabs, vers brood, sla en knoedels die dropen van de gesmolten boter, kon ik er niet van genieten. Ik had nog steeds hevige maagkrampen en was voortdurend misselijk. Om mij te sparen, deden de anderen hun uiterste best om niet te laten merken hoe lekker ze alles vonden, maar gek genoeg genoot ik toch omdat de eenvoudige maaltijd blijkbaar zo smakelijk was.

Die avond kreeg ik koorts. Ik bleef rillen, ondanks de vijf dekens die Mouse uit andere kamers van het hotel had laten halen. De volgende morgen maakte ik haar wakker toen ik vanuit de badkamer doodsbang schreeuwde dat er bloed in mijn ontlasting zat, en ik voelde me nog zieker en uitgedroogder dan de vorige dag. Bovendien werd ik steeds somberder omdat ik maar niet beter werd. Toen het me eindelijk lukte mijn moeder aan de telefoon te krijgen, begon ik te huilen zodra ik haar stem hoorde. Ik had al een maand niet met haar gesproken en voelde me ontzettend ver van huis. Ze stelde me gerust door me te verzekeren dat ik er goed aan deed niets te eten en zo de bacteriën in mijn maag 'uit te hongeren'.

Op de een of andere manier bracht ik het op met de anderen het hotel te verlaten om de legendarische Ark van Buchara te gaan bekijken. De citadel, die dateert uit de eerste eeuw, is tweemaal verwoest voordat de Shaybaniden in de zestiende eeuw het monumentale fort bouwden dat er nu staat. Het was een stad binnen een stad en volkomen onafhankelijk, met een eigen bron, moskee en bazaar. Van de indrukwekkende hoofdingang loopt een pad naar binnen dat wordt omzoomd door een rij cellen niet hoger dan anderhalve meter, waar vier of vijf mensen per cel in het pikdonker gevangen werden gezet. Boven de cellen werden de paarden van de emir gestald, die hun uitwerpselen recht in de cellen lieten vallen. Voorbij de cellen eindigt het pad midden in de Ark, waar zich de Dzhuma-(vrijdag)moskee bevindt, en ook een grote openluchttroonzaal – het oudste overgebleven deel van de citadel. Tussen de ingang van de zaal en de troon staat een muurtje, zodat de emir de onderdanen die voor hem stonden niet hoefde te zien. Als ze te voorschijn mochten komen, deden ze dat op hun knieën. Mouse gaf een demonstratie van dit ongemak door de twaalf meter van de muur naar de troon te kruipen.

Het gedenkwaardigste deel van de Ark is de Sia Chat, of insectenkuil, waar aan het begin van de negentiende eeuw, ten tijde van de intriges van het Grote Spel, luitenant-kolonel Charles Stoddart en kapitein Arthur Connoly van het Britse leger de laatste maanden van hun leven gevangen werden gehouden door de despotische emir Nasrullah. Stoddart was naar hem toe gestuurd met een brief van de gouverneur-generaal van India in een poging een bondgenootschap met de emir te sluiten tegen de Russen. Om verschillende redenen – een van de bespottelijkste was dat de brief niet afkomstig was van koningin Victoria zelf – werd Stoddart in de smerige, donkere kuil gegooid, waar het krioelde van alle mogelijke insecten. Toen Connoly twee jaar later uit Engeland kwam om te proberen zijn landgenoot te redden, werd hij ook in de kuil geworpen. Maandenlang zaten ze daar, met vlooien, teken, ratten en schorpioenen als hun enige gezelschap. Uiteindelijk mochten de twee vuile, uitgemergelde figuren, bijna onherkenbaar onder de zweren, eruit om met hun ogen knipperend de bijl van de beul tegemoet te treden. De kuiperij van het Grote Spel, zoals Connoly zelf het genoemd heeft, werd met hernieuwde energie voortgezet.

Toen we de Ark verlieten, zagen we dat er een hanengevecht werd gehouden onder de bomen vlak naast de muur. Een enorme, luidruchtige menigte keek naar het gevecht tussen twee magere hanen. Het was een treurig spektakel, maar ik kon het niet hartgrondig afkeuren omdat de toeschouwers er zoveel plezier in hadden. We liepen zo vlug mogelijk door, want we wilden voor geen goud deel uitmaken van het middeleeuwse tafereel.

Toen de dag ten einde liep, werden we eraan herinnerd dat het bezoeken van bezienswaardigheden slechts een korte pauze was in ons reisprogramma, maar ik zag ertegenop verder te gaan. Ik voelde me inmiddels zo ellendig dat ik niet wist hoe ik tien uur per dag op een paard zou kunnen zitten. In de laatste paar dagen had ik minstens drie kilo verloren en ik voelde me erg slap. De anderen maakten zich vreselijk zorgen om me, maar er was niets wat we eraan konden doen.

Tijdens onze twee dagen in Buchara hadden we grijs, regenachtig weer, maar op de dag van vertrek kwam de zon weer te voorschijn. Vol goede moed gingen we terug naar het hippodroom, benieuwd naar de nieuwe paarden die Zheniya ons had beloofd. En ik wilde graag de ongrijpbare Abbas nog een keer zien, al was het maar even, voordat we op weg gingen naar de heuvels die de Buchara van Samarkand scheiden.

Het hippodroom was eerder een boerenerf dan een paardenfokkerij. Het bestond uit een zanderige binnenplaats met rondpikkende kippen en een paar gammele stallen voor de ongeveer twintig paarden die genoeg waren om het bedrijfje een hippodroom te mogen noemen. Er was ook een omheind veldje bij met twee Bactrische kamelen, die ons over het hek nietszeggend aanstaarden, maar we hadden alleen aandacht voor de vijf paarden die op het erf stonden te wachten. Er viel nergens een wrat, wond, tekenbeet of mank been te bespeuren, en gelukkig was er ook geen zwangere merrie of lastig veulen bij. Toch waren we argwanend, en ons bange vermoeden werd bevestigd toen Wic een mooie zwarte hengst besteeg. Met zijn lichamelijke gesteldheid was niets mis, maar zijn temperament bleek een probleem. Nog voordat Wic goed en wel in het zadel zat, begon hij al wild over het erf te dansen, met wijd opengesperde neusgaten, en hij legde zijn oren plat wanneer iemand het waagde te dichtbij te komen. Maar Wic vond het leuk dat hij zoveel energie had en genoot toen hij met grote sprongen vanaf het erf de weg op galoppeerde. Onze nieuwe gids Shamil wees Mouse, Lucy en mij ieder ook een van de hengsten toe, die hij had meegebracht uit Dzjizak in de Ferganavallei. Dzhuma had de blauwogige man aan ons voorgesteld als een 'paardenkenner' en hij kwam al meteen veel bekwamer over dan Dzhuma of Abbas, dus we deden gewillig wat hij zei. Mouse, die de meeste ervaring had, kreeg het grootste paard, ik kreeg een kleine, stevig gebouwde vos en Lucy het gehoorzaamste dier. Shamil waarschuwde ons een paar maal dat we niet te dicht bij elkaar in de buurt moesten komen omdat de hengsten elkaar, zodra ze de kans kregen, zouden trappen en bijten, dus we bleven nerveus een eind bij elkaar uit de buurt tot we konden vertrekken.

Hier namen we afscheid van Zheniya en maakten kennis met Vadim, die, zoals we hadden afgesproken, het volgende deel van de route ons kamphoofd zou zijn. (Igor bleef onze chauffeur en Sacha onze kok.) Zheniya had niet alleen Shamil gevonden als onze nieuwe gids, maar ook een smid, die hij aan ons voorstelde als *Dyadya* (Russisch voor 'oom') Tolik. Zij reden weg terwijl wij ons best moesten doen om de paarden te beletten achter de vrachtwagen aan te rennen.

Shamil, die zelf het jongste paard had genomen, reed voor ons uit naar de rondweg om Buchara. Toen we hem voorzichtig volgden, angstvallig afstand hielden en onze paarden met veel moeite in bedwang hielden, stopte er een indrukwekkende zwarte Zhiguli-auto naast ons. Er stapte een bekend paar cowboylaarzen uit en we zagen stomverbaasd dat Abbas midden op de weg ging staan, een fluitje uit zijn zak haalde en het verkeer tot stilstand bracht. Eerst dachten we dat hij daar een eerbare bedoeling mee had door ons te willen helpen het verkeersplein over te steken, maar toen ik als laatste langs hem heen reed, boog hij naar me toe en gaf me een kus op mijn oor. Wic zag dat ik bietrood werd. Vervolgens stapte hij in zijn auto en reed weg, maar een paar minuten later stond hij opnieuw aan de kant van de weg. Lucy was ervan overtuigd dat hij te veel films met James Dean had gezien, want hij leunde met over elkaar geslagen armen en benen tegen de motorkap en gaf me een overdreven knipoog toen ik hem voor de tweede keer passeerde. Ik vergat dat ik ziek was en zat de rest van de dag te dagdromen.

Daarna reden we weer door het platteland. Soms leek het of we in Zuid-Frankrijk waren, wanneer we tussen velden met appelbomen en wijnstokken door reden. Die avond kampeerden we op de lieflijkste plek tot dusver, bij een turkooizen meer. Het gladde oppervlak strekte zich uit naar wazige bergen aan de horizon, waarachter de zon onderging terwijl hij oranje en roze strepen trok in de donkere lucht. Helaas werd dit prachtige schouwspel voor mij weer bedorven door mijn ziekte. Ik verloor nog steeds bloed en gewicht. Lucy en Wic, die voor hun vertrek uit Engeland een cursus eerstehulp in de wildernis hadden gevolgd, waren blij dat ze hun kennis konden toepassen. Ze haalden er een dik boek bij dat *Waar geen arts is* heette en kwamen na een langdurige analyse tot de conclusie dat ik amoebedysenterie had. Het boek schreef een antibioticakuur voor, die we gelukkig bij ons hadden. Ik slikte de eerste pil en hoopte dat hij snel zou werken.

Het ergerde me dat ik ziek was geworden en ik begreep niet waarom ik de enige was. Amoebedysenterie krijg je van bacteriën in water en we dronken allemaal hetzelfde water, dat we zorgvuldig filterden, dus waarom was ík de klos? Mouse dacht dat ze het wist: 'Waarschijnlijk komt het doordat jij nooit eerder gekampeerd hebt en wij wel, Alex.'

'Maar ik heb twee jaar in Rusland gewoond en daar heb je alleen maar vuil water!'

Bovendien begreep ik niet hoe zij dankzij een paar kampeervakanties in Schotland, of zelfs Afrika, immuun konden zijn voor dysenterie. Lucy en Wic knikten meelevend. Mouse is meestal erg laconiek en ze slaat zichzelf nooit op de borst, maar het leek wel of sommige aspecten van onze reis haar rivaliteit opwekten en ze wilde vaak bewijzen dat zij de avontuurlijkste en meest ervaren reiziger van ons vieren was. Ik denk dat ze, omdat de expeditie haar idee was, die vooral als 'haar project' beschouwde. Ik weet nog dat ze, toen ik een keer een beslissing had genomen zonder de anderen te raadplegen, kwaad tegen me schreeuwde: 'Dit is míjn reis, Alex!' Hoewel we een echt team waren, had Mouse de bal aan het rollen gebracht en was zij in naam de leider, en zij had de meeste sponsoren gevonden. Dus waarschijnlijk was het vanzelfsprekend dat ze haar positie wilde verdedigen en stoorde ze zich aan mij als ik te bazig was.

De volgende dagen reden we over de oevers van dit en nog een tweede meer. We staken rivieren over, baanden ons een weg door moerassen, sprongen over sloten, joegen zwermen pelikanen en eenden de stuipen op het lijf en deden ons best om een bijzonder gemeen soort mug te snel af te zijn. We lunchten onder groepjes bomen op de oever en dan maakte Shamil van de gelegenheid gebruik om een duik te nemen. Op een middag reden we door iets wat eruitzag als een verlaten vakantiepark, en later hoorden we dat het een 'rustoord' was geweest waar Sovjetambtenaren op verhaal konden komen. We sliepen ook op de oever, en op een avond werden we getrakteerd op moddersnoek, die Igor tussen het riet had gevangen.

Maar op een morgen hadden we een akelige ervaring, die een precedent schiep voor de rest van onze tijd in Oezbekistan. We reden achter elkaar achter Shamil aan over een pad met links het tweede meer en rechts een met struikgewas begroeide vlakte. Plotseling zagen we vanuit de verte een lichte vlek razendsnel naar ons toe komen. Toen hij dicht genoeg bij was, zagen we dat het een grijze hengst was, die zonder berijder in volle galop op ons af kwam. Zijn voorbenen waren aan elkaar vastgeknoopt, maar dat scheen hem niet te hinderen. Af en toe hief hij zijn hoofd en hinnikte schril. Op zijn flanken fladderde een chopan, wat het beeld nog griezeliger maakte. Toen Shamil besefte wat er aan de hand was, brulde hij over zijn schouder dat we moesten omkeren. Hijzelf steeg af en bond zijn paard aan een boom. We stonden in een groepje toe te kijken terwijl Shamil stenen naar de hengst gooide. Het dier had ons bereikt en liep in een kring om ons heen en probeerde ons aan te vallen, wat Shamil probeerde te voorkomen. Onze paarden schraapten met hun hoeven over de grond en wilden terugvechten, maar Shamil riep dat we ze met hun hoofden naar het midden in een kringetje moesten zetten om ze te beletten naar de hengst te kijken. Maar onze paarden mochten elkaar niet en het mijne, dat het agressiefst was, probeerde de andere steeds te bijten en te schoppen. Ik was nog steeds erg zwak en werd bang, en ik sprong op de grond terwijl ik mijn paard bij de teugels hield. Shamil schreeuwde woedend dat ik weer moest opstijgen, omdat ik zo mijn paard niet meer in bedwang kon houden en het zich uit alle macht probeerde los te rukken. Opeens werd Shamils aandacht getrokken door een herder met een dikke stok, die de grijze hengst op een afstand hield tot ik weer op mijn paard zat. Het lukte de herder de halster van de grijze hengst te grijpen en op zijn rug te springen. Toen liet het dier zich leiden en hoewel hij nog steeds brieste en stampte, konden we ons binnen gehoorsafstand van hem en zijn berijder wagen. Shamil sprak met de herder in het Oezbeeks; we verstonden niet wat hij zei, maar het klonk alsof hij hem een berisping gaf. Toen we doorreden, keek de herder niet schuldbewust.

In Oezbekistan, vertelde Shamil, worden hengsten niet gecastreerd. Daarom gedragen ze zich bijzonder agressief tegen andere hengsten of erg opdringerig tegen merries. Blijkbaar waren onze paarden nog een slag erger omdat ze getraind waren voor het nationale spel, *ulak*, dat lijkt op polo, maar gespeeld wordt met een dode geit in plaats van een bal. Een ruiter moet proberen die geit op te hijsen en met het dier onder een been geklemd naar de doelpalen te racen zonder dat andere spelers de kans krijgen het van hem af te pakken. Een ruiter speelt tegen een willekeurig aantal tegenstanders, en de paarden worden opgeleid om zo agressief mogelijk te zijn om de andere uit de buurt te houden. Snelheid en de kunst van het accelereren zijn ook heel belangrijk, dus in de eerste paar dagen leerden we onze hengsten dat ze moesten draven in plaats van rechtstreeks van stapvoets in galop te gaan. Dat kostte vooral Mouse veel moeite, hoewel het leuk was om te zien. In plaats van in een draf wilde haar paard alleen maar in een langzame galop gaan en het hield dan zijn nek en hoofd recht boven zijn lichaam terwijl Mouse aan de teugels trok.

Daardoor kon het niet zien waar het liep en struikelde het voortdurend. De paarden hadden ook nog een andere lastige gewoonte: steeds wanneer we ons bukten om onder takken door te gaan, dachten ze dat we dat deden om een geit op te tillen en schoten weg, waardoor wij soms bijna aan een tak bleven hangen.

Shamil joeg ons de stuipen op het lijf door het verhaal te vertellen van een man die hij kende en die was gedood doordat zijn eigen hengst hem aanviel. De rest van ons verblijf in Centraal-Azië brak het klamme zweet ons uit als we ergens een eenzaam vastgebonden paard zagen staan, want dan wisten we zeker dat het zich zou losrukken en ons aanvallen.

Na alle opwinding van de strijd met de hengst lieten we de meren achter ons en reden over een onafzienbare vlakte in de richting van de bergen. Aan het eind van de dag stortte ik in; ik kreeg weer maagkramp en werd misselijk. Ik probeerde van alles om van de pijn af te komen, zoals zijwaarts in het zadel zitten, mijn broek losknopen, naast mijn paard lopen, maar niets hielp. Toen we ons kamp bereikten, zakte ik op de grond. De anderen maakten buiten, in de schaduw van een rij bomen, een bed van slaapzakken voor me en ik probeerde te slapen.

Die nacht moest ik er om het halfuur uit en de volgende morgen besloten we dat ik een dag met de vrachtauto mee zou rijden. Ik was al bijna een week ziek en het leek wel of het steeds erger werd. Mouse besloot e-mails met noodkreten te sturen naar de Britse ambassade in Tasjkent en een arts in Londen, en we ontvingen het geruststellende antwoord dat ik het juiste antibioticum slikte en dat het alleen maar een kwestie van tijd was voordat ik beter zou zijn. Het was afschuwelijk om in de vrachtwagen te zitten; niet alleen vond ik het erg oncomfortabel, maar ook haatte ik het idee dat ik vals speelde. Ik nam me voor dat ik de volgende dag, hoe ik me ook voelde, weer op mijn paard zou zitten.

Maar de anderen dachten daar anders over. Ze werden erg boos op me en vonden het stom dat ik niet wilde uitrusten, zoals de artsen me hadden aangeraden. Ik werd ook boos omdat ik wist dat ik best kon rijden, en omdat ik de rit in de truck over het hobbelige terrein en met de rokende Igor naast me bijna nog erger had gevonden. Mouse en Wic probeerden me over te halen iets te eten, maar ik kon bijna geen hap door mijn keel krijgen omdat ik zo misselijk was van het antibioticum. De sfeer was vrij stroef toen we die ochtend op weg gingen, maar ik was blij dat ik voet bij stuk had gehouden, want het werd een prachtige rit. De lucht klaarde op en de zon bescheen een zee van groene heuvels met een oogverblindende deken van rode tulpen en papavers, gele boterbloemen en primula's, en blauwe campanula's, vergeet-menietjes en irissen. Het was zo'n prachtig schouwspel dat Wic zich hardop afvroeg of de herders die we passeerden het heel gewoon vonden of dat ze, net als wij, steeds weer hun ogen uitkeken. Op de hogere heuvels had de plaatselijke bevolking stenen opgestapeld als navigatiepunt. Bij een van die bakens passeerden we een herder te paard en Shamil vroeg hem de weg. Eerst staarde de man ons een tijdje verbijsterd aan en wees toen met zijn leren zweep naar het dal.

Onder aan de heuvels lagen gehuchten met verspreid liggende adobe huizen. Sommige huizen hadden golfplaten daken, andere hadden lemen daken die met graspollen aan de muren waren bevestigd. De eerste soort gaf aan dat de eigenaar in grotere welstand leefde. De stoffige straatjes werden opgefleurd door bloeiende planten. In de tuintjes stonden populieren en wilgen, en abrikoos-, appel- en moerbeibomen vol vruchten die dropen van het sap. Toen we erdoorheen re-

den, kwamen de bewoners achter ramen, hekken en schuttin-
gen die met restjes ijzer bij elkaar werden gehouden onbeschaamd naar de ongewone stoet kijken. En toen we ergens
stopten om melk te kopen, kregen we verschillende uitnodi-
gingen van deze bijzonder gastvrije mensen om thee te komen drinken.

Nadat we een paar dagen onder de brandende zon hadden
gereden, begon het plotseling te stortregenen. Shamil gaf er
Mouse de schuld van, omdat zij een sigaret had aangestoken
met een kaars, blijkbaar een slecht voorteken. Terwijl we onze
weg door de steppe vervolgden, zagen we nog meer idyllische
taferelen: kudden astrakanschapen en angorageiten en -scha-
pen die werden gehoed door herders in een soort lichte, lange
anorak. Vaak waren ze zo nieuwsgierig dat ze ons een heel
eind volgden, waarbij ze hun vee achteloos alleen lieten.

Al bij onze eerste kennismaking met Shamil in Buchara
hadden we de indruk gekregen dat hij een heel serieuze, betrouwbare man was. De eerste paar dagen had hij rustig
voor ons uit gereden, terwijl hij alleen af en toe een bijzondere plant of bezienswaardig dier aanwees. Ik werd te zeer in beslag genomen door mijn ziekte en de herinnering aan Abbas
om speciaal op hem te letten, maar Lucy en Wic dweepten
met hem. Hij was een knappe man, maar een heel ander type
dan Abbas. Hij had blond haar, helderblauwe ogen en een
kromme neus, die meerdere keren door een paard was gebroken. Hij was heel anders gekleed dan de rest van de hulpploeg
in hun overalls. Je kon zo zien dat het hem geen zier kon sche-
len hoe hij eruitzag, maar hij had toevallig wel de meest flat-
teuze kleren gekozen. Hij droeg een wijde, lichtbruine, door
de zon verbleekte rijbroek met beenkappen die waren gemaakt van laarzen waarvan de voeten waren afgezaagd. Als
het erg warm was, knoopte hij een witte sjaal om zijn hoofd,

met de knoop in zijn nek, en hij droeg nooit een hemd, dus zijn borst en rug waren donkerbruin verbrand. Hij had een jongensachtig, maar stevig lijf met een gladde borst en brede schouders. Ik weet nog dat vooral zijn handen me waren opgevallen: sterke handen met ronde nagels. Hij stond altijd met zijn borst iets naar voren en zijn voeten stevig op de grond geplant, op heupbreedte uit elkaar. Hij had de opvallende gewoonte om wanneer hij sprak met een hand over zijn borst te wrijven en hij begon vaak midden in een gesprek te lachen, waarbij hij op zijn been sloeg. Hij blaakte van nonchalant, mannelijk zelfvertrouwen.

Na een paar dagen raakte Shamil aan ons gewend en we merkten dat zijn serieuze houding van het begin een veel vrolijker aard verborg dan we hadden vermoed. Hij begon ons te plagen en ons voor de mal te houden, en maakte ons met zijn gebrekkige Engels aan het lachen. Omdat ik als tolk diende, onderbrak hij onze gesprekken vaak om te vragen of ik iets voor de anderen wilde vertalen. Als we niet genoeg aandacht aan hem besteedden, begon hij zelf een gesprek, meestal over een doordacht onderwerp. Op een dag kondigde hij luidkeels aan dat hij onze karakters had geanalyseerd en voor ons allemaal een bijnaam had verzonnen. Ze waren eigenlijk best toepasselijk. Mouse kreeg de naam Tijger, vanwege de efficiënte manier waarop ze een paar dagen geleden een kip voor het avondeten had gedood. Hij zei erbij dat ze een sterk karakter had en dat hij in haar ogen zag dat ze graag de beste wilde zijn. Hij gaf Lucy de naam Panter vanwege haar zwarte haar, en was van mening dat ze een bijzonder vriendelijke aard had. Wic werd Jaguar omdat ze zo snel kon rijden, en hij vond haar erg vastberaden. Ik wachtte op mijn beurt, maar toen hij zweeg, vroeg ik verwachtingsvol: 'En ik dan?' 'Jij bent kattenvoer,' antwoordde hij, en hij begon te lachen. En toen ik

vroeg naar mijn karakteranalyse, in de hoop dat die compli-
menteuzer zou zijn, zei hij raadselachtig: 'Jij ziet eruit als een
Russin.' Ik weet zeker dat hij graag iets scherpers had gezegd,
maar dat hij dat niet durfde omdat alleen ik zijn woorden
kon verstaan.

Tegen de tijd dat we de buitenwijken van Samarkand naderden, voelde ik me een stuk beter en at ik weer normaal.
Het was een enorme opluchting 's nachts niet meer tien keer
te hoeven opstaan en geen buikpijn meer te hebben. Ik begon
extra te genieten; ik dacht niet meer aan Abbas en ondanks
zijn vage opmerkingen over mij kregen de charmante indruk
van Shamil de overhand.

Na de acht dagen te paard sinds Buchara maakten ongeveer vijftien kilometer verder de rust en eenvoud van het
platteland plaats voor het tumult van de grote stad. Toen we
te paard niet verder konden, stegen we af en bleven naast de
paarden staan. Shamil werd opeens waakzaam. 'Hier wonen
woestelingen,' zei hij. 'In steden houdt de beschaving op en
begint de misdaad.' We hielden de zadeltassen scherp in de
gaten toen we met de paarden aan de teugels op weg gingen
naar het volgende gastvrije hippodroom.

# 3 Samarkand en verder

'Welkom, moedige meisjes!' riep Max, onze stadsgids, enthousiast. Zoals de meeste Russen begreep hij niet waarom we per se te paard de Zijderoute wilden afleggen. Het landleven en reizen per paard is normaal voor Oezbeekse boeren, maar de Russen in de steden van Oezbekistan vinden dit barbaarse gewoonten. Max vroeg ongelovig waarom we ervoor hadden gekozen acht maanden van ons leven door te brengen in zulke 'onontwikkelde' landen, terwijl we op het strand van de Franse Rivièra konden liggen.

Voor mij heeft Samarkand een romantischer aantrekkingskracht dan Parijs of Rome ooit zou kunnen hebben. Alleen de naam al doet denken aan avontuur, intrige en het mysterieuze Oosten. Eeuwenlang was Samarkand het brandpunt voor enkele van de machtigste rijken uit de geschiedenis. Alexander de Grote veroverde de stad in 329 v.C., vijftienhonderd jaar later werd de heilige stad geplunderd door Dzjengis Khan en zijn horden. In de veertiende eeuw maakte Tamerlane er zijn hoofdstad van en in de negentiende eeuw, toen Engeland en Rusland strijd voerden om het enorme berggebied ten noordwesten van het Indiase Rijk, werd de stad opgenomen in het snel groeiende Russische Rijk. Samarkand dankte zijn exotische reputatie aan de Zijderoute, want het was het grootste handelscentrum en bijna alle Chinese karavanen met hun vreemde koopwaar trokken erdoorheen. Onder Tamerlane kreeg de stad de hoge moskeeën en oogverblindende turkooizen koepels die hem wereldberoemd maakten. Vóór de negentiende eeuw lag hij zo ver weg dat er in westerse reisverhalen nauwelijks over geschreven werd (Marco Polo noemde de stad wel in zijn verslagen, maar het staat niet vast dat hij er zelf is geweest.) Samarkand is vooral geheimzinnig omdat het zo vreselijk ver weg ligt.

Tot de val van het communisme in 1991 werd Samarkand alleen bezocht door inwoners van de Sovjet-Unie en zo nu en dan een bevoorrechte toerist. In Engeland was het moeilijk om iets over de geschiedenis van deze stad aan de weet te komen, en het weinige dat we hadden gevonden, ging bijna alleen over Tamerlane. Ik had een stad als Buchara verwacht, net zo oud en sereen, maar Samarkand is een levendige, majestueuze stad, waar verleden en heden vlak naast elkaar liggen. We zagen oude Oezbeekse mannen met lange baarden in gestreepte, doorgestikte chopans en met *tipi-tekes* (kalotjes) op naast zwaar opgemaakte Russische meisjes in minirok. Blijkbaar vonden ze dat zelf absoluut niet vreemd, en de verschillende werelden leken vreedzaam samen te leven.

Vergezeld door de nog steeds verbijsterde Max wijdden we twee dagen aan het bezichtigen van moskeeën en madrasa's. Hij zei dat de natuur blij was met ons bezoek, want de turkooizen koepels en minaretten lagen elke dag te glanzen in de zon. UNESCO is onlangs begonnen met de restauratie van een groot aantal monumenten, waarbij ook kapotte tegels met hun ingewikkelde patronen worden vervangen. Maar moderne vaklui hebben het geheim van de turkooizen, blauwe, groene en gele kleurstoffen van Tamerlanes ambachtslieden niet kunnen achterhalen, en de gerestaureerde delen zijn veel minder stralend van kleur dan de originele.

Hoewel Samarkand beroemd is om het Registanplein met

zijn moskeeën en madrasa, naar men zegt de spectaculairste groep bouwwerken van Centraal-Azië, gaf ik de voorkeur aan de Bibi-Khanummoskee. Het verhaal gaat dat de Chinese vrouw van Tamerlane, Bibi Khanum, haar man na zijn veldtocht naar India in 1398-99 wilde verrassen en opdracht had gegeven tot de bouw van dit kolossale monument. Tijdens Tamerlanes afwezigheid werd de Perzische architect verliefd op Bibi Khanum. Ze probeerde hem van zijn verliefdheid te genezen door hem twaalf versierde eieren te geven en erbij te zeggen dat ze, ook al zagen ze er allemaal anders uit, in de grond van de zaak hetzelfde waren, net als vrouwen. De architect beantwoordde dit gebaar door haar een glas witte en een glas rode wijn te geven. 'Ook al is het allebei wijn,' legde hij uit, 'ik geef toch de voorkeur aan het ene glas boven het andere.' Bij zijn thuiskomst kreeg Tamerlane argwaan en hij riep dat alleen een verliefde man zo'n prachtig gebouw kon neerzetten. En toen hij op Bibi's wang de vlek zag die een kus van haar bewonderaar had achtergelaten, stuurde hij een groepje soldaten op pad om de architect dood of levend gevangen te nemen. Maar de man ontsnapte door in een van de hoge minaretten te klimmen, eraf te springen en terug te vliegen naar Perzië. Deze moskee, die ongetwijfeld is gebouwd om alle al bestaande te overtreffen, steekt glorieus boven de stad uit. De pracht ervan geeft je zo'n gevoel van nederigheid dat ik iets begon te begrijpen van het ontzag en de vrees die Tamerlane de halve wereld inboezemde.

Op het binnenplein ertegenover staat een reusachtige koranhouder. Hij was bestemd voor de Osman-koran, die met zulke grote letters was geschreven dat de imams hem vanaf de balkons boven de zuilengalerij konden lezen. Max vertelde ons dat een vrouw die eronderdoor kroop, veel kinderen zou baren, maar Lucy las daarna in een Victoriaans verslag dat het een goede methode was om ischias te genezen.

De twee dagen die we in Samarkand doorbrachten, waren een prettige rustpauze. We genoten van wat onze laatste bedden waren tot we in Kasjgar zouden aankomen, drie maanden later. We aten in restaurants, waar we zoals gewoonlijk op Oezbeekse topchans zaten en smulden van tamelijk wereldse gerechten als *laghman* (spaghettisoep) en *shashlik* (kebab van schapenvlees). Aan andere tafels zaten Oezbeekse mannen te schaken, terwijl hun vrouwen met elkaar babbelden, gehuld in de traditionele Sogdiaanse zijden gewaden met een zigzagpatroon in felrood, geel en groen. We slenterden over de bazaar vlak naast de Bibi Khanum, waar het wemelde van de boeren uit de omgeving die er hun producten verkochten. De hitte en het lawaai waren overweldigend en we konden geen stap zetten zonder dat iemand ons iets probeerde te verkopen. Deze markt heet nog steeds de *kolkhozniy bazar* (bazaar van de kolchoze), maar het gemeenschappelijke systeem heeft eigenlijk nooit invloed gehad op wie wat verkoopt en tegen welke prijs. Elk gangpad is bestemd voor een bepaald product: vers of gedroogd fruit, zuivelproducten, kruiden, vlees, levende kippen, brood, kleren...

Samarkand is bekend om zijn beschilderde *lepyoshkas* (ronde, platte broden), die twee jaar goed blijven. Volgens de traditie neemt een Oezbeekse zoon voordat hij aan een lange reis begint thuis vlak voor zijn vertrek een hap uit een versgebakken brood van zijn moeder. Vervolgens hangt zij dat brood op een veilige plek en bij zijn terugkeer besprenkelt ze het met water, legt het in de oven en nodigt familie en vrienden uit om het samen met hem op te eten. Max vertelde ons dat zijn moeder, toen hij voor twee jaar in het Sovjetleger moest dienen, zich aan deze traditie had gehouden.

We kochten zakken abrikozen en appels, glazen buisjes met saffraan en ieder een gestreepte zijden chopan. Alle dorpelingen in Oezbekistan, zowel de mannen als de vrouwen, dragen deze gewatteerde, tot op de knieën vallende jassen, dat doen ze al honderden jaren. Hoewel er, dankzij de invoer van goedkope goederen uit China en Turkije, nu ook moderne kleding te koop is, is de chopan gelukkig nog de algemene dracht, en volgens ons beschermt die ook veel beter tegen kou en regen.

Helaas sloeg bij ons vertrek uit Samarkand het weer om en de paarden hadden veel last van de snijdende wind. Vooral mijn paard en dat van Mouse waren erg onrustig, en Shamil was ervan overtuigd dat ze in onze afwezigheid waren gebruikt om merries te dekken. Hij had de paarden in de gaten moeten houden, maar een paar flessen wodka hadden hem minder oplettend gemaakt en blijkbaar had de boer bij wie we ze hadden achtergelaten goed gebruik weten te maken van een stel paarden van een sterk Oezbeeks ras: half Engelse volbloed, half Karabair.

Het was die dag bitter koud en het was ook Lucy's zesentwintigste verjaardag, dus in plaats van de tenten op te slaan besloten we de nacht door te brengen in een Oezbeeks huis. We vonden een familie die bereid was ons een kamer ter beschikking te stellen en ook een plek om de paarden te stallen. Het huis was op de typisch Oezbeekse manier gebouwd, met één verdieping en rondom een binnenplaats, waar 's nachts de geiten en schapen werden ondergebracht. In onze kamer lag tegen een van de muren een stapel van de gebloemde doorgestikte dekens die een Oezbeekse bruid als uitzet meebrengt. Samen met de familie aten we, in kleermakerszit op de dekens, een avondmaaltijd bestaande uit soep en *plov*, een gerecht dat bestaat uit rijst met schapenvlees en groente. Het wordt overal in de Kaukasus en Centraal-Azië gegeten en blijkbaar zijn er wel honderd manieren om het klaar te maken, bijvoorbeeld door de hoeveelheid wortels of kruiden te variëren of de rijst of het vlees op een andere manier te koken. Met goed vlees kan het heerlijk smaken, maar als er ranzig schapenvet in zit, is het oneetbaar. Gelukkig was dit een lekkere plov. We dronken er zelfgestookte wodka bij en er werd getoast op alles onder de zon. De moeder van onze gastheer was een heel klein vrouwtje, bijna tandeloos, en ze zei geen woord. Maar terwijl ze ontelbare glaasjes wodka dronk, glimlachte ze aan één stuk door.

Lucy leek het naar haar zin te hebben tot ongeveer middernacht, toen ze opeens stil werd en zich uit de kring terugtrok. Toen we gingen slapen, probeerde Mouse erachter te komen wat haar dwarszat, maar ze rolde op haar zij en deed haar ogen dicht. De volgende morgen keek ze nog steeds somber en weigerde tegen ons te praten. We deden ons best om uit te vinden waardoor ze van streek was geraakt, maar ze liet niets los en ging achteraan rijden. We waren bang dat wij haar op de een of andere manier hadden gekwetst en de stemming bedorven was, zodat we die dag allemaal terneergeslagen onze mond hielden. Gelukkig trok Lucy 's avonds weer bij en daarna hebben we haar niet meer zo gedeprimeerd meegemaakt.

De volgende dagen reden we langs graanvelden vol papavers. De enige onderbreking van de routine was een vrachtwagen vol soldaten met AK47-geweren, die ons in een stadje dicht bij de grens tussen Oezbekistan en Tadzjikistan de pas afsneed. Nadat de soldaten Shamil hadden ondervraagd, lieten ze ons met tegenzin gaan toen het duidelijk was dat we niet de spionnen waren voor wie ze ons hadden aangezien. Waren we dat wel, dan hadden we ons beslist op een betere manier vermomd.

Waar de velden ophielden, begon een dreigend uitziende bergketen. Via een kronkelpad reden we omhoog naar een plateau op een top en zagen aan de andere kant in de verte een reeks besneeuwde pieken, roze gekleurd door de ondergaande zon. Ik zag meteen voor me hoe er daar allerlei gevechten hadden plaatsgevonden, want in die woestenij kon sinds de negentiende eeuw niet veel zijn veranderd. De wind was ijzig, dus we daalden zo snel mogelijk af naar de vallei en kwamen bij een lieflijk adobe gehucht, waar de boomgaarden nog in bloei stonden. We stopten bij een boerderij om melk te kopen, en de boer rende naar binnen en bracht ons vijf kommen en een emmer verse *kefir* (yoghurt). We wilden hem betalen, maar hij wilde niets aannemen en zei dat het een eer was omdat wij de eerste westerlingen waren die door zijn dorp trokken.

Inmiddels was er een tamelijk vaste routine ontstaan, die inhield dat we drie dagen achter elkaar ongeveer veertig kilometer aflegden en dan een dag rust hielden. Op deze manier werden de paarden steeds fitter en hadden wij tijd om kapotte spullen te repareren. We verwachtten niet dat onze rustdag in de bergen erg prettig zou zijn, want het was er te koud en we konden nergens schuilen, maar toen we wakker werden, scheen de zon op onze tenten. Wat er de vorige dag nog zo akelig had uitgezien, was in het zonlicht veranderd in een idyllisch bergdorp. Die morgen liepen we door de vallei terug naar het dorp op zoek naar een smid die het gebroken frame van een zadel kon repareren. Shamil ging ons voor een binnenplaats op waar onder een walnotenboom een groepje dorpelingen stond te kijken naar een smid die zijn lasbrander aanstak. Een accu, die rechtstreeks verbonden was met de elektriciteitspalen ernaast, begon te vonken toen hij allerlei draden schijnbaar willekeurig in de contacten stak. Er werd luidkeels bij gediscussieerd over welke draad wat was – aarde, spanning of neutraal – en Shamil schreeuwde enthousiast mee, er zoals altijd van overtuigd dat hij gelijk had! Wonderbaarlijk genoeg ging er niets mis en ons zadel werd snel gemaakt. Het publiek had zich intussen verdrievoudigd en zelfs de plaatselijke mullah, in een wit gewaad en met een kalotje op, stond met een ernstig gezicht naar ons te kijken.

We bleven de rest van de morgen in ons kamp, zonnebadend, en we aten de yoghurt met honing die we in het dorp hadden gekocht. Igor en Shamil, die vóór de lunch al een paar flessen eigengemaakte wodka op hadden, smeekten Wic en mij mee te gaan om in de heuvels paddestoelen te plukken. Maar zij waren ervaren klimmers en lieten ons op de steile helling algauw achter zich. Toen wij eindelijk ook de top van de berg bereikten, hadden zij al ieder een bos wilde tulpen geplukt, die in rotsspleten groeiden.

Plotseling hoorden we een spookachtig gejammer en zagen een eenzame figuur in kleermakerszit op een andere helling zitten. Toen we naar hem toe liepen, zong hij gewoon door. Ik zei iets tegen hem in het Russisch, maar hij kon slechts gebrekkig antwoorden, dus Shamil nam het van me over in het Oezbeeks. Hij bleek een herder te zijn, die de zes zomermaanden met zijn twee broers in de heuvels doorbracht. Hoewel ze in het naburige dorp woonden, dat maar acht kilometer verder lag, gingen ze in die tijd niet naar huis. Een keer per maand ontmoetten ze aan de voet van de berg hun ouders, die voedsel brachten. Elke dag dwaalden ze met hun schapen en geiten over een ander stuk van de berg en elke avond dreven ze de dieren terug naar een stenen stal, die ze ver boven het dal hadden gebouwd. Zelf sliepen ze in een open tent, die werd bewaakt door een paar halfwilde honden. Toen we wegliepen, pakte hij de draad van zijn smartlap weer op.

Ik herinnerde me een ervaring van een van mijn minder beschaafde voorouders, Feodor Petrovich Tolstoy, die in 1804-05 vanuit Kamtsjatka te voet heel Aziatisch Rusland overstak naar Kazan, de provincie waar onze familie vandaan kwam. Daarna beschreef hij een ontmoeting, ergens in dat uitgestrekte, woeste land, met een oude man (waarschijnlijk een politieke of delinquente banneling) die spelend op zijn balalaika een bizar klaaglied zong. 'In het theater of de concertzaal ben ik zelden zo ontroerd geweest als toen ik dat vreemde lied hoorde,' schreef Feodor Petrovich later. Nu kon ik me voorstellen hoe hij zich voelde.

Na zonsondergang brachten we een bezoek aan de tent van de herders. Ze vormden een tafereel uit de bijbelse tijd zoals ze daar in schapenhuiden gehuld om hun kampvuur zaten en naar de sterren keken. Ze spraken zelden, zelfs tegen elkaar; blijkbaar was eenzaamheid hun manier van leven geworden. Ze leken niet onder de indruk van ons en waren niet nieuwsgierig naar óns leven. Ze hadden geen idee van het leven buiten de bergen en vonden hun geïsoleerde bestaan doodgewoon. Ik had altijd gedacht dat zo'n eenvoudig, landelijk leven heerlijk moest zijn, maar opeens drong het tot me door dat het een eenzaam, karig bestaan was. Met kruiken geitenmelk liepen we terug naar ons kamp, waar de geluiden van Lucy en Mouse, die gezellig kletsend een kaartspelletje speelden, een scherp contrast vormden met de plek waar we vandaan kwamen.

Die tijd in de bergen was een van de prettigste perioden van de hele reis. Het waren zorgeloze dagen, we dachten niet aan tijd en er werd veel gelachen. Shamil was al bijna een maand bij ons en we hadden hem goed leren kennen. Hij had zo'n sterk, sympathiek karakter en was zo geanimeerd en praatgraag dat hij, ook al sprak hij nauwelijks Engels, toch met de anderen kon communiceren. Op dagen die anders een sleur zouden zijn geweest was hij zo geestdriftig bij alles wat hij zag, van een spinnetje tot het skelet van een dood paard, dat we ons nooit verveelden. Ik zie hem weer voor me zoals hij als een kozak uit zijn zadel hing om paddestoelen te plukken; hij had altijd een zadeltas bij zich voor het geval hij die ergens zag. Omdat ik de enige was die Russisch sprak, werd hij rusteloos als ik een half uur niets tegen hem zei en dan onderbrak hij mijn gesprek met de anderen omdat hij me zogenaamd iets interessants wilde laten zien. Een keer wees hij opgewonden schreeuwend op wat hij aanzag voor een arend op een paal in de verte, die roerloos bleef zitten. We galoppeerden ernaartoe en begonnen allemaal hard te lachen toen het een autoband bleek te zijn.

Shamil had veel gevoel voor humor en hoewel hij een moeilijk leven had gehad, stak hij overal de draak mee. Hij werkte ontzettend hard en bleef vaak nachten wakker om de paarden te bewaken. Hij was gek op paarden en was bij hen in zijn element. Elke rustdag besteedde hij aan het herstellen van kapotte teugels en zadels, en aan het oplossen van de problemen die wij met onze uitrusting hadden. Hij was ook erg inventief; op een dag maakte hij van een autogordel die hij op de weg vond een riem voor Lucy's zadel.

Shamil is een Tartaar; zijn voorouders maakten deel uit van de Gouden Horde die in de dertiende eeuw Rusland binnenviel. Hoewel hij blauwe ogen en een blanke huid heeft, noemt hij zichzelf een Tartaar en spreekt thuis een Turks dialect. Zijn familie is in de jaren zestig van de vorige eeuw tijdens een verschrikkelijke hongersnood uit Kazan vertrokken naar Tasjkent, hopend op werk en een beter leven. Als kind besloot hij springruiter te worden en toen hij in de twintig was, werd hij nationaal kampioen van Oezbekistan. Maar als gevolg van het uiteenvallen van de Sovjet-Unie werd het steeds moeilijker een plaats in het team te krijgen. Oezbekistan is inmiddels een onafhankelijk land; het streeft naar een nationale identiteit en wil vertegenwoordigd worden door autochtone Oezbeken in plaats van Russen of Tartaren, zoals vroeger. Dus ging Shamil paarden trainen en zadels maken. Wij waren de eerste groep waarvoor hij als gids werkte, en hij vertelde ons dat hij op deze manier zijn droom, te paard door Centraal-Azië rijden, kon waarmaken.

Shamil wist, zo leek het, alles over paarden, bloemen, de natuur en de geschiedenis van Oezbekistan. Hij had grote belangstelling voor Alexander de Grote en Enver Pasha, de Ottomaanse generaal die ervan droomde het Turkse volk te verenigen, en terwijl we over het land reden waar zij gevochten hadden, vertelde hij ons urenlang verhalen die hij over ze had gelezen. Sinds de Russische revolutie was het landschap er nauwelijks veranderd, dus we konden ons de bloedige veldslagen tussen de Basmachi van Enver Pasha en de bolsjewieken goed voorstellen. Shamil was vol bewondering over de moed van zijn helden en hun roekeloze manier van leven. Soms dacht ik dat hij in een tijd geboren had moeten worden waarin hij ook een indrukwekkende rol in dat soort boekanierachtige avonturen had kunnen spelen. Ik vond Shamil een echte kozak, zoals ik me die altijd had voorgesteld: een vrije geest, die van elk moment genoot en niemand iets schuldig was – iemand zoals Lukashka in *De kozakken* van Tolstoy. Shamil reed en dronk met even groot enthousiasme, en net als zijn beroemde Kaukasische naamgenoot, de negentiende-eeuwse held van de strijd tegen het imperialistische Rusland, vond hij zijn eer belangrijker dan zijn leven. Shamil was met zijn felblauwe ogen, trotse, vurige aard en onverschrokkenheid zo'n romantische figuur dat hij volkomen misplaatst

leek in zijn dagelijkse leven in de saaie sovjetachtige stad Tasjkent.

Vanuit de bergen daalden we af naar de 'hongerige steppe',
die tot de jaren dertig van de twintigste eeuw braak heeft gelegen, maar die nu een door een rasterwerk van kanalen wordt
verdeeld in graan- en katoenvelden. Stalin bepaalde in zijn
eerste vijfjarenplan dat de graanoogst in Oezbekistan moest
worden verminderd om ruimte te maken voor een veel grotere katoenproductie. Om deze hopeloos foute aanpak te ver-
wezenlijken, werd begonnen met de enorme verspilling van
water die de waterstand in de Amoe Darja en de Syr Darja
drastisch verlaagde en dus ook die in het Aralmeer. Dit meer
droogt nu langzaam op doordat het zoutmoeras en de woestijn steeds verder oprukken. We konden met eigen ogen zien
hoe het water uit niet goed afgesloten verbindingen in sommige kanalen gutste en andere stukken droog lagen. Dat land
is zo ongeschikt voor akkerbouw dat grote delen nog maar
half omgeploegd zijn en in de graanvelden het onkruid en de
papavers welig tieren.

Wekenlang reden we langs deze kanalen en de eentonigheid werd alleen gebroken door Shamils grappen. Het was
erg warm geworden en behalve als we zo nu en dan over een
weg met populieren of moerbeibomen reden, was er nergens
schaduw. De paarden werden gauw moe en ze werden de hele
dag geplaagd door vliegen. In de lunchpauze lagen we op het
gras de muggen van ons af te slaan, terwijl Shamil zich niet
liet afschrikken door het stilstaande water en in een kanaal
sprong. De hele dag was er geen ontkomen aan het luide gekwaak van de brulkikkers in de kanalen, die voortdurend de
weg overstaken en soms bijna werden vertrapt door de paarden. 's Nachts kampeerden we in een veld. Terwijl we in slaap
vielen en het stil werd in ons kamp, begonnen de kikkers nog
harder te kwaken.

Op een van die lange dagen gaf Shamil onze paarden een naam. Om hem zo af en toe de mond te snoeren, had ik hem een Engels-Russisch woordenboek gegeven, waar hij zich geboeid in verdiepte. Opgelucht dat hij even stil was, begonnen we onder elkaar te praten, maar even later werden we alweer onderbroken door zijn bekende, luide stem.

'Jij, Lucy, paard snelvoetig rendier!' Hij schaterde het uit. Het werkte aanstekelijk en we vroegen hem lachend ook de andere paarden een naam te geven. Dat deed hij, en dit kwam eruit: Lucy's paard was niet alleen een snelvoetig rendier, maar een gevlekt snelvoetig rendier. Later doopten we hem Homo-Ezel, vanwege zijn lange oren en zijn genegenheid voor de andere hengsten. Mijn paard ging Rode Leeuw heten vanwege zijn kastanjebruine kleur, dat van Wic Zwarte Pampers als gek alternatief voor Zwarte Panter, en dat van Mouse Big Ben omdat hij zo groot was. Shamils paard was het kleinste en jongste van de groep en werd daarom Malish genoemd, wat 'kleintje' betekent.

Aan het eind van deze week bereikten we de stad Goelistan, waar we een dag rust namen in het hippodroom. Bijna elke stad in Oezbekistan heeft een hippodroom, omdat paarden in dit land erg belangrijk zijn. Deze fokkerij bestond uit een rij van een stuk of dertig witgepleisterde stenen stallen met daaromheen een paar verwaarloosde, omheinde weiden. Een deel van de stallen was leeg, de rest werd bezet door merries en hier en daar een veulen. De paarden werden gebruikt om mee te fokken en voor plaatselijke wedrennen. Sommige waren deels volbloed – ze hadden er zelfs een Achal-Teke, het beroemde Turkmeense ras waaraan Alexander de Grote de voorkeur zou hebben gegeven – maar de meeste waren van een lokaal ras. De eigenaars van het hippodroom waren vrienden van Dyadya Tolik, dus we werden als eregasten ontvangen. Na de stoffige hitte van de afgelopen week waren we dolblij dat we gebruik mochten maken van hun *banya* (sauna) – dankzij de Russen heeft elk Oezbeeks dorp nu een sauna. De eerste avond zetten onze gastheren tafels onder de bomen en nodigden ze de plaatselijke hoogwaardigheidsbekleders uit voor een gezamenlijke maaltijd. Ze maakten een enorme hoeveelheid plov klaar, maar in plaats van schapenvlees deden ze er leeuweriken in, die ze in de velden hadden geschoten.

De volgende dag staken we de op een na grootste rivier van Centraal-Azië over, de Syr Darja of Jaxartes, die de oostgrens vormt van Sogdiana. Deze rivier was veel mooier dan haar zuidelijke zuster, de Amoe Darja, en werd omzoomd door populieren en zilverberken. Toen we kletterend over de brug reden, vlogen er ooievaars op. In 329 v.C. maakte Alexander de Grote hier plannen voor de bouw van Alexandria Eschate (het verste Alexandrië) en kreeg toen slecht nieuws uit Samarkand. Spitamen, een bondgenoot van Bessus, de Perzische koningsmoordenaar die de laatste Achaemenische heerser, Darius III, had vermoord – een daad die Alexander had gezworen te wreken – had de Sogdianen ertoe aangezet Samarkand aan te vallen. Alexander stuurde tweeduizend man om de opstand neer te slaan, maar die werden allemaal door soldaten van Spitamen afgeslacht. Er kwam pas een eind aan de opstand toen Alexander zelf terugging naar Samarkand en Spitamen op de vlucht joeg. Spitamen werd later door zijn eigen soldaten vermoord en Alexander kreeg zijn hoofd aangeboden op een schaal. Zo kwam het dat de beroemde veroveraar nooit de Syr Darja is overgestoken. Nadat we een nacht op de oever hadden doorgebracht, zetten we in gloeiende hitte door graan- en katoenvelden onze reis voort. De weg leek eindeloos en bood geen enkele afleiding. We passeerden een nieuwsgierige boer die riep: 'Wie zijn jullie? Ik begrijp er niets van!' Shamil draaide zich om in zijn zadel en riep terug: 'Mensen!' Blijkbaar tevreden met dit bondige antwoord ging de boer weer aan het werk.

De volgende dag besloten we alleen 's ochtends te rijden en de paarden 's middags rust te gunnen. Het was verschrikkelijk heet en het paard van Mouse, Big Ben, liep een beetje mank. In alle vroegte gingen we op weg naar Ahangaran, waar Dyadya Tolik ook vrienden had bij wie we konden overnachten. De weg liep door graanvelden waar boeren houten ploegen hanteerden die werden getrokken door ezels. Shamil vroeg een van hen hoe ver het was naar Ahangaran en het antwoord luidde: 'Drie kilometer.' Opgelucht omdat het zo dichtbij lag, draafden we door. Tien minuten later stelde Shamil een man op een muilezel dezelfde vraag. 'Ik weet het niet zeker...' antwoordde hij aarzelend, en voegde er op ferme toon aan toe: 'Ja, toch wel, het is vijftig kilometer.' '*Churka!*' Dit was Shamils lievelingsscheldwoord, Russisch voor 'stomkop'. Even later bleek dat niemand wist waar Ahangaran lag en we reden vertwijfeld heen en weer. We kwamen een paar maal over een heuveltje met een groepje hoge populieren bij een rivier. Naast de rivier lag een kom, waar een stel oude mannen zat te kletsen. Elke keer dat we langskwamen, lachten ze om onze moeilijkheden.

Tegen het middaguur scheen de zon fel uit een helderblauwe lucht. Het was snikheet en benauwd, er was geen zuchtje wind en onze gloeiende gezichten snakten naar een briesje, dat niet kwam. De gele graanvelden blikkerden in de zon en de paarden sjokten voort, stofwolken achterlatend. Eindelijk kwamen we bij de spoorbrug over de rivier de Angren, en aan de overkant lag Ahangaran. Er lag geen pad langs het spoor, dus we hadden geen andere keus dan af te stijgen en met de paarden aan de teugels over de rails te lopen. Vlak nadat we op die manier de rivier hadden overgestoken, denderde er een goederentrein over de rails. Toen we Shamil verweten dat hij veel te veel risico had genomen, zei hij dat hij precies wist wanneer de treinen langskwamen. We wisten dat hij nooit eerder op die plek was geweest, maar hij klonk zo zelfverzekerd dat we erom moesten lachen. Het hippodroom lag een eindje verder en een uur later waren we in de sauna en spoelden we ons af met heerlijk koud water.

We hadden erover gedacht Big Ben, die kreupel was, in het hippodroom te ruilen voor een ander paard, maar Shamil bleef beweren dat we geen goede vervanger zouden vinden. Toen we wegreden, wenkte een man me en zei, wijzend naar mijn paard: 'Je zult geen beter paard vinden dan dat, hij is ijzersterk. Hij is van mij geweest. Mag ik hem terugkopen?' Shamil had het gehoord en voordat ik antwoord kon geven, schreeuwde hij: 'Nee!' en trok me aan mijn teugels mee.

Na Ahangaran gingen we de bergen weer in. Het bleef verschrikkelijk warm, ook al zagen we sneeuw op de toppen. Door de valleien stroomden beken die uitmondden in de woeste, modderige rivier de Angren. We kwamen er alleen herders tegen, die ons melk en yoghurt verkochten. Shamil was verrukt dat hij er weer paddestoelen kon plukken. Terwijl hij ons door het ene na het andere dal leidde, zocht hij aan één stuk door. Na een week bereikten we de voet van de 2400 meter hoge Kamtsjikpas, de scheidslijn tussen het noorden van de Ferganavallei en Oezbekistan. De dag voordat we door de pas reden, was de Russische Dag van de Overwinning, dus brachten we die door met wodka drinken met Igor en Shamil. Allebei hadden ze in de Tweede Wereldoorlog minstens één grootouder verloren, wat blijkbaar een goede reden was om in de loop van de dag steeds sentimenteler te worden, tot ze die avond nauwelijks meer in staat waren naar hun tent te waggelen.

In plaats van de weg te nemen die zigzaggend onderlangs de pas liep, besloot Shamil het pad te nemen dat wilde zwijnen en geiten hadden gemaakt en dat dwars over de bergen liep. We moesten afstijgen om, de paarden meesleurend, te voet omhoog te klimmen. Langzaam volgden we het pad, maar na een tijdje hield het op en toen moesten we op handen en voeten over rotsblokken en steengruis klauteren tot we bij een richel kwamen waar we konden uitrusten. Het was zo'n steile helling dat we steeds maar een klein stukje hoger konden komen, en wanneer we eindelijk op een top stonden, lag daar weer een nog hogere berg achter. De zon brandde en het zweet droop van ons en de paarden af. Na ongeveer drie uur bereikten we de hoogste top en toen vonden we al ons gezwoeg opeens de moeite waard. We waren omringd door bergkammen die tot in de wolken reikten, en de heuvels van de afgelopen dagen leken molshopen aan de horizon. Het was er doodstil en zoals het hoorde, zweefde er in het dal beneden een prachtige arend. Hij gleed onze kant op, met enorme vleugels breed uitgespreid en ogen die strak op de rotsen in de diepte waren gericht.

Vanaf dat punt volgden we een richel die een aantal pieken met elkaar verbond. We konden er rijden, maar het pad ging zo hoog dat we in de sneeuw terechtkwamen, waar we opnieuw moesten afstijgen. De sneeuw was veel dieper dan we hadden verwacht, hij kwam tot onze dijen en de paarden begonnen uit te glijden. Ze raakten in paniek en in plaats van gewoon op het pad te blijven, wilden ze de helling af en kwamen in sneeuwhopen terecht. Het kostte grote moeite ze eruit te trekken. Shamil moest heen en weer rennen om ons te helpen. Toen we ergens naar beneden konden, bleek de helling erg steil te zijn en bedekt met steengruis. Lucy, Mouse en Wic besloten het pad nog een eindje te blijven volgen in de hoop een wat minder steile weg naar beneden te vinden, maar Shamil en ik waren al te ver de helling af om weer naar boven te klimmen.

Ik werd steeds banger, omdat de grond onder mijn voeten weggleed. Toen ik omhoog keek, zag ik tot mijn schrik dat er een lawine op ons af kwam. De rotsblokken boven ons waren blijkbaar gaan trillen toen we eroverheen reden en hadden een steenval in gang gezet. Het pad waar we liepen was vrij smal en de grond aan weerszijden zag er stevig uit, maar Rode Leeuw stond stil, gooide met platliggende oren en rollende ogen zijn hoofd achterover, schraapte over de grond om zo stevig mogelijk te staan en weigerde uit de baan van het vallende gesteente te gaan. Hij was zo sterk dat ik niets anders kon doen dan proberen hem te sussen. Ik riep Shamil, die voor me reed en hetzelfde probleem had met Malish. Hij draaide zich om, liet Malish staan, klom naar me toe en greep het touw van Rode Leeuw. Terwijl ik Rode Leeuw met een stok dwong door te lopen, lukte het ons hem en Malish van het pad naar de vaste grond te trekken. Daar bleven we een poosje staan om de paarden te kalmeren. Ik moest gaan zitten omdat ik trilde van angst en schrik, maar Shamil leek absoluut niet onder de indruk van het gevaarlijke voorval. Langzaam vervolgden we onze weg naar het dal, waar de anderen triomfantelijk stonden te wachten. Shamil was te trots om toe te geven dat zij een betere route hadden genomen, hoewel hij me later toevertrouwde dat hij hen lafaards vond. Het was inmiddels drie uur in de middag. We hadden er zeven uur over gedaan de berg over te steken. Het was een ontnuchterende gedachte dat al die kooplieden vroeger hetzelfde soort reizen hadden gemaakt en dan met hele karavanen!

Die avond kampeerden we tussen populieren op de oever van een beek. De volgende morgen verscheen er een oude herder die met zijn stok zwaaide en riep dat we moesten vertrekken. Hij beweerde dat onze tenten in zijn mooiste weiland stonden en dat we hem eerst om toestemming hadden moeten vragen. Shamil zei dat het openbaar terrein was, maar dat de herder er zo vaak kwam dat hij het als zijn eigendom beschouwde. Maar hij protesteerde uiterst beleefd, want in Centraal-Azië mag je een oudere persoon nooit tegenspreken.

Daarna volgden we een weg waar de hele dag Daewoo-vrachtwagens overheen reden. Na de Tweede Wereldoorlog dwong Stalin allerlei groepen mensen naar een andere plaats in de Sovjet-Unie te verhuizen, en een groot aantal Koreanen werd naar Oezbekistan gedeporteerd. Ze zijn inmiddels helemaal geïntegreerd en hebben zelfs Russische achternamen. In de meeste steden zijn Koreaanse restaurants en de band met Korea is niet verbroken: in de Ferganavallei staat een grote fabriek van Daewoo.

Langs de weg stonden een heleboel kramen, bemand door kinderen, met hoge stapels witte ballen die eruitzagen als toverballen. Tot grote vreugde van Shamil, die een zak vol kocht. Pas toen we er allemaal een in de mond hadden, vertelde hij dat het *kurak* was, een Oezbeekse specialiteit gemaakt van zure kaas. Hij was diep beledigd toen we onze bal allemaal uitspuugden.

We verlieten de weg en keerden op onze schreden terug in de richting van de Kamtsjikpas, door de boomgaarden in de Boven-Namanganvallei. Het was half mei en de walnoten- en abrikozenbomen stonden in een zee van wilde rozen, waarvan de geur ons vol heimwee deed denken aan hoogzomer in het verre Engeland. Net toen we op een helling boven een dorp onze tenten hadden opgezet, begon het hard te regenen.

Toen de avond was gevallen, regende het nog, terwijl bliksem door de lucht flitste en steeds even de rij kletsnatte, mismoedig uitziende paarden verlichtte.

De volgende morgen maakte Shamil me om vijf uur wakker om me mee te delen dat Rode Leeuw onder de bulten zat. Eén oog was zo opgezwollen dat hij er niet mee kon zien en tussen zijn voorbenen hing een zak vocht. Ik reed al bijna een maand op hem en was erg op hem gesteld geraakt. Het was een narrig dier en hij had de andere paarden al een paar keer geschopt en Lucy gemeen in haar been gebeten, maar ik had bewondering voor zijn lef en voelde me in bepaalde opzichten aan hem verwant. We waren allebei koppige heethoofden. Ik ben niet overdreven sentimenteel met dieren en Rode Leeuw met zijn onafhankelijke natuur hield er niet van betutteld te worden, dus dat kwam ons allebei goed uit. Hoewel hij ook jegens mij agressief kon zijn, had ik toch het gevoel dat we respect voor elkaar hadden. Omdat hij fysiek het sterkste paard van allemaal was, met het grootste uithoudingsvermogen, was het extra sneu hem zo zwak te zien.

Nog geen uur later was ook zijn andere oog zo gezwollen dat hij niets meer kon zien. Hij stond doodstil met zijn hoofd omlaag en weigerde te eten of te drinken. Shamil had nog nooit zoiets meegemaakt, maar hij was ervan overtuigd dat de teken die hij op Rode Leeuws buik had gevonden deze reactie hadden veroorzaakt. Dyadya Tolik liep de heuvel af naar het dorp om een veearts te halen en kwam een uur later met iemand terug. De veearts leende onze stethoscoop en verklaarde dat Rode Leeuws hart normaal klopte, maar dat hij een tijdje niet bereden mocht worden. Hij wist niet wat de oorzaak van de zwellingen was, maar hij was het eens met Shamil toen die voorstelde het dier een paar penicilline-injecties te geven.

We gooiden een paar dekens over Rode Leeuw heen, kropen weer in onze tenten en doodden de tijd met kaartspelen en lezen. De hele dag hing er een dikke mist, die alles nat en koud maakte, maar gelukkig hadden we helemaal uit Engeland een fles whisky meegebracht, die ons warmde. Om het uur ging ik kijken hoe het met Rode Leeuw was, maar er kwam geen verbetering.

Dyadya Tolik was uitgeput van de zorgen ingedommeld, maar Shamil wilde zonder diens instemming geen besluit nemen. Shamil, wiens drankzuchtige vader hem en zijn moeder in de steek had gelaten toen hij vijf was, luisterde alleen naar Dyadya Tolik, die veel invloed op hem had. Ze werkten al samen sinds Shamil in het hippodroom in Tasjkent was begonnen met zijn opleiding tot springruiter. Dyadya Tolik was daar destijds hoefsmid, en hun relatie had zich ontwikkeld als die van vader en zoon. Ik heb hen maar één keer zien ruziën, toen Dyadya Tolik dronken was. Ze konden urenlang pret maken, maar Dyadya Tolik kon ook heel nors doen tegen Shamil. Af en toe liet hij, bijna per ongeluk, merken hoezeer hij op Shamil was gesteld. Op een dag vroeg hij hem toen we na een lange, zware rit in het kamp aankwamen: 'Hoe gaat het?' 'O, de paarden zijn doodmoe, maar met de meisjes gaat het goed,' antwoordde Shamil. 'Ik bedoel dat ik wil weten hoe het met jou gaat,' zei Dyadya Tolik. Het was duidelijk dat hij zich bekommerde om Shamil en dat ze elkaar altijd zouden helpen. Het was ontroerend om te zien.

Tegen de avond was er een hele stoet mannen uit het dorp naar Rode Leeuw komen kijken. Stuk voor stuk hadden ze het hoofd geschud en verklaard dat ze zoiets nooit eerder hadden gezien. Ten slotte vertelde een van hen ons dat er in de heuvels een vlieg bestond waarvan de beet zo'n allergische reactie kon veroorzaken. Dat scheen Dyadya Tolik gerust te stellen en ook al waren de zwellingen nog niet afgenomen, hij zei dat we de volgende dag door konden reizen.

Ik was dolblij toen ik de volgende morgen zag dat het een stuk beter ging met Rode Leeuw, maar er werd besloten dat ik zonder zadel zou rijden. Te voet leidden we de paarden de heuvels in achter ons kamp. Het pad liep kronkelend door de uitlopers van het Tiensjangebergte omhoog en weer omlaag naar de vruchtbare vlakte in het noorden van de Ferganavallei. De velden leken er na het rotsgebergte erg plat, en we waren blij toen we in de verte een dorp zagen liggen, badend in de avondzon. Toen we dichterbij kwamen, haalden we kinderen in die met lange stokken koeien, geiten en schapen naar huis dreven. In de straat was het een drukte van jewelste: kleuters en oude mannen zaten in het zand onder de moerbeibomen, meisjes droegen emmers water, vrouwen zaten op ezelskarren die door jongens werden gemend, en jongens raceten rond op pony's zonder zadel. Aan het eind van de straat stond een oude, gedeukte, lichtgroene auto geparkeerd. De chauffeur ontbrak, maar op de achterbank zaten vijf peuters en een kalf met zijn kop uit het raampje.

Een eindje voorbij het dorp sloegen we ons kamp op in een appelboomgaard. Na de Kamtsjikpas had Dyadya Tolik een paar dagen last gehad van hoogteziekte, daarom had hij besloten terug te gaan naar Tasjkent. Wij zouden de volgende zes weken doorbrengen in Kirgizië om het Tiensjangebergte over te steken, dat nog hoger was. Dit zou zijn laatste nacht bij ons zijn, dus maakte hij een afscheidsplov voor ons klaar, die we onder de bomen opaten, vergezeld van ontelbare heildronken met wodka. We vroegen Dyadya Tolik naar zijn woonplaats en zijn familie, en of hij zich verheugde op zijn terugkeer naar Tasjkent. We waren ontroerd toen hij opeens verdrietig keek en zei dat hij van de reis met ons had genoten en dat hij ons erg zou missen. 'Ik hou van jullie allemaal!' riep hij. 'Jullie zijn bij mij altijd welkom, altijd.' Zijn ogen werden vochtig en Shamil schonk gauw weer een glaasje wodka voor hem in.

Het volgende onderwerp van gesprek was het huwelijk. Blijkbaar oefenden sinds de val van de Sovjet-Unie de islamitische wetten in Oezbekistan grotere invloed uit en mocht een man daar nu meer dan één vrouw hebben. Als hij het zich kon veroorloven, mocht hij er zelfs vier nemen. Dyadya Tolik grinnikte toen we hem vroegen of hij ook voordeel had van die wet en vertelde ons trots dat hij twee vrouwen had. Toen ik er het fijne van wilde weten en er later tegen Shamil weer over begon, wilde hij geen antwoord geven en zei dat het hem niet aanging. Het was me niet duidelijk of hij het afkeurde of dat hij alleen maar loyaal was jegens zijn vriend.

De volgende dag reden we tot aan de rand van de stad Choest. Tegen het middaguur hielden we daar rust en terwijl Wic en Mouse bij de paarden bleven, gingen Lucy, Shamil, Dyadya Tolik en ik naar de bazaar. 'Choesten' is ook een woord geworden waarmee kolonisten worden aangeduid, in tegenstelling tot nomaden. Tadzjieken en Oezbeken zijn Choesten; Kazakken, Kirgiezen en Turkmenen zijn nomaden en horen bij het Karakumvolk, genoemd naar de Karakum-woestijn in Turkmenistan. Kolonisten wonen in steden en zijn kooplieden, nomaden wonen op het platteland en beoefenen landbouw voor eigen gebruik. Traditioneel spreken kooplieden Tadzjieks, een Indo-Europese taal verwant aan het Perzisch. Tot onze verbazing spraken alle kooplieden in de bazaar in Choest nog steeds Tadzjieks, ook al ligt deze plaats midden in Oezbekistan. Lucy en ik moesten ons ergens schuilhouden terwijl de mannen onderhandelden over de prijs van een paar messen – Choest is beroemd om zijn messen. In de tijd dat de Zijderoute nog een drukke handelsweg was, waren de belangrijkste uitvoerproducten van de Ferganavallei paarden, wapenrusting, olie en messen.

Daarna moesten we afscheid nemen van Dyadya Tolik. Het deed me verdriet, want ik was aan hem gehecht geraakt en het afscheid leek een soort einde te markeren. Hij was een echte vriend van ons geworden en had uitstekend voor de paarden gezorgd. Ook vroeg ik me bezorgd af hoe Shamil het zou redden zonder zijn kalmerende invloed, en ik wist dat Shamil hem verschrikkelijk zou missen. Die avond werd Shamil melancholiek van te veel wodka.

De volgende dag was onze laatste in Oezbekistan, want we naderden de grens met Kirgizië. We lunchten naast een beek en zochten afkoeling in het modderige water. Een eindje stroomafwaarts kwamen naakte jongetjes in de zon en het water spelen. Toen ik na de lunch met hulp van Shamil de buikriem van Rode Leeuw aansnoerde, werd ik opeens hard in de voorkant van mijn schouder gebeten. Ik keek omlaag, zag een stuk vlees uit mijn gescheurde shirt hangen en gilde van schrik en pijn. Shamil greep Rode Leeuws hoofd en gaf hem een harde schop in zijn lende. Ik was zo geschokt door de aanval en al het bloed dat ik niet meer kon stoppen met huilen. De anderen ontfermden zich over me en hechtten de wond met vlindersteekjes. Shamil, die het vreselijk vond dat een van zijn paarden mij gebeten had, maakte een mitella van een zakdoek. De rest van de dag reed hij naast me en keek Rode Leeuw dreigend aan wanneer hij ook maar één verkeerde beweging maakte.

We brachten de nacht door in niemandsland. Met de besneeuwde toppen van de Tiensjan in het oosten verheugden we ons erop dat we een ordelijk land zouden verlaten en een eenzaam bergland in zouden trekken.

## 4 De geheime tuin

Kirgizië was nog spectaculairder dan we hadden verwacht. Ik had grenzen altijd een nogal onwezenlijk begrip gevonden, maar bij het oversteken van de grens tussen Oezbekistan en Kirgizië besefte ik dat ik mijn mening moest herzien. Zodra je in Kirgizië bent, zijn de gezichten, het klimaat en het landschap totaal anders. Vóór ons liepen groene, dik met wilde bloemen begroeide velden naar de bergen aan de horizon, waarvan de ruwe kammen scherp afstaken tegen de felblauwe lucht. Boven de rijen bergen uit rees een met sneeuw bedekte keten waarvan de pieken glinsterden in de zon, als een kroon op de sobere, majestueuze toppen ervoor. Zelfs van zo'n grote afstand werden we overweldigd door hun onafzienbare oneindigheid. Plotseling werd ik me bewust van de onmetelijkheid en de kracht van de natuur. Alles was helder en tintelde van het leven; het leek alsof we naar de wereld keken met een nieuw zicht, dat elk voorwerp scherper in beeld bracht. De ijskoude, doorzichtige rivier, die zo energiek tussen de oevers door stroomde dat druppels sprankelend water boven de oppervlakte leken te dansen. Het weelderige gras en de zee van bonte bloemen. De mensen zelf, die er met hun roze wangen en donkere haar fris en gezond uitzagen... Het was allemaal van een oneindiger schoonheid dan ik ooit in mijn leven had gezien.

De Kirgiezen komen oorspronkelijk uit een gebied bij de

bron van de rivier de Jenissej, tussen het Bajkalmeer en het Altaigebergte in Zuid-Siberië. Een recent Chinees artikel vermeldt dat de pure Jenissej-Kirgiezen tot de negende eeuw een lichte huid, groene ogen en rood haar hadden. Maar na de invasie van de Mongolen in de tiende eeuw veranderden ze in de mensen met de brede gezichten die wij daar aantroffen, die van hun Oezbeekse buren verschillen door hun schuinere ogen en donkerder uiterlijk. Direct over de grens van Kirgizië dragen alle mannen al een *ak-kalpak*, een vilten hoed met zwarte biezen en een kwast, die zwierig achter op hun hoofd staat.

We reden door Karavan, een tamelijk grote stad voor dit dunbevolkte land. Een log standbeeld van Lenin herinnerde ons eraan dat zelfs dit schijnbaar onaangetaste paradijs in de bergen ooit verscheurd werd door het collectivisme en de politieke zuiveringen van de Sovjets. Gelukkig kwam er van de industrialisatie niets terecht en is de natuurlijke schoonheid van de bergen en hooggelegen weiden gespaard gebleven.

Toen we langs de voet van het Tsjaktalgebergte reden, dat een onderdeel vormt van de Tiensjan, verkeerden we in alle staten van verrukking. In 1919 schreef een Russische aristocraat, Paul Nazarov, die op de vlucht voor de bolsjewieken naar Kirgizië was ontsnapt, in zijn dagboek: 'De wonderbaarlijke schoonheid van de natuur en de wetenschap dat ik op weg was naar dat immense berglandschap, ver van communistische experimenten, stemden me zielstevreden.' Ook mij boezemde de grootse, woeste, aangrijpende pracht van Kirgizië het bijna religieuze ontzag in dat alleen overdadig natuurschoon kan afdwingen.

Meteen nadat we de grens overstaken, werd zelfs de lucht frisser – van een recente regenbui, een heel verschil met de benauwde lucht in Oezbekistan. We zetten de tenten op onder limoenbomen, vanwaar we uitzicht hadden op de besneeuwde toppen, die een roze gloed kregen van de ondergaande zon. In de avondschemering reden herders voorbij, vaders en zoons, twee aan twee.

Ik voelde me zo gelukkig dat ik wilde dat dit deel van onze reis nooit zou eindigen, maar bij de avondmaaltijd verdreef Vadim deze gezapigheid door achteloos twee akelige mededelingen te doen. Ten eerste stonden we in Kirgizië blijkbaar nog niet geregistreerd, wat binnen drie dagen na binnenkomst in dit land moet gebeuren. Zoals gebruikelijk in de vroegere Sovjetrepubliek had dit van tevoren geregeld moeten worden, maar ons verzoek was waarschijnlijk in een bureaula van de een of andere ambtenaar verdwenen. Daarom moesten we nu bijna honderdzestig kilometer reizen naar Dzjlalabad, de provinciehoofdstad, om ons daar te melden, en daarna eveneens in de andere drie provinciehoofdsteden. Vanwege de slechte wegen zou het ons een dag kosten erheen te rijden, en dan moesten we ook nog op de visa wachten en terugrijden naar het kamp. Het tweede slechte nieuws was dat Shamil ook niet geregistreerd stond, wat om een geheimzinnige reden nog erger scheen te zijn. Volgens Vadim zou hij, als hij zich niet gauw zou melden, over een paar dagen terug moeten naar Tasjkent of anders in een cel belanden.

Ik vroeg Vadim een paar keer waarom Shamil anders behandeld werd dan de rest, waarom hij zich de volgende dag niet tegelijk met ons mocht melden, maar Vadim antwoordde vaag en ontwijkend. Hij herhaalde alleen maar wat hij had gezegd en voegde eraan toe dat er geen andere oplossing was. We vermoedden dat er meer achter stak, want de laatste paar weken had er tussen Vadim en Shamil een soort machtsspel plaatsgevonden en nu Dyadya Tolik er niet meer bij was, stond Shamil een stuk zwakker. Vadim wist weinig van paarden; het was zijn taak ons naar de Chinese grens te brengen. Shamil stond erop dat we wat de paarden betrof een vast patroon volgden, dat we ze regelmatig rust gunden, ze driemaal per dag te eten gaven en ze pas een uur na de maaltijd weer bereden. Vadim vond dat allemaal niet nodig als we op een andere manier sneller in China konden zijn. Ondanks onze herhaaldelijke uitleg leek het niet tot hem door te dringen dat de reis, als we de rustdagen voor de paarden zouden overslaan, uiteindelijk veel langer zou duren. Misschien zouden ze het een dag of tien achter elkaar volhouden, maar dan zouden ze instorten, net als onze Turkmeense paarden hadden gedaan.

Vadim en Shamil hadden hier dagelijks ruzie om, doordat Vadim Shamil wilde dwingen langer door te rijden dan verstandig was. Maar onder dit verschil van mening sudderde een ander geschil, waardoor ze zich nog onverzoenlijker gedroegen. Vadim was de baas over het kamp, waardoor Sacha en Igor hem moesten gehoorzamen. Hij vond dat Shamil zich ook aan zijn gezag moest onderwerpen, maar daar piekerde Shamil niet over. Hij zei dat Zheniya hem had aangesteld om voor de paarden te zorgen en dat hij dus niets met de kampploeg te maken had. In theorie hadden ze ieder hun eigen taak: Vadim bekommerde zich om het kamp en Shamil om de paarden. Ze hoefden nergens ruzie om te maken omdat hun taken naast elkaar lagen. Maar in de praktijk konden ze elkaar niet met rust laten. Elke morgen vertelde Vadim ons hoe ver we die dag moesten rijden en waar we die avond zouden kamperen. Vervolgens protesteerde Shamil dat het te ver was en dat Vadim geen rekening hield met de begaanbaarheid van het terrein. Vijftien kilometer door de bergen is ongeveer hetzelfde als dertig kilometer over een vlakke weg, en daarom hield Shamil vol dat het belachelijk was te proberen elke dag ongeveer veertig kilometer af te leggen, ongeacht het terrein. Vadim zei dan weer dat hij verantwoordelijk was voor de route, niet Shamil. Vadim bleef koppig op zijn strepen staan, maar omdat hij een rustige aard had, verhief hij nooit zijn stem. Shamil was temperamentvoller en werd soms echt kwaad. Soms moest ik me ermee bemoeien – Mouse, Lucy en Wic spraken geen Russisch – en omdat ik me ook gauw opwind, begon de dag vaak met geschreeuw.

Wij waren op de hand van Shamil, niet alleen omdat zijn standpunt ons verstandiger leek en omdat hij al een maand bij ons was, maar ook omdat we het aan hem te danken hadden dat we geschikte paarden hadden voor onze zware tocht. Als we Shamil niet hadden gevonden, hadden we waarschijnlijk om de paar weken van paarden moeten wisselen. En inmiddels waren we op onze paarden gesteld geraakt en waren we van mening dat Shamil uitstekend voor ze zorgde, terwijl Vadim met ze omging zoals hij met een auto zou doen. Als ze ziek of uitgeput zouden raken, zou hij ze zonder meer van de hand doen, terwijl wij dolgraag met ze door wilden tot de Chinese grens. Ze waren ijzersterk en dankzij Shamils routine waren ze superfit. Elke dag reden we om de twintig minuten stapvoets en in draf. Soms galoppeerden we een stuk, wat we als een traktatie beschouwden omdat het zo fantastisch was door een vallei te racen. Enkele van de eerste Russische woorden die de anderen leerden, waren *risiyu* en *galopom* – draf en galop – doordat we Shamil voortdurend smeekten om meer snelheid. We wisten dat als we onze paarden inruilden voor Kirgizische pony's, die weliswaar meer gewend waren aan de bergen, we niet meer zo hard konden rijden.

Toen we naar bed gingen, waren we gedeprimeerd en gefrustreerd omdat we geen andere oplossing hadden gevonden. Om vijf uur werden Mouse en ik gewekt doordat iemand de rits van onze tent opentrok. 'Sacha, Mouse, opstaan!' In het Russisch hebben alle voornamen een verkleinvorm, daarom heet ik daar Sacha. Het was Shamil, die onze paspoorten wilde hebben om zo vroeg mogelijk aan de bureaucratische strijd te beginnen. Hij wilde net zo graag bij ons blijven als wij hem wilden houden, dus meteen nadat hij onze vier paspoorten had gekregen, reed hij terug naar Karavan om te zien of hij ons daar kon registreren.

Te onrustig om weer te gaan slapen, brachten we na de stortregen van de vorige avond de ochtend door met het weer op orde brengen van ons kamp. Lucy, Mouse en ik wasten kleren, maar Wic gebruikte haar vrije tijd voor het verzorgen van haar paard. Met de strobezem waarmee Igor de vrachtwagen schoonveegde borstelde ze hem flink af en met een stuk gekarteld metaal kamde ze zijn manen en staart. Maar na veertig minuten had Zwarte Pampers er schoon genoeg van. Hij trapte wild van zich af en liet zich in de modder vallen, waardoor al het werk van die arme Wic voor niets was geweest. Als laatste verzetsdaad zette hij zijn tanden in Igors kostbare bezem en knaagde hem doormidden.

Tegen lunchtijd kwam Shamil terug met goed nieuws: we hoefden ons niet te melden in Dzjlalabad omdat hij ons in Karavan had laten inschrijven. Helaas had hij dat niet voor zichzelf kunnen doen. Er was hem verteld dat hij zich als Oezbeek in Tasjkent had moeten laten registreren. Dit proces, dat twee weken in beslag nam, was blijkbaar een noodzakelijk onderdeel van de poging om de drugshandel tussen Oezbekistan en Kirgizië binnen de perken te houden. Kirgizië is de op twee na grootste verbouwer van marihuana ter wereld en het grootste deel van de oogst wordt via de Ferganavallei in Oezbekistan naar het Westen vervoerd. Het was niet correct van Vadim dat hij Shamil voor diens vertrek uit

Tasjkent niet had aangemeld, terwijl hij verantwoordelijk was voor de hulpploeg en dit wat zichzelf, Sacha en Igor betrof – alle drie Oezbeken – wel had gedaan. We vonden het verdacht dat hij Shamil had overgeslagen en vermoedden dat hij Shamils documenten met opzet had gesaboteerd. Die morgen was er zomaar een Kirgiez, ene Bazar-kul, komen opdagen in ons kamp en eerst dachten we dat hij een nieuwsgierige omwonende was, tot Vadim ons meedeelde dat hij de gids was die ons door Kirgizië zou loodsen en voortaan voor de paarden zou zorgen. Ons wantrouwen werd groter.

'En wat moet Shamil dan doen?' vroeg ik.

'Eh, Bazar-kul is van nu af aan jullie paardengids,' antwoordde Vadim ontwijkend.

'Maar wij willen dat Shamil bij ons blijft. Hij heeft erg goed voor de paarden gezorgd en we willen voorkomen dat ons net zoiets overkomt als in Turkmenistan.'

'Bazar-kul heeft veel ervaring met paarden, dus zullen er geen problemen zijn.'

'Maar dit zijn geen Kirgizische pony's, het zijn paarden uit Oezbekistan. Kunnen we precies dezelfde routine blijven volgen en ze driemaal per dag voeren en om de vier dagen een rustdag nemen?'

'Eh, Bazar-kul zegt dat dat in de bergen niet mogelijk is en dat we ze ook niet altijd halverwege de dag kunnen voeren.'

Ik vertaalde het gesprek voor de anderen, die net zo ongerust werden als ik. Maar Vadim leek niet onder de indruk van mijn tegenwerpingen, dus ik gooide het over een andere boeg.

'Wij betalen de gidsen en de paarden, Vadim, dus we vinden dat wij het recht hebben om te beslissen of we Shamil willen houden of niet.'

'Ik ben verantwoordelijk voor het kamp, dus ik mag bepalen wie voor me werkt!' Dit was de eerste keer dat Vadim liet merken dat hij kwaad was, en ook de eerste aanwijzing dat de bezwaren tegen Shamil niet allemaal van bureaucratische aard waren.

'Nee, dat bepalen wij, en wij willen dat Shamil meegaat tot de Chinese grens. Bovendien heb je volgens mij gezegd dat hij niet in Kirgizië kan blijven vanwege zijn visum, niet omdat jij hem niet mee wilt hebben.' Dat zei ik triomfantelijk, omdat ons wantrouwen gerechtvaardigd bleek te zijn. Maar Vadim probeerde met een afleidingsmanoeuvre wraak te nemen.

'Zijn de paarden de enige reden dat jij Shamil bij je wilt houden?' Het sarcasme droop ervan af.

'Natuurlijk,' antwoordde ik verontwaardigd, maar ik voelde dat ik begon te blozen, dus draaide ik me om en liep terug naar mijn tent.

Ik overlegde met de anderen. Mouse stelde voor dat we ons door Igor naar Karavan zouden laten brengen, waar we vanuit het postkantoortje ons organisatiekantoor in Tasjkent konden bellen om hulp, en ook een Engelse katoenfirma in die stad, waar Mouse iemand kende. Vadim stemde narrig met dit plan in, maar hij herhaalde een paar maal dat ze niets zouden kunnen uitrichten omdat alleen een officiële instantie Shamil een visum kon verstrekken.

We lieten ons niet tegenhouden. Mouse en ik klommen in de vrachtwagen en Igor bracht ons, Bazar-kul en Vadim naar Karavan. We vonden het postkantoor, dat bestond uit een vertrek met lemen muren en één tafel, waar ook een paar mannen met ak-kalpaks op zaten te wachten. Het telefoonsysteem werkte nog met schakelborden en het duurde minstens twintig minuten voordat we werden doorverbonden met Tasjkent, en de lijn gestoord werd door geruis. Met veel geschreeuw slaagde ik erin ene Vladimir van het organisatiekantoor uit te leggen wat er aan de hand was. Ik vermoedde dat Vadim die ochtend al met Vladimir had gesproken, omdat hij per se met Shamil mee had gewild naar Karavan, en ik was bang dat hij Vladimir toen al had verteld dat hij Shamil niet verder mee wilde nemen. Ik vroeg Vladimir me precies uit te leggen waarom Shamil niet net als de anderen geregistreerd stond, maar hij kon of wilde geen rechtstreeks antwoord geven en zei vaag: 'Ik zal zien wat ik kan doen.'

'We reizen niet verder zonder Shamil. Een van jullie beiden, jij of Vadim, heeft deze fout gemaakt, dus we vinden dat jullie dit probleem moeten oplossen. Niemand heeft ons hiervoor gewaarschuwd en we weten niet eens of we jullie wel kunnen geloven.'

'Maak je maar geen zorgen, Sacha, ik zal mijn uiterste best doen. Bel me over een uur maar terug.' Ik hoode dat hij popelde om van me af te komen.

Vervolgens belden we Meredith-Jones, de katoenfirma in Tasjkent. Mouse kende de eigenaar, Giles Meredith-Jones, omdat hij in de buurt van haar ouderlijk huis in Noord-Wales woonde. Zijn bedrijf produceerde al voor de bolsjewistische revolutie katoen in Centraal-Azië, en Giles had Mouse voor ons vertrek een heleboel goede raad gegeven en haar laten beloven dat ze hem zou bellen als we in Centraal-Azië in moeilijkheden zouden raken. Hij had een vroegere KGB-agent in dienst in Tasjkent, Boris, die vanwege zijn sluwe methoden 'de slang met de bruine snuit' werd genoemd en die in Oezbekistan een oogje in het zeil moest houden. Ik vroeg Boris te spreken omdat ik ervan uitging dat hij me alles over Shamils visumprobleem zou kunnen uitleggen, en kreeg te horen dat ik wat later terug moest bellen om te horen wat de slang met de bruine snuit eraan kon doen.

Bazar-kul stelde voor dat we om de tijd te doden een wandeling door de stad zouden maken, en hij bracht ons naar een winkel waar ze de opvallende ak-kalpaks verkochten. Dit zijn kegelvormige hoeden van wit vilt met een zwartfluwelen voering, met een platte bovenkant waaraan een zwarte kwast hangt. Op de voorkant is een zwart geometrisch patroon geborduurd en de rand wordt omgeslagen, zodat je de voering kunt zien. Blijkbaar zijn ze waterdicht. Iedere man en jongen in Kirgizië draagt er een, onder alle weersomstandigheden, en trekt hem bij wind of regen over zijn gezicht. Bazar-kul gaf ons ieder zo'n hoed cadeau, en we schaamden ons omdat we zo onaardig tegen hem hadden gedaan. Ik herinnerde me dat hij eerder die morgen Wic had willen helpen met haar paard en dat ze hem bijna bruut weggeduwd had met de woorden: 'Laat me alsjeblieft met rust.' Weliswaar verstond hij geen Engels, maar de klank van haar stem en haar gebaren hadden haar bedoeling duidelijk gemaakt. Het was niet zijn schuld dat Vadim Shamil er niet langer bij wilde hebben, en natuurlijk was hij maar al te blij dat hij voor zes weken werk had.

Toen we terug waren bij het postkantoor belden we Boris de Slang, maar hij had de boodschap helemaal verkeerd begrepen, want hij dacht dat Shamil gearresteerd was en in een politiecel zat. Ons ontzag voor Boris' alwetendheid liep een forse deuk op, want hij wist niets van Oezbeekse visa voor Kirgizië en kon ons niet helpen. We bedankten hem en belden opnieuw naar Vladimir van het organisatiekantoor. Hij klonk een stuk toeschietelijker dan de eerste keer (misschien omdat we hadden gedreigd onze laatste betaling in te houden) en zei dat hij het probleem van Shamils visum opgelost had. Ik kon nauwelijks geloven dat hij zich na alle ergernis en opwinding zo gemakkelijk gewonnen gaf, en ik was nog verbaasder toen hij me onomwonden vertelde dat Vadims verhaal over dat visum een verzinsel was. Ik was zo opgelucht dat we Shamil niet kwijt zouden raken dat ik er niet verder op in wilde gaan. We hadden de strijd gewonnen en de rest was niet belangrijk. Shamil hoefde er geen stempel in zijn paspoort bij te hebben en Vadim redde zijn waardigheid met de onwaarschijnlijke verklaring dat Vladimir het visum razendsnel in Tasjkent had geregeld.

Toen Mouse en ik, terug in het kamp, Lucy en Wic vertelden dat Shamil zou blijven, waren ze net zo blij als wij. Vlug zadelden we de paarden en toen we vertrokken, kwam er een groepje kinderen aan om ons uit te zwaaien. Ze braken boomtakken af, ristten de blaadjes eraf en gaven ons die om als zweepje te gebruiken. In ruil daarvoor gaven we hun een pak koekjes, waar de jongetjes, blootsvoets op de ruwe weg, mee aan de haal gingen. De meisjes keken hen met grote, verdrietige ogen na.

Langzaam volgden we de weg door het dal naar de bergen. We waren zo blij dat we weer met Shamil als gids te paard zaten, dat we genoten van de rustige tocht en het prachtige landschap om ons heen. Kirgiezen maken een vriendelijker, rustiger indruk dan hun Oezbeekse buren. Ze lijken zich ook minder bewust te zijn van hun nationale identiteit, alsof ze die eerder ontlenen aan hun familie dan aan hun land. De grenzen van het Sovjetrussische Centraal-Azië waren na de Russische revolutie bepaald door Stalin, maar anders dan de Turkmenen en Oezbeken zijn de Kirgiezen een stuk minder enthousiast over hen na de val van de Sovjet-Unie in 1991 herkregen nationale identiteit. Sindsdien hebben Niyazov en Karimov, de huidige presidenten van Turkmenistan en Oezbekistan, een heleboel gedaan om het nationalistische gevoel in hun land aan te wakkeren, waarbij ze het met de geschiedenis niet al te nauw nemen. De Oezbeken is bijvoorbeeld verteld dat ze Tamerlane moeten eren als de stichter van hun staat. Omdat hij wereldberoemd is, kunnen ze mooi hun oorsprong en nationale eenheid aan hem ophangen, maar het is een mythe. De tegenwoordige Oezbeken kwamen, net als de Kazachen, oorspronkelijk uit Zuid-Siberië. Daar stonden ze onder de heerschappij van de Oezbeekse kans, afstammelingen van een kleinzoon van Dzjengis Khan. In de veertiende eeuw bekeerden ze zich tot de islam en begonnen naar het zuiden te trekken, tot de noordelijke oever van de Syr Darja (Jaxartes), met aan de overkant de in verval geraakte staat Timurid, gesticht door Tamerlane. Vervolgens bezetten de Oezbeken het land tussen de Syr Darja en de Amoe Darja, dat door Ptolemeus Transoxiana en door Alexander de Grote Sogdiana werd genoemd en dat nu Oezbekistan heet. Oezbeken zijn de grootste groep Turken buiten Turkije. Omdat ze de op twee na grootste etnische groepering in de Sovjet-Unie waren, worden ze tegenwoordig beschouwd als de politiek en militair sterkste groepering in Centraal-Azië.

De Kirgiezen daarentegen stammen af van ongeveer veertig verschillende clans en missen dus een sterke maatschappelijke of politieke band. Hun geschiedenis is ook minder strijdlustig dan die van de Oezbeken, omdat ze in de Middeleeuwen op een vredige manier vanuit Siberië naar het Tiensjangebergte zijn getrokken. Ten slotte, en dat is het belangrijkst, wordt vaak gezegd dat godsdienst in Oezbekistan, de ex-Sovjetstaat in Centraal-Azië met de meeste moslims, op een cynische manier is misbruikt om het nationalistische gevoel te versterken. Daar staat tegenover dat de Kirgiezen, al zijn het ook moslims, niet veel aan hun geloof doen en dat in hun land, anders dan in Oezbekistan, de moskeeën niet als paddestoelen uit de grond schieten.

Kirgizië heeft erg weinig steden (Bisjkek, de hoofdstad, is nog geen honderd jaar oud), want het is nog steeds vooral een land van nomaden, en vanwege het bergachtige terrein zijn er weinig grote wegen. In de zestiende eeuw gingen de Oezbeken zich langzamerhand in de vruchtbare valleien waar ze terechtkwamen vestigen om een agrarisch leven te leiden. Dit had tot gevolg dat er steden werden gebouwd, die bestuurd moesten worden, waarvoor men moest leren lezen en schrijven. Daardoor is er in Oezbekistan zowel fysiek als sociaal een samenhangende maatschappij ontstaan, in tegenstelling tot het land van de rondtrekkende Kirgiezen, die nog steeds in joerts – vilten tenten – wonen.

Het viel ons meteen op dat de Kirgiezen zo vriendelijk zijn. In Oezbekistan waren we weleens met stenen bekogeld en Shamil was er altijd bang geweest dat de paarden zouden worden gestolen, maar hier glimlachte iedereen of was alleen nieuwsgierig. Op onze eerste dag in Kirgizië bestond het enige verkeer dat we tegenkwamen uit ezels met hele bomen of zakken maïs op hun rug, een broodmagere mullah op een gehoorzame hengst en een paardenkaravaan bestaande uit twee paarden, vier mensen en een hond. De vader en de zoon zaten eersteklas, voorop de paarden, de moeder en de jongere zoon zaten achter hen. Die moeder was de eerste vrouw die we sinds het begin van onze reis op een paard zagen zitten.

Wic schreef in haar dagboek: 'Toen we twee dagen geleden de grens overstaken, had ik meteen het gevoel dat ik mijn eigen geheime tuin binnenging, en ik wilde dat ik er altijd kon blijven.' Alles in dit land, van de immense bergen met hun scherpe kammen tot de snelstromende rivieren, bonte bloemen en glimlachende Kirgiezengezichten, leek onaangetast en onberoerd door de moderne wereld.

Tot de leukste momenten behoorden de ritten door dorpjes, waar we een glimp van het dagelijkse leven van de bewo-

hoorden, en toen we opkeken, zagen we Wic hulpeloos op een richel staan. Ze kon geen kant meer op. Vadim maakte met gebaren duidelijk dat ze naar boven moest klimmen en dan een eindje verder weer naar beneden, maar ze riep terug dat het te steil was. Voordat we over het probleem konden nadenken, klauterde Igor al naar haar toe en bleef vlak onder haar staan. Ze zag hem niet aankomen en pas toen ze naast zich een paar handen op de rotswand zag verschijnen, en daarna glinsterende gouden tanden, besefte ze wie het was. Later vertelde ze ons dat hij, toen hij op adem was gekomen, haar in gebarentaal duidelijk had gemaakt dat hij zich aan het scheren was toen hij haar hoorde roepen, de klus met twee flinke halen had afgemaakt, tweemaal met zijn aftershave had gesproeid (die ze in zijn hals moest ruiken) en achter haar aan was geklommen. Ze had er dankbaar om gelachen en hem James Bond genoemd, wat hij leuk vond. Vervolgens was hij doorgeklauterd naar een richel boven haar, had over de rand geleund en haar een hand toegestoken. Die avond schreef Wic: 'Toen we elkaars pols vastpakten en er kracht op zetten, werd ik opeens doodsbang dat Igor me niet zou kunnen houden en met een zwaai over me heen de diepte in zou tuimelen. Maar tot mijn verbazing trok hij me omhoog, waarna we naar de top klommen en langs een andere kant weer omlaag.'

Bij haar terugkeer in het kamp zag Wic tot haar opluchting dat Zwarte Pampers ook weer ongedeerd terug was. Iedereen haalde opgelucht adem en Wic ging Bazar-kul helpen haar paard opnieuw te beslaan. De hengst moest met touwen vastgebonden worden om hem te beletten van zich af te trappen. Shamil hield op veilige afstand het touw vast aan het eerste achterbeen dat beslagen werd, Igor het touw om zijn voorbenen en Wic hield zijn hoofd vast opdat hij niet kon steigeren. Bazar-kul deed het gevaarlijkste werk, namelijk het aanbrengen van het nieuwe hoefijzer. Bij elke hamerslag probeerde Zwarte Pampers te schoppen en toen het hele karwei klaar was, zaten alle hoefijzers een beetje scheef.

Die nacht was Igor voor het laatst bij ons, want hij ging terug naar zijn vrouw en kinderen in Tasjkent. Om het kampvuur hieven we glaasjes wodka op zijn vertrek en zijn heldhaftige redding van Wic. Een paar weken eerder had Shamil hem de bijnaam *polkovnik* gegeven, Russisch voor 'kolonel', omdat hij een paar jaar had meegevochten in de oorlog tussen de Sovjet-Unie en Afghanistan. Wic had moeite met de uitspraak en noemde hem *polovnik*, wat 'soeplepel' betekent, waar de anderen hysterisch om moesten lachen. Shamil legde uit dat Igor zo goed kon klimmen dankzij al die jaren in de Afghaanse bergen, volgens mij deels om zich te verontschuldigen omdat hijzelf Wic niet meteen te hulp was geschoten.

De volgende drie dagen reden we door Sary Tsjelek, een natuurreservaat in de bergen ten noorden van de Ferganavallei. In het midden ligt een bijna vijf kilometer lang bergmeer, dat naar men vermoedt achthonderd jaar geleden is ontstaan door een aardbeving die een landverschuiving tot gevolg had. De lagere hellingen staan er vol groeneamandel-, walnoten- en fruitbomen, en elk klein dal heeft er zijn eigen meer.

Gedurende die drie dagen verving Bazar-kul Shamil als gids, omdat dit zijn geboortegrond was en hij er de weg op zijn duimpje kende. Met tegenzin liet Shamil hem op Malish rijden en stapte zelf in de vrachtwagen. Op weg van ons kamp naar het reservaat reden we door een dorpje dat Arkit heet, waar volgens Bazar-kul alle parkwachters woonden, net als hijzelf en zijn gezin. Aan beide uiteinden van de dorpsstraat hingen de kleden van de bewoners over de lage ijzerdraadhekken tussen de huizen en de weg en die flink werden genaast een beekje, waar we bleven zitten en luisterden naar het geroep van een koekoek en het gekwaak van brulkikkers. Het was heerlijk je zo ver van de bewoonde wereld te wanen, alleen in een hemels hoekje van de wereld. We bleven er nog urenlang liggen, pratend en lachend, en het viel niet mee ons los te rukken van het idyllische plekje en terug te gaan naar het rumoerige kamp.

Toen we de volgende morgen na een ongewone tien uur slaap wakker werden, zagen we dat Shamil zo lief was geweest boeketjes van de prachtige bergbloemen naast onze tenten te leggen. We hadden besloten dat we die rustdag met Vadim naar het grote meer zouden lopen, dus na het ontbijt gingen we op pad door de heuvels, met een vreemd gevoel van vrijheid zonder de paarden. Maar de hitte en de klim eisten hun tol, en ons respect voor de paarden nam toe. Bij elke heuveltop dachten we dat het de laatste was, maar uiteindelijk zagen we tussen de pijnbomen door toch een glimp van aquamarijnblauw water en een blokhut. Toen we de laatste helling waren afgedaald, opende Vadim zijn rugzak en haalde er een zalige maaltijd van lepyoshkas, salami, kaas en abrikozen uit, en een fles bubbelende kefir, die bij het openen ontplofte. Vanuit de blokhut hadden we een prachtig uitzicht over het meer: een diepe gleuf helder blauw water tussen hoge bergwanden. Bij elke wisseling van het licht, bijvoorbeeld wanneer er een wolk voor de zon schoof, veranderde het water, waarin de lucht werd weerspiegeld en vergroot, van kleur. Van heel licht turkoois werd het opeens bijna zwart en dan veranderde ook de sfeer van de hele omgeving van vredig naar dreigend.

We namen een gemakkelijker pad terug naar ons kamp en zagen daar Sacha lopen met een emmer visjes, die hij in het meer had gevangen. Ze behoorden tot de familie van de karpers, maar ondanks hun Kirgizische afkomst waren ze niet lekkerder dan hun Engelse broeders. Ze smaakten naar modder en zaten vol graten, dus spoelden we ze weg met wodka. Na het eten stelde Shamil voor dat we het populaire Russische kaartspel *durak* zouden spelen, wat 'dwaas' betekent. Op een ontzettend langdradige en ingewikkelde manier legde hij Wic en Mouse de spelregels uit. Toch kregen ze het onder de knie en versloegen ten slotte hun leraar, die dat niet leuk vond.

Midden in de nacht werden Mouse en ik tijdens een wandeling naar de wc verrast door onbekende stemmen. We renden terug naar onze tent en hielden ons in onze slaapzak doodstil, bang om ons te verroeren, tot we plotseling vlak naast de tent iemand '*Dobriy dyen*' hoorden bulderen – 'goedendag' – een beetje vreemd op dat tijdstip. Toen ik voorzichtig met mijn zaklantaarn door de tentopening naar buiten scheen, zag ik vlak voor me een mannengezicht naar me grijnzen.

'Wie ben je?'

'Sergei.'

'Welke Sergei?'

'Sergei de chauffeur.'

'O, het is onze nieuwe chauffeur, Mouse.' Toen ik opgelucht naar de tent van Vadim rende om hem te wekken, zag ik in het maanlicht onze nieuwe vrachtwagen staan. Helaas was hij niet knalgeel, zoals die van Igor, waaraan we gewend waren geraakt, maar hij zag er sterk en betrouwbaar genoeg uit.

De volgende dag verlieten we het nationale park. We reden naar de top van het Sary Tsjelekgebergte over een kronkelig, stenig pad en moesten voortdurend bukken om niet aan laaghangende meidoorntakken te worden geregen. Overal rook het heerlijk; in bloei staande kersen-, appel- en perenbomen, seringen en meidoorns gaven de lucht om ons heen een zoete

staan, die een groepje joerts bewaakte dat nat en eenzaam onder aan een helling stond.

Het pad liep zigzaggend weer naar beneden, en natte meidoorntakken zwiepten terug in onze gezichten. Op een gegeven moment kwamen we bij een beekje dat naar het dal stroomde, en we volgden het door een bos van walnotenbomen. Hun enorme bladeren wiegden slap van de regen in de wind. Terwijl we door deze prachtige wildernis draafden, passeerden we een kleine, verweerde man in een broek en een vest, met blote, gespierde armen. Hij wenkte ons mee naar zijn huis, zette een grote kom melk en een stapel lepyoshkas voor ons neer, en vroeg: 'Wie zijn jullie?'

'We rijden de Zijderoute.'

'Zij is een Tolstoy,' zei Shamil, en hij wees naar mij. Hij vond het leuk dit aan mensen te vertellen, ook al hadden de meeste Oezbeken en Kirgiezen op het platteland nooit van Leo Tolstoy gehoord. Maar deze houthakker, want dat bleek hij te zijn, was een Rus en had tien jaar in Tula gewoond, een stad in de buurt van Tolstoys vroegere landgoed. Ik kon nauwelijks geloven dat hij van zo'n grote Europese stad was verhuisd naar deze afgelegen plek in Kirgizië. Maar hij leek er erg gelukkig met zijn vrouw en twee kleine kinderen, die verlegen kommen melk en stukken brood uitdeelden.

De volgende paar dagen bleef het regenen. Zodra we onze tenten hadden opgezet, veranderde het kamp in een modderbad. We konden niets meer schoon of droog houden, en de paarden zagen er elke dag verpieterder uit. Onze kleren waren waterdicht, maar de regen liep langs onze nek en in onze laarzen. De schapenvachten op de zadels waren doorweekt en plakkerig geworden, en roken steeds sterker naar schapenvet.

In die periode speelde zich een episode af die ons de rest van onze tijd in Kirgizië in zijn greep hield. Het beïnvloedde de sfeer in het kamp en veroorzaakte scheuringen in onze groep, die nog maanden nadat de episode afgelopen was, doorwerkten. Iedereen was erbij betrokken, ook de hulpploeg, en niemand kon zich aan die toestand van verhevigde emoties en algemene onvrede onttrekken.

De episode begon met een kale plek en een zadelwond op de flank van Zwarte Pampers. Wic ontdekte die en vroeg Shamil er iets aan te doen, maar hij zei dat het normaal was en niets om je ongerust over te maken. Dit gebeurde een paar dagen achter elkaar; elke morgen klaagde Wic erover en was ze het oneens met Shamil. Op een ochtend vond ze het welletjes en schreef in haar dagboek: 'Tot dusver heb ik me ondanks mijn eigen oordeel bij Shamils beslissing neergelegd, maar nu is het afgelopen.' Ze vroeg me tegen Shamil te zeggen dat ze een paar dagen wilde lopen en Zwarte Pampers aan de teugel meenemen om de wond te laten genezen.

'Dat kan niet,' antwoordde Shamil ferm. 'We moeten een grote afstand afleggen en daarom moeten we draven en galopperen, en dan kan zij ons niet bijhouden.'

Wic begreep niet waarom Shamil haar verzoek zo onredelijk vond en waarom hij er zelfs niet over wilde nadenken. Ze werd boos, en nog bozer toen ik ongeduldig zei: 'Hij heeft gelijk, Wic. Dan kun je ons niet bijhouden.' 'Ik wist wel dat je dat zou zeggen! Je bent altijd tegen mij en voor Shamil!' schreeuwde ze. Misschien had ze daar gelijk in, want ik vertrouwde inderdaad op Shamils oordeel en dat merkte ze ongetwijfeld aan de manier waarop ik zijn woorden vertaalde. Ik vond het vaak erg moeilijk als tolk te dienen en altijd onpartijdig te blijven, vooral als de ruzie hoog opliep.

Ik liep weg en weigerde hun argumenten nog langer te vertalen. Ze moesten het verder zelf maar uitzoeken. Op de een of andere manier slaagde Shamil erin Wic duidelijk te maken dat de wond niet verergerde omdat die niet behandeld werd, maar omdat ze op de verkeerde manier reed. Ze was beledigd dat hij haar rijstijl de schuld gaf en geen enkele andere oorzaak wilde overwegen. Het had ook aan het zadel kunnen liggen, dat Shamil zelf had gemaakt, maar misschien was hij te trots om daar naar te kijken. Gelukkig stemde Wic erin toe dat Shamil de volgende paar dagen op Zwarte Pampers zou rijden en zijzelf op Malish.

Vervolgens ontdekte Wic dat Shamil toen niet alleen wondpoeder op de wond strooide, maar dat hij ook een extra gewatteerde deken onder het zadel had gelegd. 'Ik snap niet waarom hij mij dat niet liet doen. Door dit soort dingen maakte hij het extra moeilijk voor me op zijn oordeel te vertrouwen, hoe aardig hij verder ook is. Toch liet ik hem zijn gang gaan, omdat ik hoopte dat als hij het paard een paar dagen zou berijden, de wond sneller zou genezen.' Shamil hield vol dat hij Wics paard niet anders behandelde dan normaal, en dat de andere paarden ook gewatteerde dekens onder hun zadel hadden. Mouse en Lucy kozen partij voor Wic, wat een beetje vreemd was omdat juist zij erop aangedrongen hadden dat we zo gauw mogelijk de Chinese grens zouden bereiken. Nog de avond daarvoor hadden ze voorgesteld een week eerder bij die grens te zijn dan afgesproken was, omdat ze anders bang waren dat we in China niet genoeg rustdagen zouden hebben. Wic en ik vonden het geen bezwaar als we ons einddoel een paar dagen later zouden bereiken, omdat we het jammer vonden een week te verliezen in tot dan toe het mooiste deel van onze reis. Bovendien zouden we dan nog sneller moeten rijden, wat het herstel van Zwarte Pampers niet zou bevorderen.

'Waarom is het erg als we een week later dan gepland aankomen?'

'Omdat we dan de gidsen meer moeten betalen en we dat geld niet hebben,' antwoordde Mouse.

'Ik weet zeker dat je je zorgen maakt om niets, en ik vind ook dat we erover moeten stemmen.'

Soms ergerde ik me aan Mouse als ze liet blijken dat de Zijderoute-expeditie voor haar alleen maar een middel tot een doel was, dat ze de prestatie belangrijker vond dan de reis zelf. Ze maakte zich altijd erg druk over ons imago en wilde dat iedereen ons beschouwde als taaie, dappere ontdekkingsreizigers. Ze had ons verboden thuis te vertellen dat we een hulpploeg en een kok meenamen, en ze bracht altijd met een overdreven nadruk op de gevaren verslag uit. Deze druk om de werkelijkheid aan te dikken en vooral geen tijd te verspillen maakte de situatie nog gespannener.

Misschien waren zij en Lucy verstandiger dan ik, maar ik werd boos toen ik later hoorde dat ze een boodschap hadden gestuurd naar ons Chinese organisatiekantoor in Kasjgar met de vraag of onze vergunningen een week eerder dan de bedoeling was geldig konden worden verklaard. Gelukkig voor Wic en mij kon dat niet, omdat ze lang geleden waren verstrekt en niet meer konden worden veranderd.

Die morgen vertrokken we terwijl Shamil en Wic op elkaars paarden reden. De drie anderen reden voorop, Shamil en ik volgden. Het was duidelijk dat onze groep zich in tweeën had gesplitst, ook al gedroegen we ons allemaal zo normaal mogelijk. Ik vond dat de anderen de zaak opbliezen, en Shamil was altijd zo aardig voor ons en deed zo zijn best om de moed erin te houden dat ik me gekwetst voelde namens hem. Bovendien wist hij veel meer van paarden dan wij, dus vond ik het niet juist dat wij hem vertelden hoe hij ze moest behandelen. Het laat zich raden, vrees ik, aan wiens kant ik stond.

Die middag werd de sfeer echt vervelend. Vadim had tegen

ons gezegd dat we een kortere weg door de bergen moesten nemen en dan afdalen naar het Toktagulmeer, een lang, smal meer. Hij had Shamil op de kaart de route laten zien, via een smal pad over de pieken. Het werd algauw een moeizame klim en we moesten afstijgen en onze paarden de met gruis bedekte hellingen of rotsige wanden op en af leiden. Hierover schreef Wic: 'In plaats van het goed begaanbare pad over vlakke stukken te nemen, besloot Shamil zich een weg te banen door het dichtbegroeide, onbetreden ravijn. Hoewel ik Shamil bewonder, kan hij ontzettend eigenwijs zijn. Toen ik bijvoorbeeld een andere weg voorstelde om het twee meter hoge, steile stuk te omzeilen waar Mouse en Big Ben net vanaf gevallen waren, vond hij dat een slecht idee omdat daar grote rotsblokken lagen en zei dat ik vlak achter hem moest blijven. Maar ik zag niet één groot rotsblok liggen en koos voor mijn eigen weg, die tienmaal zo snel en veel gemakkelijker bleek te zijn. Ik wil heus niet beweren dat ik een betere gids zou zijn dan hij, maar ik wilde wel dat hij niet zo trots was.'

Na een paar uur waren we nog geen kilometer opgeschoten en hadden we grote problemen met de paarden. Mijn paard, Rode Leeuw, kon toen hij een verticale wand probeerde te beklimmen net de top niet halen en tuimelde achterover omlaag. Gelukkig kon hij zich in de lucht als een kat omdraaien en op zijn hoeven landen. Het touw waaraan ik hem leidde, werd daarbij uit mijn handen gerukt en schuurde mijn handpalmen tot bloedens toe open. Hoewel hij veilig was geland, raakte Wic hierdoor nog meer van streek. Intussen had Mouse moeite met Big Ben op een richel. Big Ben was al een stuntel op vlakke grond, maar op stenige hellingen was hij een ramp. Hij was gestruikeld en uitgegleden tot vlak voor de rand, en stond nu verstijfd van angst stil en weigerde voor- of achteruit te gaan. Wic liet Malish alleen en klom omhoog naar Mouse. Samen slaagden ze erin hem voorwaarts te laten gaan door een voor een zijn benen op te tillen en iets verder naar voren weer neer te zetten. Daarna moesten ze hem nog dwars over een stuk helling zien te krijgen dat bestond uit grote platen leisteen en rotsblokken. Toen Wic en Mouse hem langzaam tot halverwege hadden geleid, klom Shamil naar hen toe en riep: 'Tempo! Tempo!' Hij griste het touw uit Mouses hand en sleurde Big Ben zo snel mogelijk over de andere helft, bang dat het paard zich anders van angst van de helling zou laten rollen. Wic schreef: 'Het was afschuwelijk om aan te zien, want Big Bens rechterbeen raakte beklemd tussen twee grote stenen en Shamil, die dit niet zag, bleef maar trekken tot hij door twee harde gillen werd gewaarschuwd. Big Bens voet werd bevrijd, maar van zijn zelfvertrouwen was niet veel meer over.'

Dit voorval was wellicht het beste voorbeeld van het conflict tussen Shamil en Wic. Shamil was van mening dat paarden strikt moeten gehoorzamen om te doen wat ze moeten doen. Hij gaf ons altijd de schuld als ons paard struikelde of zich misdroeg, omdat volgens hem de berijder verantwoordelijk was voor elke stap die het paard zette. Hij hield ontzettend veel van paarden, en hij was ervan overtuigd dat de beste en veiligste manier om ermee om te gaan was door gezag uit te oefenen, zoals een ouder met een kind. Wic hield ook veel van paarden, maar zij was toegeeflijker, ze gunde ze meer vrijheid. Shamil had ervaring opgedaan door met paarden te werken en ze prestaties te laten leveren, terwijl Wic paarden had gehad voor haar plezier, niet om ermee te werken. Deze verschillende benaderingen werden versterkt door hun karakters. Shamil was sterk en trots; hij was druk en nam geen blad voor de mond, ook al wist hij dat Wic het niet met hem eens zou zijn. Hij was altijd ongelooflijk goedgehumeurd, wat het soms nog erger maakte, omdat Wic dan dacht dat hij haar niet serieus nam en vond dat ze overdreef. Wic was heel zachtmoedig en ze wilde nooit haar zin doordrijven, maar wat de paarden betrof gaf ze ronduit haar mening, waardoor Shamil dan weer in de verdediging ging.

Na zeven uur hadden we de bergen bedwongen en stonden we weer beneden. Shamil was voortdurend omhoog en omlaag geklommen om ons allemaal te helpen. Het was niet zijn schuld dat we deze weg hadden genomen, die er op de kaart veilig genoeg uitzag, maar Lucy en Wic waren woedend. Ze vonden het belachelijk dat we dit te paard hadden gedaan. Wic reed naar Shamil toe en schreeuwde, zwaaiend met haar vuist, in zijn gezicht: 'Je bent ook zo'n stommeling, *churka*!'

'Waarom maken jullie je zo druk terwijl we veilig aan de andere kant staan en ons niets is overkomen?' vroeg ik.

'Omdat we onze paarden in gevaar hebben gebracht,' antwoordde Lucy.

'Denk jij dan dat Peter Fleming elke keer dat hij in een zandstorm terechtkwam ook begon te jammeren? Ik begrijp niet dat je het in je hoofd hebt gehaald met deze expeditie mee te gaan als je niet tegen een beetje gevaar en ellende kunt,' mopperde ik.

Hier werd Lucy zo kwaad om dat ze de rest van de dag geen woord meer tegen me zei.

Om half tien die avond bereikten we uiteindelijk in het donker ons kamp op de oever van het Toktagulmeer. De anderen negeerden me de rest van de avond en we aten zwijgend ons avondmaal. De volgende morgen probeerde ik Lucy mijn verontschuldigingen aan te bieden, maar ze was nog steeds boos en zei dat het niet eerlijk van me was dat ik hun gedrag bekritiseerde terwijl zij zo hun best hadden gedaan om hier te komen. Het was waar dat Lucy, Mouse en Wic het meeste sponsorgeld voor de expeditie bijeen hadden gekregen, want ik had alleen voor een deel van de uitrusting gezorgd. Zij waren een half jaar druk geweest met het schrijven naar mogelijke sponsoren en het uiteenzetten van onze plannen en dergelijke, terwijl ik in Moskou de logistiek voor Centraal-Azië regelde. Ik wist dat zij vonden dat ik niet genoeg had bijgedragen. In de laatste maand voor ons vertrek was ik tien dagen met vakantie gegaan en ik was ook nog een paar weekends afwezig geweest, terwijl zij hadden gewerkt en een EHBO-cursus hadden gevolgd. Achteraf gezien besef ik hoe egoïstisch dat van me was. Er moest verschrikkelijk veel gedaan worden en ik liet het allemaal aan hen over. Het was dus te begrijpen dat ze me dit verweten. Daarbij kwam dat ik de enige was die Russisch sprak, waardoor ik een bepaalde macht had. In zekere mate waren ze van mij afhankelijk, omdat ik voor ons groepje het woord moest doen en zij zonder mijn hulp niet eens rechtstreeks met de gidsen konden praten.

Voor het eerst kreeg ik heimwee. Opeens was ik er niet meer van overtuigd dat onze tocht enige zin had, en vond ik dat ik mijn tijd eigenlijk veel beter kon besteden. Ook zag ik op tegen het bereiken van de grens met China, want daar zou Shamil achterblijven en dan was het drie tegen een. Ik weet nog dat ik de hele nacht huilde en erover nadacht of ik bij de Chinese grens afscheid van de anderen zou nemen en alleen naar Engeland terug zou gaan. Maar toen ik mijn ouders een e-mail had geschreven, antwoordden ze met de verzekering dat wat we deden wel degelijk zin had en dat ik er eeuwig spijt van zou hebben als ik niet tot het eind mee zou gaan.

De volgende morgen reden we om het Toktagulmeer heen, door bossen wilde marihuanaplanten. Tussen de oevers en de vlakte lagen ook stukken moeras, en daar zagen we Kirgizische mannen kanoën tussen het riet.

In de middag begon de zon te schijnen, maar een harde wind joeg wolken door de lucht en telkens weer gleden er reusachtige schaduwen over het land. Steeds wanneer zo'n grote grijze vlek in de verte een stuk opschoof, kwam er weer een deel van de bergen scherp afgetekend te voorschijn.

Over de vlakte reden we naar de stad Toktagul, langs *chaikhanas* (theekraampjes) met felgekleurde doeken erover tegen de zon. Vrachtwagens stonden langs de kant van de weg en chauffeurs zaten er met gekruiste benen op kussens kommen thee te drinken. We smeekten Shamil te stoppen en ook een theepauze te houden, maar vrouwen mogen er niet komen. In steden is dit soort dingen veel minder een probleem, maar op het platteland zijn de mensen behoudender en moesten we hun gewoontes respecteren. Andere kraampjes verkochten cake, priklimonade en Russische koekjes, en hier en daar vermeldde een eenvoudig reclamebord dat er ook vis of honing te koop was. Shamil steeg af om kefir en aardbeien te kopen, en terwijl we de met populieren omzoomde weg afreden, aten we die lekker op.

De volgende paar dagen volgden we de rivier de Tsjoetsjkan, die door het Soesamir-Toogebergte loopt. We hielden een dag rust in een berkenbos aan de voet van een pas. Bazarkul vertelde ons dat het belangrijk was om voordat je een moeilijke pas overging een schaap te offeren, dus hij liep naar een markt in de buurt en kwam terug met een zwart schaap. Hij liet het dier een poosje grazen om zich te ontspannen, waarna hij het slachtte, de huid eraf stroopte en de organen eruit haalde. Hij deed alles in de juiste volgorde en zo snel dat het een heel eenvoudige operatie leek. Op de islamitische manier sneed hij de keel van het schaap door en liet het bloed eruit stromen. Eerst bewoog het dier nog een beetje, maar dat hield gauw op en toen begon Bazar-kul hem vanaf zijn nek van zijn huid te ontdoen, waarbij warm, roze vlees zichtbaar werd. Hij deed dit zo behendig dat de huid niet scheurde en tien minuten later lag de hele vacht op het gras. Vervolgens sneed hij het schaap in stukken en hing die in een boom. Hij vertelde ons dat de achterpoten van een schaap lekkerder vlees leveren dan de voorpoten, en dat de romp als vlees van de minste kwaliteit wordt beschouwd. En als een jongeman erin slaagt een achterpoot van een schaap er in één ruk af te scheuren, mag hij met de dochter van de eigenaar van het schaap trouwen.

Ten slotte werd het vlees in stukjes gesneden en aan takjes geregen om er kebabs van te maken. Mouse en Shamil deelden samen gretig de lever, een delicatesse die de anderen liever aan zich voorbij lieten gaan.

Midden in de rivier naast ons kamp lag een eilandje, waar we de paarden naartoe hadden gebracht om er de rest van de dag vrij rond te lopen. Shamil had midden op het eiland een kampvuur gemaakt, en met lepyoshka's, tomaten, uien en de kebabs waadden we er door het ijskoude water naartoe. Terwijl we aten, stonden de paarden niet ver bij ons vandaan met hun staart te zwaaien tegen de vliegen en aan elkaar te knabbelen. Op een gegeven moment werd de rust verstoord doordat Rode Leeuw Big Ben flink beet, maar later werd hij daarvoor bestraft met opnieuw een allergische reactie op vliegenbeten, deze keer gelukkig alleen rondom zijn ogen en op zijn buik.

Het speet ons dat we dit idyllische plekje de volgende dag moesten verlaten. Na een half uur het stenige pad naar de pas op zwoegen, werden we ingehaald door een pick-uptruck met in de laadbak een Kirgizische familie. De vrouwen droegen rood met blauwe jurken en hoofddoeken, de mannen ak-kalpaks. Ze zaten op dikke gewatteerde dekens en in het midden stonden een kalfje en een paar kippen.

Een paar uur later reden wij langs hen heen. Ze waren gestopt en bezig op het gras hun joert op te zetten. De mannen bouwden het houten frame, de vrouwen kookten pannen water en sorteerden hun eigendommen. De kinderen, die geen taak leken te hebben, speelden met de ezels en paarden die vastgebonden vlakbij stonden.

We reden door en hielden alleen lang genoeg halt om Shamil aan een kraam een kom gefermenteerde merriemelk, *kumiz*, te laten kopen. De stalhouder was een kleine jongen, die ook bosjes bosui verkocht, waarmee hij ons niet kon verleiden. We bereikten ons kamp op zevenentwintighonderd meter net op tijd, voordat een laaghangende wolk de berg tegenover ons opslokte en ons even later ook, en grote sneeuwvlokken liet vallen. De ijzige kou dwong ons ertoe ons vroeger dan gewoonlijk terug te trekken in onze tenten, waar we diep in de slaapzakken gedoken bij het licht van zaklantaarns gingen lezen.

De volgende morgen reden we over de Ala Bel-pas, op ongeveer zesentwintighonderd meter hoogte. Eigenlijk hadden we een verder afgelegen pas willen nemen, maar we werden omgeleid door late sneeuwval en moesten ons min of meer houden aan de enige weg tussen Bisjkek en Osj, de hoofdsteden van Noord- en Zuid-Kirgizië. Kirgizië is even groot als Oostenrijk en Hongarije samen, maar er lopen maar een stuk of tien grote wegen doorheen. Deze weg was dan ook erg druk met vrachtverkeer tussen de twee steden.

De weg volgde de pas net onder de sneeuwgrens. Na het hoogste punt lieten we de bergen langzamerhand achter ons en naderden de vlakte. Daar verlieten we de hoofdweg en volgden een smal beekje dat door een moeras en drassige grond kabbelde. Shamil vertelde dat dit de bron van de rivier de Soesamir was. Een eind verder veranderde het beekje in een beek, en we reden in galop langs de oever. Lucy's paard, Homo-Ezel, was die morgen een hoef verloren, wat geen invloed had op zijn koppige gedrag. Toen hij de open vlakte zag, kon hij niets beters bedenken dan proberen zijn berijdster van zijn rug te gooien, dus bokkend en steigerend verdwenen ze naar de horizon.

Nadat we de hele middag over de vlakte hadden gegaloppeerd, zagen we opeens in de verte ons kamp liggen. Het lag te midden van besneeuwde pieken aan de andere kant van de Soesamir, die daar inmiddels ruim drie meter breed was. We staken de rivier over, beklommen de andere oever, die begroeid was met donkergroene hei en blauwe vergeet-me-nietjes, en reden naar de vrachtwagen. Daar werden we begroet door een Tsjechische fietser, Jan, die door Vadim was uitgenodigd de nacht in ons kamp door te brengen. Jan had een groot bord op zijn rug met 'BREEKBAAR' erop, om vrachtwagenchauffeurs te waarschuwen niet over hem heen te rijden.

# 5  In de bergen

We hadden verwacht dat het in juni beter weer zou zijn. De laatste week van mei was ijzig koud geweest, nadat die maand redelijk warm en zonnig was begonnen. Maar op de eerste dag van juni werden we wakker en zagen tot onze verbazing dat de tenten waren bedekt met een laag sneeuw. Jan had in de keukentent geslapen, en toen we ons ontbijt van pap en thee opaten, zat hij zijn wintervoeten te warmen boven een open vuur. Jan was een jaar of vijftig en had een grijzende baard, maar hij vertelde ons in gebrekkig Engels dat hij ongeveer honderd kilometer per dag op de fiets aflegde. Het jaar daarvoor was hij in twee maanden van het Bajkalmeer in Siberië naar zijn huis in Tsjechië gefietst, en hij was van plan om op die manier in zijn eentje langzaam de wereld rond te gaan.

Hij liet ons een verkreukeld artikel zien dat hij voor een Tsjechisch tijdschrift had geschreven over zijn tocht om het Bajkalmeer. Hij vertelde ons dat hij meestal bij plaatselijke families in hun joerts overnachtte en dat die zijn artikel altijd prachtig vonden en hem smeekten de volgende keer over hén te schrijven. Toen we de paarden aan het opzadelen waren, kwam Jan in een cocon van lagen plastic uit de tent om zijn eenzame tocht voort te zetten.

De sneeuw smolt terwijl we langzaam de kronkelige Soesamir volgden en de weg ver achter ons lieten. Toen we in een langzame galop over de vlakte reden, werden we opeens achtervolgd door een kudde wilde paarden, aangevoerd door een vurige hengst. Gelukkig konden we door onze galop te versnellen aan ze ontsnappen. De enige andere dieren die we zagen, waren gele vogeltjes die een beetje op kwikstaartjes leken. In de middag passeerden we hier en daar een joert, en één keer stopten we om er de weg te vragen. Buiten hingen repen vers schapenvlees aan een stok die op twee stenen lag in het schaarse zonlicht te drogen, om als wintervoedsel te dienen. Deze joert onderscheidde zich van andere door twee met ingewikkelde patronen beschilderde houten deuren, waarvan er een op een kier stond, zodat we binnen een stapel dikke gebloemde dekens konden zien liggen.

Langzaam reden we vanuit de bergen naar beneden. Achter ons zakten hun pieken naar de horizon en slonk de groene hoogvlakte tot heuveltjes met groepjes meidoorns en wilgenbomen. Maar toen we om een bocht in de rivier waren gereden, stonden we opeens voor een steile helling. We stegen af en beklommen hem te voet tot we een pad vonden, en toen we weer op het paard zaten, hadden we een panoramisch uitzicht over een landschap waarin de Soesamir vanaf zijn bron in het Tiensjangebergte als een kronkelende slang naar de stad met dezelfde naam liep. We reden door, passeerden enkele herders in het standaarduniform van de Kirgiezen – een pak en een ak-kalpak – galoppeerden een hoek om en zagen ons kamp liggen in de laatste roze gloed van de ondergaande zon.

Hier zouden we een dag rust houden. De volgende morgen vertelde Shamil me dat er iets ernstigs aan de hand was met Zwarte Pampers. Op zijn schoft had hij een grote etterbuil gevonden, die niets te maken had met de wond van het zadel. De afgelopen drie dagen had Wic weer op Zwarte Pampers gereden, met onder het zadel een deken met een gat op de plek van de wond, maar het gezwel op zijn schoft was aan haar aandacht ontsnapt. We schrokken erg van deze mededeling, vooral toen Shamil eraan toevoegde dat het zo gauw mogelijk opengesneden moest worden. Zwarte Pampers stond er, toen we zijn lot bespraken, een beetje terneergeslagen bij. Het resultaat van de bespreking was twee verschillende meningen. Bazar-kul vond, en dat vond hij al sinds het probleem was begonnen, dat Zwarte Pampers moest worden geruild tegen een ander paard, want hij was ervan overtuigd dat de hengst zonder een lange rustperiode niet zou genezen. (Hij maakte meteen van de gelegenheid gebruik om ons te vertellen dat al onze paarden niet deugden en ingeruild moesten worden.) De tweede mening kwam van Shamil – en Wic was het met hém eens – die vond dat we Zwarte Pampers moesten houden. Ze hielden dit zo heftig vol dat Bazar-kul schoorvoetend toegaf. Hoewel het een vervelende toestand was, had die wel tot gevolg dat Shamil en Wic weer aan dezelfde kant stonden. Uiteindelijk werd er een compromis gesloten. Omdat Zwarte Pampers verder kerngezond was, werd besloten dat hij mocht blijven en dat we voor ongeveer een week een ander paard zouden huren, om Zwarte Pampers de tijd te geven om te genezen.

Als door goddelijke tussenkomst kwam er uit de bosjes plotseling een ruiter te voorschijn, een jonge Kirgies met een brede grijns op een hengst, een donkere vos. Bazar-kul vertelde hem meteen wat we nodig hadden en de man stemde toe. Terwijl Bazar-kul en de jongeman onderhandelden over de huurprijs, probeerde Shamil het paard uit. Hij sprong in het zadel, draaide het dier met een ruk aan de teugel om en stormde in volle galop de steile helling naast ons kamp op. Het arme paard was duidelijk niet aan zo'n brute oefenmethode gewend, want Shamil kwam met zijn vinger heen en weer schuddend terug en zei dat hij niet van plan was Zwarte Pampers te vervangen voor dit hijgende, zwakke exemplaar. We verzekerden hem ervan dat we absoluut niet van plan waren ons van Zwarte Pampers te ontdoen, dat we Zwarte Pampers alleen maar de tijd wilden geven om weer helemaal de oude te worden. De eigenaar van het nieuwe paard zou in de vrachtwagen met ons meerijden en na afloop van de huurperiode teruggaan naar huis. Dat stelde Shamil weer een beetje gerust, maar we begrepen niet waarom hij zo'n bezwaar maakte tegen deze verstandige oplossing. Ik vermoed dat het kwam doordat hij zo verschrikkelijk trots was op onze paarden; als er ook maar iets aan ze mankeerde, beschouwde hij dat als een persoonlijke tekortkoming.

Onze Kirgizische vriend beloofde de volgende morgen precies om half acht vanuit zijn dorp een paar kilometer verderop terug te komen, maar voordat hij vertrok, wilde hij de eer van zijn paard verdedigen. Het duel werd aangegaan in de vorm van een race de berg op en wie het eerst terug was in het kamp, was de winnaar. Shamil en de Kirgies gingen aan de start staan en Vadim telde tot drie. Ze spoten weg en de Kirgies reed recht de helling op, met zijn blik strak op de top gericht. Shamil deed het minder goed, want Malish galoppeerde de verkeerde kant op en Shamil kon hem niet tegenhouden. We schaterden het uit toen de Kirgies al op de terugweg was en Shamil nog steeds rondjes draaide aan het andere eind van het kamp. Ons nieuwe paard had zichzelf bewezen.

Shamils trots had een deuk opgelopen en hij wilde revanche nemen. Omdat zijn vorige rivaal al weg was, daagde hij Bazar-kul uit voor een worstelwedstrijd te paard. Bazar-kul nam de uitdaging aan en Shamil raadde hem aan Rode Leeuw te nemen. Dit was misschien niet zo'n goede keus, want toen zij begonnen te worstelen, volgde Rode Leeuw hun voorbeeld en beet de arme Malish. Shamil en Bazar-kul zaten met hun armen om elkaars schouders in elkaar verstrengeld toen Shamil plotseling langs de nek van zijn paard naar opzij draaide en Bazar-kul meetrok. Bazar-kul kon niet in het zadel blijven en viel met een plof op de grond. De triomfantelijke Shamil reageerde op Mouses en Lucy's kreten van 'Bis! Bis!' door een Kirgizisch spel voor te stellen, dat door een jongen en een meisje moest worden gespeeld. Ik werd als zijn partner aangewezen en moest op Rode Leeuw gaan zitten, terwijl Shamil me de spelregels uitlegde. Ik moest zo snel mogelijk naar het kamp rijden en Shamil zou achter me aan racen en proberen me te kussen. Als straf mocht ik hem slaan met mijn zweep. Iemand telde tot drie en daar gingen we. Ik spoorde Rode Leeuw zo hard mogelijk aan, maar Shamil haalde me bijna onmiddellijk in en het lukte hem een arm om mijn schouder te slaan en me een kus op mijn wang te geven. Wic, Lucy en Mouse gilden van het lachen toen ik hem met mijn zweep op zijn been mepte en erin slaagde me los te trekken.

Vroeg in de avond reed Shamil naar het dorp in de buurt om een veearts te zoeken. Maar die hadden ze daar niet, dus moest hij zelf iets bedenken. Hij besloot de wond niet meteen open te snijden, maar een paar dagen te wachten om te zien of de infectie vanzelf zou genezen. Hij haalde een jampotje met een zwarte, teerachtige zalf te voorschijn en smeerde die op de zwelling, want die zou volgens hem het pus uit de wond trekken.

Tegen een uur of acht de volgende morgen tuurden we in de verte om te zien of de vos in aantocht was, maar een uur later beseften we dat onze Kirgizische vriend zich niet aan de afspraak hield. We hadden geen andere keus dan naar het dorp te gaan om te zien of we daar een ander paard konden huren.

We schoten de eerste man aan die we tegenkwamen. Hij leek graag zaken met ons te willen doen en gebaarde naar zijn vrouw dat ze kefir moest brengen. Ze was een dikke vrouw met een hoofddoek om en ze kwam naar ons toe waggelen met een emmer vol witte, romige yoghurt, die ze slordig in kommen schepte. Opeens zag ze dat de kalkoenen van de buren haar tuin inliepen, en ze liet de emmer staan en ging vlug terug naar huis. Daar zwaaide ze dreigend met een lange stok boven haar hoofd terwijl ze de kalkoenen scheldend terugjoeg naar hun eigen domein. Even later hoorden we hoefgetrappel en zagen we twee jongens, waarschijnlijk de zoons van de man die ons wilde helpen, aankomen op vurige paarden. Ze sprongen op de grond en toonden ons trots hun dieren. Het ene paard was donkergrijs. Blijkbaar was zijn energieke aankomst misleidend, want hoewel hij gemakkelijk heen en weer door de dorpsstraat kon racen, verklaarde Shamil dat zijn benen niet sterk genoeg waren om acht uur per dag bereden te worden. Het andere paard leek sterker en ondanks zijn kleine postuur – Wic zei dat ze grotere ezels had gezien – kerngezond. Maar toen Shamil hem nauwkeurig bekeek, ontdekte hij een grote bult op zijn linkervoorbeen. De eigenaar zei dat dit kwam doordat zijn benen aan elkaar vast werden gebonden, Shamil zei dat het een oude wond was. Bazar-kul en de hulpploeg, die kort na het begin van de discussie aankwamen, gaven de eigenaar gelijk. Binnen een mum van tijd ontstond er een felle woordenwisseling. Om de zaak nog erger te maken, zei de eigenaar dat hij ons het paard niet wilde verhuren, maar het wilde ruilen tegen Zwarte Pampers. Daar kon natuurlijk geen sprake van zijn. Iedereen bemoeide zich ermee en schreeuwde en gebaarde dat het een lieve lust was. Toen iedereen weer een beetje was gekalmeerd, zei Vadim dat we de eigenaar ontzettend beledigd hadden door zijn aanbod af te slaan. We schaamden ons voor ons slechte gedrag en boden hem onze excuses aan, maar Shamil troostte ons later door ons te vertellen dat je altijd eerst de slechtste paarden te zien kreeg en dat we voor gek waren verklaard als we op het aanbod van de man waren ingegaan.

Daarna reden we zo snel mogelijk weg, over een rechte zandweg die naar de bergen leidde. Wic reed nog steeds op Zwarte Pampers, maar nu zonder zadel, om geen druk uit te oefenen op zijn schoften. Shamil had een buikriem om een dikke deken gegespt en daar de stijgbeugels aan vastgemaakt. We hoopten dat het gezwel op die manier vanzelf zou verdwijnen.

In de middag verlieten we de weg en sloegen een pad in dat door de bergen slingerde. Op een gegeven moment kwamen we bij een rivier, waar een paar vissers al een grote buit hadden gevangen. Toen Shamil vroeg of we wat vis van hen mochten kopen, antwoordden ze niet, maar verdeelden zwijgend hun hele vangst over onze zadeltassen. 'Hoeveel zijn we jullie schuldig?' vroeg Shamil, en hij tastte in zijn zak naar geld. Ze gaven nog steeds geen antwoord. Shamil herhaalde zijn vraag en toen keken de mannen elkaar een beetje verbijsterd aan, sprongen in een kleine Lada die vlakbij stond en reden zo snel mogelijk weg. We staarden hen stomverbaasd na, maar Shamil had een verklaring.

'Ze visten buiten het seizoen, dus ze waren waarschijnlijk bang dat we ze zouden aangeven.'

Het verbaasde me dat ze in dit dunbevolkte, onontwikkelde land zulke regels hadden bedacht en dat ze nog werden nageleefd ook.

We telden de vissen: acht *osman*, een soort bergforel. Die mannen moesten met hun eenvoudige hengels urenlang hebben zitten vissen, maar wij zouden die avond lekker eten.

Pas lang na zonsondergang kwamen we in het kamp aan, om een uur of negen. We hadden die dag vijfenvijftig kilometer afgelegd, dus het was een relatief lange dag geweest. In het pikdonker moesten we de paarden hun water en voer geven.

De volgende morgen na het ontbijt kostte het Wic grote moeite om Zwarte Pampers wakker te maken. We hadden de vorige avond niet kunnen zien waar we de paarden vastbonden, maar in het daglicht ontdekten we dat ze midden tussen de marihuanaplanten stonden! Zwarte Pampers lag languit op de grond, te midden van afgekauwde stompjes. Het verbaasde ons niets dat hij de hele dag suf was.

Die dag reden we tussen hoge rotswanden door, in kleurschakeringen van rood tot oranje. Ze vormden een groot contrast met het weelderig groen en blauwe landschap van de dagen daarvoor. Er groeide bijna niets. De bochtige weg mondde uit in een droge steppe, waar alleen gelige, verdorde stengels stonden.

In de namiddag daalden we af naar een dorpje aan de rand van een groene vlakte. Midden op die vlakte zagen we onze vrachtwagen staan, dus daar reden we naartoe. Maar toen we dichterbij kwamen, riep Shamil opeens: 'Ze zitten vast!' Inderdaad waren de achterwielen diep in de modder gezakt. We hoorden de motor draaien terwijl Sergei probeerde de truck uit de modder te trekken. Plotseling riep Shamil, die een eindje voor ons uit reed: 'Stop! Stop!' en ik zag dat Malish ook in de modder was gezakt, helemaal tot zijn knieën. Er lag blijkbaar een moeras, dat je pas zag wanneer je erin stond. We wachtten tot Malish zichzelf in veiligheid had gebracht, reden voorzichtig om het moeras heen op zoek naar een veilige plek, en sloegen ons kamp op tussen groepjes kleine wilde irissen.

Drie boeren kwamen uit het dorp om Bazar-kul, Vadim en

Sacha te helpen de truck uit het moeras te duwen. Een uur later kon Sergei eindelijk doorrijden. Wij zetten de tenten op terwijl Bazar-kul en Sergei de boeren bedankten voor hun hulp door een fles wodka met hen te delen. Ze werden steeds luidruchtiger en na een poosje kwam Bazar-kul wankelend naar me toe. Hij legde een hand op mijn schouder om niet om te vallen en vroeg langzaam: 'Sacha, wil je de paarden vannacht bij de boeren in de wei stallen?'

'Waarom?' vroeg ik.

We stonden in een veld waar ze naar hartelust konden grazen, dus ik vond het een vreemde vraag.

'Omdat ze daar veiliger zijn.'

Shamil had meegeluisterd en zei: 'Je kunt ze beter hier laten, Sacha.'

'Waarom?'

Zonder dat Bazar-kul het zag, gebaarde hij dat hij het me later zou uitleggen.

'Nee, dank je, Bazar-kul. Ik denk dat we ze beter bij ons in de buurt kunnen houden.'

Toen Bazar-kul wankelend terugliep naar de anderen, vroeg ik aan Shamil: 'Waarom willen zij op onze paarden passen?'

'Omdat ze die willen gebruiken om hun merries te dekken, zodat er nieuw bloed in hun kudde komt.'

Kirgizische paarden zijn in het algemeen veel kleiner dan Oezbeekse hengsten, dus kon ik daar het nut van inzien.

De boeren leken niet beledigd omdat we hun gastvrijheid afsloegen en bleven gewoon doordrinken met Bazar-kul en Sergei. Na een paar uur en voordat het helemaal donker was, zagen we Bazar-kul opstaan en naar zijn tent waggelen, waar hij met zijn voeten nog buiten de opening op zijn bed viel. Een half uur later, toen we de paarden voerden, hoorden we geschreeuw en toen we omkeken, zagen we dat Sergei de tafel met de wodka en de glazen in de lucht gooide en probeerde een van de boeren in het gezicht te stompen. Het lukte Shamil en Vadim Sergei in de cabine van zijn truck te duwen en het portier op slot te doen. Nog een poosje sloeg hij vloekend en dreigend met zijn vuisten tegen het raampje, maar ze negeerden hem en uiteindelijk viel hij ook in slaap. De rest van de hulpploeg vond het allemaal heel normaal.

'Hadden ze ergens ruzie om?' vroeg ik.

'Nee, Sergei kan niet zo goed tegen drank,' antwoordde Vadim laconiek.

De boeren namen net zo onaangedaan afscheid, en wij aten ons avondmaal tegen de achtergrond van een schitterende zonsondergang.

Shamil had nog steeds geen veearts gevonden die het gezwel op de schoft van Zwarte Pampers kon opensnijden. Hij had er elke dag trekzalf op gesmeerd, maar er was nog geen pus uitgekomen, dus reed Wic nog steeds zonder zadel. Gelukkig was de spanning tussen Shamil en Wic verminderd nu ze allebei alleen maar wilden dat Zwarte Pampers zou genezen.

We vervolgden onze tocht door het dal en lieten het hoefijzervormige gebergte achter ons. Rechts van ons lag een reeks pieken waarin je duidelijk drie lagen kon onderscheiden: een stenige, bruine laag met kreupelhout onderaan, besneeuwde toppen bovenaan en daartussen een verborgen, landelijk groen paradijs. We reden door een dorp en sloegen een voetpad in dat weer door een verraderlijk moeras liep. De enige bakens waren plukken hoger gras, die je moest omzeilen om niet in de modder te belanden. Maar geholpen door de aanwijzingen van een herdersjongetje bereikten we veilig de overkant van het drassige gebied en stopten daar om te lunchen. Een dramatische, maar gelukkig kort durende onweersbui dreef ons verder, naar de oever van de rivier de Kirkirmeren, die we de hele middag steeds opnieuw heen en weer moesten oversteken. We kwamen er ontelbare Kirgiezen te paard tegen en stelden vast dat we in Kirgizië meer paarden dan auto's hadden gezien. Zelfs in de dorpen waren nauwelijks gemotoriseerde voertuigen te bekennen. Hier en daar zagen we een primitieve houten wagen getrokken door een paard, maar afgezien daarvan draafden de mannen rond op pony's met lange manen, op zadels die sinds de tijd van Tamerlane niet waren veranderd. Ze waren van hout en leer, hadden een hoge zadelboog aan de voorkant en eenvoudige ijzeren stijgbeugels. Meestal zat de ruiter op een paar opgevouwen dekens en had hij een leren zweep, een *kamcha*. Shamil had geen goed woord over voor hun rijstijl: de ruiter zat achter op het zadel en hij wapperde met zijn armen en benen als hij sneller wilde – iets heel anders dan het Europese principe dat schouders, heupen en hakken één lijn moeten vormen.

De volgende rustdag stond opnieuw in het teken van het probleem met arme Zwarte Pampers. Shamil besloot dat het tijd was om de aanval op het gezwel te openen. Hij gaf Wic opdracht de plek te doordrenken met warm zeepsop om de huid zachter en soepeler te maken, en toen begon hij zo hard mogelijk in het gezwel te knijpen. Eerst leek dat vreselijk pijn te doen, want Zwarte Pampers bokte en probeerde opzij te stappen, maar na een poosje kalmeerde hij terwijl Wic zijn hoofd streelde en er bloederige, schuimende etter uit de wond liep. Het was afschuwelijk om te zien hoeveel vocht er uit die bult kwam, en vooral Wic leed met haar paard mee. Nadat Shamil zoveel mogelijk pus had verwijderd, smeerde hij er weer zalf op en dekte de wond af met watten.

De hele dag werden we gestoord door bezoek. Mannen kwamen in galop aanrijden, vaak met een fles kefir die ze ons nonchalant overhandigden. Vervolgens bleven ze rondhangen, maakten een praatje met Bazar-kul en deden net of ze niet naar ons keken. Soms sprongen ze weer op hun paard en galoppeerden woest om het kamp heen, waarna ze weer afstegen en gingen zitten. Vroeg in de avond, na een zalig maal van zelfgemaakte patat, verscheen er een groep kinderen op de heuvel naast ons kamp. Ze begonnen als jonge stieren met elkaar te worstelen en elkaar op de grond te gooien. Eén kind had een hoepel bij zich, die hij rennend met een stokje liet rollen. We hoorden veel gelach en plotseling waren ze weer achter de heuvel verdwenen.

De volgende paar dagen was het totaal ander weer. De brandende zon ging over in stortregen, en daardoor veranderde ons leven ook weer. Als het mooi weer is, kun je heerlijk buiten leven, maar als het regent, is elke taak een verschrikking. Een van de lastigste opgaven was het zadelen van de paarden. De dieren lieten hun hoofd hangen en stonden met hun achterkant naar de regen gekeerd. Een deken op hun rug leggen was al een probleem, want zodra je je bukte om het zadel op te rapen, gleed de deken van hun natte vel af. Of als je bofte en de deken bleef liggen terwijl je het zadel optilde, werd die net voordat je het zadel erop wilde leggen, weggeblazen. De buikriemen werden hard en onbuigzaam van het water, net als het hoofdtuig, de stijgbeugelriemen en de teugels, en je handen gingen pijn doen als je geen handschoenen droeg. Maar het ergste was dat je op een doorweekte schapenhuid moest zitten, waardoor je rijbroek ondanks de lange beenkappen ook kletsnat werd.

Soms hield de regen plotseling op en maakten de wolken plaats voor een felblauwe lucht. Het was geweldig om de zon dan op het verwaaide, van regendruppels glinsterende gras te zien schijnen en zelf ook weer de heerlijke warmte te voelen. Maar die vreugde was van korte duur, want algauw verschenen er weer donkere wolken boven de horizon, die door de harde wind naar ons toe werden geblazen en overal zuilen van regen lieten vallen.

Die dag reden we door een van de spectaculairste landschappen van onze reis: uitgestrekte valleien omringd door de puntige kammen van de Tiensjan. Elke vallei met omringende pieken in Kirgizië had zijn eigen unieke schoonheid. Sommige waren klein en lieflijk, met glooiende, met bloemen bezaaide hellingen. Andere waren indrukwekkend en dramatisch, met steile rotswanden rondom een onafzienbare vlakte. We reden een streek binnen waar het landschap woester werd en de bergen bijna dreigend leken vergeleken bij waar we vandaan kwamen. Er was minder plantengroei en de rotswanden aan weerszijden bestonden uit lagen verschillend gekleurd gesteente, die afhankelijk van het licht van tint veranderden. Meestal hadden we minstens een dag de tijd om een berg te leren kennen en zijn afgronden, richels, rotsformaties en kleine en grotere kommen goed te bekijken.

Vanaf dat punt tot de grens met China passeerden we nog maar weinig dorpen. De bewoners van dit verafgelegen landschap van uitersten zijn voornamelijk nomaden, die in tenten wonen. We naderden de westelijke punt van het Issiek-Koelmeer toen we door het laatste dorp reden dat we in een paar weken zouden zien. De vrouwen haalden er water uit een gemeenschappelijke pomp, meisjes stonden met hun armen om elkaar heen verlegen naar ons te giechelen. Een kind van hooguit twee, het kon nauwelijks lopen, werd voortgetrokken door een koe aan een touw. Haar oudere zus, in een felgekleurde fluwelen ochtendjas, leidde een schurftig veulen en staarde ons uitdagend aan. Herhaaldelijk werd ons gevraagd waar we naartoe gingen en dan antwoordden we: 'Naar China.' Daarop volgde dan een stroom andere vragen, die ik de anderen liet beantwoorden. De manier waarop Wic en Mouse in het Russisch 'hallo' zeiden, *zdrastviytye*, klonk eerder als 'Raspoetin', dus het gesprek dat erop volgde was, zoals Lucy het noemde, 'amusant, maar niet verhelderend'.

We verlieten de weg en reden dwars door het veld naar de weg naar Naryn, die in zuidelijke richting naar China liep. Shamil riep dat we niet die kortere weg moesten nemen, die langs één kant van de driehoek voerde in plaats van twee kanten, maar we luisterden niet, want we wilden hem laten zien dat wij ook weleens gelijk hadden. Alles verliep naar wens, onze weg leek maar half zo lang als die van Shamil en onder het draven lachten we alvast om zijn ergernis als wij eerder aankwamen dan hij, toen er plotseling een obstakel opdoemde in de vorm van een sloot, waar de paarden erg van schrokken. Maar we lieten ons niet uit het veld slaan. Wic en ik stegen af, sprongen over de sloot en trokken Zwarte Pampers en Rode Leeuw ook naar de overkant. Mouse en Lucy konden Big Ben en Homo-Ezel echter met geen mogelijkheid het water over krijgen, hoe ze ook smeekten, duwden en trokken. We zagen Shamil met een brede grijns steeds dichterbij komen, en wij begonnen ook te lachen. Maar hoe harder we lachten, hoe hulpelozer we werden en des te koppiger weigerden de paarden over de sloot te springen. Ten slotte zat er niets anders op dan dat Shamil ons triomfantelijk te hulp kwam door Big Ben en Homo-Ezel even later wel over te sloot te krijgen.

Daarna namen we een paar dagen rust en stippelden de route uit voor de volgende paar weken. We waren van plan geweest langs de zuidkant van het Issiek-Koelmeer naar Barskoon te rijden, en vandaar door het oostelijk deel van het

Tiensjangebergte naar het zuiden. Maar Vadim had gehoord dat late sneeuwval de passen door het hooggebergte onbegaanbaar had gemaakt, dus moesten we een ander plan maken. We bekeken de kaart en waren het met Vadim eens dat de enige andere geschikte route door Naryn liep, een stadje recht ten zuiden van waar we ons op dat moment bevonden. De passen lagen daar lager, dus konden we er onder de sneeuwgrens door bossen en dalen rijden.

Op de eerste rustdag probeerden we hardnekkig onze boeken te lezen, maar dat werd ons bijna onmogelijk gemaakt doordat Shamil niet kon ophouden tegen ons te praten en ons te plagen. Ik stemde erin toe zijn rijbroek te verstellen terwijl hij Wics zadel veranderde door reepjes van het houten geraamte af te schaven om de zadelrug te verhogen. Vervolgens behandelde hij de wond op de schoft van Zwarte Pampers. Hij knipte twee lapjes van vijf bij vijf centimeter van de huid op het gezwel weg en legde een rode wond bloot met builtjes vol gele etter erin. Met een pincet haalde hij die eruit en steriliseerde de wond met een antiseptisch middel, wat Zwarte Pampers natuurlijk niet leuk vond. Vervolgens strooide hij wondpoeder over de hele wond, legde een gebloemde deken over het paard heen en bond hem bij de andere paarden vast onder een rij limoenbomen.

Toen het tijd was om de paarden te voeren, ontdekten we dat Bazar-kul touwtjes aan hun emmers had gebonden zodat die als neuszakken om hun hoofd konden worden gehangen. Shamil deed dit initiatief minachtend af met: 'Churka!' en lachte toen Rode Leeuw en Homo-Ezel elkaar met de emmers begonnen te slaan, terwijl Bazar-kul een beetje verlegen toekeek.

Die avond waren Sacha en Vadim er ook voor het laatst, want zij gingen eveneens terug naar Tasjkent. De volgende dag zouden er twee nieuwe gidsen komen, met twee Engelse vriendinnen van ons die een paar weken met ons mee zouden rijden. We vroegen Bazar-kul naar het dorp te gaan om wodka te kopen voor het afscheidsfeest, wat hij maar al te graag deed.

Sacha en Vadim sloofden zich uit om een lekker etentje klaar te maken: een enorme schaal plov en salades van aubergines en tomaten. Om acht uur kwamen we bij elkaar in de keukentent, waar Bazar-kul niet alleen wodka klaar had staan, maar ook een paar exotische uitziende flessen Russische perzikenchampagne. De glazen werden geheven op geluk, vrouwen, succes, onze vriendschap en alles wat ons nog meer een excuus gaf om er nog eentje te nemen. Het werd stil toen we aan de plov begonnen, en Mouse besloot de stilte te verbreken door Sergei enkele vragen te stellen, waarbij ik als tolk moest dienen.

'Sergei, ben je getrouwd?'

'Nee.'

'Ben je getrouwd met marihuana?'

Net als Zwarte Pampers had Sergei veel belangstelling voor marihuana en we hadden het vermoeden dat hij daarom altijd zo slaperig was. Hij zei nooit veel, maar als hij iets zei, klonk het ongelooflijk sloom.

Misschien dankzij de drank kwam hij opeens tot leven. 'Dit vind ik een belediging! Het gaat jullie niets aan!'

Hij sprong op, maar Vadim trok hem terug op zijn stoel. Ik bood hem mijn verontschuldigingen aan, maar het kwaad was al geschied. Hij trapte de tafel met alles wat erop stond om en viel zelf ook op de grond. Vadim rolde hem behendig onder de rand van de tent door naar buiten en sleepte hem naar de vrachtauto. Maar even later kwam hij terug, en na een poging tot conversatie zakte hij voorover op tafel. We lieten hem rustig slapen, maar plotseling werd hij weer wakker en begon opnieuw tegen de tafel te duwen, tot Vadim op dezelfde manier ingreep. Na wat gestommel en gedempt geschreeuw kwam Vadim terug om door te gaan met het heffen van de glazen. Inmiddels was Bazar-kul begonnen aan een tsjilpende versie van een Kirgizisch lied, met een arm stevig om Lucy's tegenstribbelende nek.

'Loeoeoecy, ik vind jou het leukst!'

'Waarom?'

'Omdat we hetzelfde haar hebben: kort en zwart.'

Aangezien we Bazar-kul *yozhik* hadden gedoopt, Russisch voor 'stekelvarken', was dit niet erg vleiend. Zoals veel Kirgizische mannen had hij dik, glanzend zwart haar dat alle kanten op stond, en we verbaasden ons voortdurend over zijn abnormaal grote hoofd, dat als een reusachtige voetbal op zijn lichaam stond. Maar hij voegde eraan toe dat Lucy niet alleen vanwege haar haarstijl zijn lievelingetje was: 'En omdat je zo lief bent, dat kun je zo zien.'

Intussen zat Sacha in zijn onverstaanbare Russisch wartaal uit te slaan, en was Shamil woedend omdat Vadim het had gewaagd naast mij te gaan zitten. Om zichzelf te beletten Vadim een stomp in zijn gezicht te geven, ging hij even later naar zijn tent. Zo eindigde onze feestavond op de typisch Russische manier: iedereen heeft met iedereen ruzie gemaakt.

De volgende morgen werden we vrolijk wakker, omdat de twee vriendinnen zouden komen die meegingen naar de Chinese grens. We kenden Rachel en Charty van de universiteit, en Charty was het jaar daarvoor met Mouse mee geweest op haar verkenningsreis naar China. Als dank voor haar hulp had Mouse haar en Rachel uitgenodigd ons een paar weken op onze tocht te vergezellen. We hadden afgesproken elkaar op 10 juni te ontmoeten op het kruispunt van de wegen naar

Naryn en Issiek-Koel. De hele dag tuurden we de weg af, blij met de onderbreking van onze soms wat saaie routine.

Eindelijk zagen we heel in de verte een witte vrachtwagen aankomen. 'Hallooo!'

We hoorden Engelse stemmen voordat we konden zien of het inderdaad onze vriendinnen waren, en toen zagen we twee bekende gezichten uit het achterste raampje steken. 'Charty! Rachel!' gilden we. Het was ontzettend gek om in die door de wind geteisterde uithoek van Centraal-Azië opeens mensen uit het verre Engeland te zien. We waren zo opgewonden dat we bijna vergaten Max en Zula te verwelkomen, de opvolgers van Vadim en Sacha, die ook met de vrachtwagen mee waren gekomen.

De rest van de dag brachten we door met het horen van alle nieuwtjes en het lezen van de meegebrachte brieven en kranten. We stuurden Bazar-kul opnieuw naar het dorp om paarden voor Rachel en Charty te zoeken die we twee weken konden huren, van eigenaars die bereid waren in onze truck met ons mee te rijden. De volgende morgen werden we verrast door twee Kirgizische jongens die met twee paarden naar het kamp kwamen, maar het bleek weer eens te mooi om waar te zijn. Toen ze dichterbij kwamen, zagen we dat de paarden erg klein waren en er heel zwak uitzagen. Vadim en Sacha waren al vroeg met de vrachtwagen naar Tasjkent vertrokken, dus kreeg Max al meteen de moeilijke taak het paardenprobleem op te lossen en het in het eerste uur als onze gids in zijn eentje op te nemen tegen zes jonge vrouwen. Tot mijn opluchting sprak hij Engels, dus hoefde ik niet meer alles voor de anderen te vertalen.

Mouse nam het woord, zoals altijd met de bedoeling een conflict te vermijden en een oplossing te vinden. 'Max, denk jij dat we onderweg twee nieuwe paarden kunnen zoeken?'

'Oké, wij zullen in de truck vooruitrijden en grotere paarden zoeken, en dan komen we in de loop van de dag naar jullie toe om te vertellen hoe het is gegaan.'

Het leek ons een goed plan. We zadelden de paarden en vertrokken in somber weer, en net toen we stopten om te lunchen, begon het te regenen. Toen we onder de zadeldekens zaten te schuilen, kwam onze vrachtauto het smalle dal inrijden. Hij stond vlakbij stil en Max sprong uit de cabine.

'Het spijt me, maar we hebben nog geen paarden kunnen vinden. We gaan door met zoeken.'

'Max, wil je, nu jullie hier toch zijn, Bazar-kul vragen of hij Zwarte Pampers opnieuw kan beslaan?' (Zijn achterste hoefijzers zaten los en waren bijna versleten, en Wic wilde graag dat ze werden vervangen.)

'Dat doet hij straks wel,' antwoordde Max, nadat hij met Bazar-kul had overlegd en die aarzelend naar de lucht had gekeken.

'Nee, ik wil dat hij het nu doet.'

Max keek stomverbaasd. Na een lange discussie werd Bazar-kul met zijn gereedschap uit de vrachtwagen geholpen. In haar dagboek beschreef Wic dit voorval als volgt: 'Er werd één hoefijzer vervangen, maar niet zo zorgvuldig als anders. Volgens Bazar-kul moest Zwarte Pampers het maar even met een 'plateauzool' en een 'pump' doen. Toen ik hem vroeg het andere hoefijzer ook te vervangen, antwoordde hij dat hij dat die avond zou doen. WAT! WAAROM? Ik begreep niet hoe Stekelvarken dit kon zeggen. We moesten die middag nog een heel eind rijden en ik wilde voorkomen dat het paard kreupel zou worden. Na een felle woordenwisseling stemde Bazar-kul erin toe ook het andere hoefijzer te vervangen. Ik keek over zijn schouder mee en wees pietluttig met mijn vinger aan hoe het moest.'

Misschien besefte Wic niet dat hij met gebrekkig gereedschap en beperkte kennis zijn best deed. In Kirgizië worden paarden zelden beslagen en alleen omdat we zo'n lange reis maakten over zulk ruw terrein had het nodig geleken dit wel te doen. Bazar-kul deed het beste dat hij onder de omstandigheden kon doen en we boften dat we van zijn diensten gebruik konden maken. Vreemd genoeg hield Shamil zich in deze kwestie afzijdig, zoals hij zich die morgen wat de nieuwe paarden betrof ook afzijdig had gehouden. In beide gevallen was het een kans voor hem geweest ons op Bazar-kuls tekortkomingen te wijzen, iets wat hij daarvoor maar al te graag had gedaan. Toen we na de lunch weer verder gingen, stelde Charty Max dreigend een ultimatum: 'Als je niet gauw een stel paarden voor ons vindt, zullen zes zeurende vrouwen je de komende twee weken het leven bijzonder zuur maken.'

Op dat moment reden we door de Naryn-regio, een gebied waar het zeven maanden per jaar winter is en waar de bergen en dalen dan onder een twee meter dikke laag sneeuw liggen. Toen wij er waren, was het half juni en begon het landschap net tekenen van lente te vertonen. We konden nauwelijks geloven dat we half mei net over de grens in Oezbekistan in т-shirts door bloeiende velden hadden gereden. Nu droegen we lagen kleren over elkaar, sjaals en mutsen, en was het landschap kaal en dor. In de Sovjettijd kregen herders in deze valleien een dubbel loon als vergoeding voor al hun ontberingen. In de korte zomer moet hooi worden verzameld voor de winter, wanneer je niets anders kunt doen dan warm blijven in je joert.

Op de tweede dag met Rachel en Charty naderden we de ruim drieduizend meter hoge Djalpak-Belpas. Opnieuw lunchten we gehuld in jassen en schapenvachten en schuilend onder zadels voor de wind en de regen. Terwijl we brood met kaas aten, reed er een vrachtwagen met twee kleine zwarte hoofden erin voorbij, en we vermoedden dat het onze nieuwe paarden waren. Toen het even droog werd, reden we snel van ons plekje bij een rivier weg, de volgende bui tegemoet.

Een half uur later werden we geroepen door de vrachtwagenchauffeur op de terugweg. 'Waar is Shamil?' vroeg hij.

We wezen achterom naar de beroemde Shamil. De twee mannen maakten een praatje en daarna vertelde Shamil ons het goede nieuws dat de paarden voor Charty en Rachel in het volgende dal liepen te grazen, onder toezicht van Bazarkul.

De vrachtwagen spoot opeens zo snel weg dat Big Ben, die ernaast had gestaan, en Mouse, die in haar zadeltas rommelde, zich rot schrokken. Big Ben sprong mijn kant op terwijl ik met Rode Leeuws teugel over mijn arm naast hem stond om mijn muts op te rapen, die op de grond was gevallen. Deze twee paarden waren beslist geen boezemvrienden en Rode Leeuw moet het als een aanval hebben beschouwd. Hij steigerde en sloeg met een voorhoef tegen mijn arm toen hij neerkwam, waarna hij naar Big Ben toe sprong en hem in zijn hals probeerde te bijten. Big Ben steigerde om Rode Leeuws lange tanden te ontwijken, en allebei hinnikten ze luid van woede. Ik rende naar Rode Leeuw toe om de teugel te grijpen, maar hij draaide zich om, galoppeerde de helling achter ons op en verdween achter een rotsblok. Shamil kwam te laat om in te grijpen, en de Leeuw kwam weer te voorschijn toen hij de helling af rende naar een kudde merries. Hij stortte zich er regelrecht in en deed pogingen om de ene na de andere te bespringen, terwijl ze hinnikend en steigerend van angst zijn avances probeerden te ontwijken. De hengst van de kudde kwam er algauw aan draven en daagde Rode Leeuw uit voor een duel. Steigerend en bijtend begonnen ze te vechten, omringd door een kring bange merries. De twee dieren die tegen een achtergrond van woeste bergen vochten om het leiderschap van de kudde vormden een soort oertafereel. Menselijk ingrijpen voorkwam echter dat we getuige waren van de bloedige afloop van dit Darwiniaanse spektakel, want Shamil perste zich op Malish tussen de merries door en slaagde er na een paar trappen te hebben ontweken in de ongehoorzame Rode Leeuw te vangen en hem ongeschonden mee te trekken.

Na een bocht in het dal zagen we de twee nieuwe zwarte paarden grazen, zomaar in een veld. Bazar-kul zat op een ervan, dat er zwanger uitzag, en hield het touw vast van het andere, dat wat dunner was. Toen we naar dit nogal komische plaatje toe reden, raakte Big Ben steeds geagiteerder over het verse bloed bij de paarden en zette hij er struikelend over de stenige grond de sokken in. Nadat ik door een ondiep riviertje had gewaad, zag ik bij het beklimmen van de andere oever tot mijn schrik Big Ben zonder berijdster naast me opdoemen. Lucy en Wic reden terug om te zien wat er was gebeurd en zagen Mouse roerloos op haar zij op de grond liggen, met haar hoofd op Charty's schoot. Terwijl ze zich wanhopig probeerden te herinneren wat ze op hun cursus eerstehulp in de wildernis hadden geleerd, rende Bazar-kul naar hen toe en pakte Mouses rechterarm om haar hartslag te voelen. Ze kreunde van pijn, maar ze kon uitleggen wat er was gebeurd.

Toen Big Ben de rivier overstak, was hij gestruikeld over een grote steen. Hij was door zijn knieën gezakt en omgevallen, waarbij hij Mouse van zijn rug had geworpen en op haar rechterschouder, -arm en -been terecht was gekomen. Zij was met haar hoofd op een steen gevallen en was heel even bewusteloos geweest. We waren vreselijk bang dat ze een bot had gebroken of een hersenschudding had of zo, want ze lag als verstijfd en sprak heel langzaam. Maar na een paar minuten kwam ze weer een beetje bij haar positieven en kon met hulp van Charty voorzichtig gaan staan.

We troffen Max, Zula en Sergei aan in het volgende kamp, op een kale, trooshteloze vlakte waar de wind vrij spel had en genadeloos op de tenten beukte. Doodmoe van de belevenissen van die dag kropen we in de keukentent, waarvan de wanden in de wind en de regen wild op en neer klapperden, bij elkaar en probeerden ons te verwarmen met grote hoeveelheden plov en chocolademelk van zakjes poeder met kokend water.

De volgende morgen zagen we dat de sneeuw van de hellingen ook ons kamp had bereikt, en dikke wolken aan de horizon beloofden nog meer sneeuw. De temperatuur was gezakt tot min tien en Mouses contactlenzen waren bevroren. De paarden hadden op zoek naar gras onder de sneeuwlaag allemaal een perfecte moddercirkel om de paal getrokken waaraan ze waren vastgemaakt. Charty en Rachel verwisselden hun gehuurde paardjes voor de kleine, glanzend zwarte paarden die Max in de bazaar had gekocht, en de twee Kirgizische jongens trokken in langzaam tempo weer op huis aan.

Toen we de bergen in reden, kwamen drie herders te paard naast ons draven.

'Waar gaan jullie naartoe?'

'Naar China.'

Ze keken elkaar ongelovig aan.

'Waar komen jullie vandaan?'

'Uit Engeland.'

Ik vroeg me af of wodka het hoofdbestanddeel van hun maaltijden was, want na het verkrijgen van deze elementaire informatie vroegen ze me zonder verdere omhaal van woorden of ze een van ons voor duizend yaks mochten kopen. Ze vonden Rachel, Charty, Mouse en mij veel te jong voor zo'n voordelige aanschaf, maar Wic en Lucy bevielen hun wel. Ze waren op het idee gekomen door de Amerikaanse films die ze weleens hadden gezien en die hun inzicht hadden gegeven in Westerse vrouwen.

'Jullie trouwen toch altijd op je veertigste?'

'Dat hangt ervan af.'

'Iedereen heeft seks wanneer hij maar wil, hè?'

'Nee, dat is absoluut niet waar!'

'Vrouwen in het Westen zijn beter omdat ze beschaafd zijn, ze snurken niet.'

'Sommige wel, denk ik.'

Ze keken teleurgesteld toen er van hun aantrekkelijke beeld zo weinig overbleef, maar dat deed niets af aan hun wens om Lucy of Wic de hunne te mogen noemen. Een van hen had felblauwe ogen, wat diep in Kirgizië erg ongewoon was, dus ik vroeg hoe hij daaraan kwam.

'Toen mijn vader een keer weg was, kwam er één nacht een Rus logeren en negen maanden later werd ik geboren.'

'Hoeveel broers en zussen heb je?'

'Achttien.'

'Allemaal van dezelfde vader?'

'Dat weet alleen Allah. En mijn moeder.'

Toen kwam Shamil naar me toe en berispte me streng omdat ik met de herders praatte. Hij zei dat ze stomdronken waren en ons, als we hen aanmoedigden, helemaal naar ons kamp zouden volgen. Dus namen we afscheid en draafden verder, langs grazende jakken met ruige vachten waarop de sneeuwvlokken bleven liggen.

De volgende dag baanden we ons behoedzaam een weg over de pas, waarbij we om het half uur moesten afstijgen om de vastgeplakte sneeuw onder de paardenhoeven weg te schrapen. Hoe hoger we klommen, des te schitterender was het uitzicht. Gigantische pieken torenden boven ons groepje uit en wierpen donkere schaduwen op hun lagere buren. Het pad liep slingerend naar de top en verdween regelmatig onder de dikke laag sneeuw. Op het hoogste punt keken we uit over rijen glinsterend witte pieken tegen een helderblauwe achtergrond. Tijdens de afdaling aan de andere kant ging de sneeuw plotseling over in groen gras met groepjes primula's en boterbloemen. Beneden strekte zich, omringd door een hoefijzervormig besneeuwd gebergte, een grote vallei uit met glooiende heuvels en in het midden de rivier de Kitsjie Naryn. Toen we beneden waren, begonnen we hard te galopperen van blijdschap omdat we in zo'n prachtig dal waren aangekomen. Terwijl we over de grazige glooiingen raceten, zagen we hier en daar in een kom een joert staan met eromheen een kudde schapen en geiten. Zo nu en dan zagen we ook een kudde merries, beschermd door een hengst die met zijn hoofd omlaag en zijn staart omhoog om zijn harem heen rende wanneer hij die naar een stuk vers gras wilde drijven. Ik was blij dat er daar niet meer van waren, want elke keer kon ik Rode Leeuw maar met moeite in bedwang houden.

We volgden de Kitsjie Naryn het dal weer uit. Voor ons zagen we opnieuw besneeuwde pieken, en daar aan de oever van de rivier lag ook ons kamp, badend in een prachtig gouden avondlicht. Recht tegenover ons aan de overkant van de rivier stond een joert, dus toen we de paarden afzadelden, werden we bekeken door een nieuwsgierige Kirgizische familie en hun merries.

De volgende dag liep Bazar-kul de nabijgelegen brug over en ging naar de joert, en hij kwam terug met een uitnodiging voor een bezoek. Toen we in gezelschap van Bazar-kul en Shamil aankwamen, werden we verwelkomd door een pasgetrouwd paar. Ze namen ons mee naar binnen, waar we plaats moesten nemen om een lage tafel in het midden. Daar zaten ook een oude man – de vader van de bruidegom – een jongere broer van achter in de twintig en een nog jongere broer van een jaar of twaalf. Later kwam er nog een broer met twee kleine kinderen. De zestien mensen pasten met gemak in de bescheiden ruimte.

We kregen meteen een kommetje thee met melk en een grote punt zuurdesembrood. De jonge gastvrouw bediende ons zwijgend en ging door met haar huishoudelijke werkzaamheden, misschien om indruk te maken op haar man, wiens ogen haar tevreden volgden. We wilden graag een heleboel weten over hun leven, dus begon er een ondervraging in drie delen: ik vertaalde vanuit het Engels in het Russisch en Bazar-kul vanuit het Russisch in het Kirgizisch. De antwoorden legden de tegenovergestelde weg af en werden soms, vermoedde ik, bijgekleurd door Bazar-kuls interpretatie.

Zoals alle Kirgizische joerts bestond ook deze uit drie afdelingen: een voor de mannen, een voor de vrouwen en een om bezoek te ontvangen. In de mannenafdeling, links naast de ingang, werden de zadels, zwepen en messen bewaard. De vrouwenafdeling lag rechts en daar werd al het huishoudgerei weggeborgen, ook het kostbare, met gevlochten paardenhaar genaaide paardenleren vat waarin de kumiz werd gefermenteerd. Het gastenverblijf, met kussens om de lage tafel, lag in het midden.

We kregen te horen dat de familie per dag ongeveer vijfenveertig liter melk produceerde uit acht merries, die vijfmaal per dag door de jonge vrouw werden gemolken. Opdat de merries vrijelijk konden grazen zonder weg te lopen, waren hun veulens vastgebonden aan een naast de joert gespannen lang touw. Verder hadden ze ruim tweehonderd schapen, een paar wolfachtige honden, een poesje en een zwart lam dat

op de enige open plek die we vonden, geplaagd door harde wind en de onophoudelijke motregen.

De volgende dag daalden we af uit het met clematis versierde woud en volgden de Kitsjie Naryn tot waar die uitmondt in de Naryn. De regen van die morgen hield op en de rest van de dag scheen de zon. Bij het afdalen zagen we in de verte figuurtjes op hun hurken zitten in het ondiepe deel van de Kitsjie Naryn, en ze bleken goud te zoeken in de bedding. Toen we langsreden, keken ze ons wantrouwig aan, want goudzoeken zonder vergunning is verboden.

We bereikten een dorpje en Shamil wilde wodka kopen. Mouse en ik reden mee naar de hoofdstraat om een winkel te zoeken, en we troffen daar een werkloze herder aan, die ons meenam naar een huis. Shamil en ik moesten mee naar de woonkamer en mochten gaan zitten. Er werd een plastic BonAqua-fles te voorschijn gehaald met zelfgestookte sterkedrank. Shamil mocht een glaasje proeven, maar eerst testte hij het alcoholgehalte door er een lucifer bij te houden. Dat stelde hem tevreden en hij dronk het glas in één teug leeg. De Kirgizische verkopers waren diep onder de indruk, want hun sterkedrank bevatte negentig procent alcohol en zijzelf verdunden die met water. We vertrokken met een fles wodka en een grote lepyoshka, die ze ons cadeau hadden gegeven.

De volgende dag volgden we de zusterrivier van de Kitsjie Naryn. We konden door de valleien galopperen, die door kudden schapen netjes werden afgegraasd. Zo nu en dan werden we verrast door een beekje dat door een geul in het dal stroomde en dan kwamen we abrupt tot stilstand voordat we de modderige oever afdaalden om erdoorheen te waden. Ten slotte reden we over de stenige oever van de grote Naryn zelf, waarbij Big Ben steeds uitgleed of struikelde in zijn wanhopige poging om de anderen bij te houden.

Na de lunch namen we een weg die door dorpen liep waar overal langs de kant kalveren en lammeren lagen te slapen. Om elk huis stond een keurige houten schutting versierd met ruitpatronen, die soms geschilderd waren. Er renden kleine kinderen rond met eenvoudige hoepels, die ze met stokjes voortduwden. Ergens onderweg ontmoetten we een ruiter die ons vertelde dat hij een moederloos reekalf van nog maar een week oud had gevonden, en vroeg of wij dat wilden kopen. Hij haalde het diertje op, een heel klein lijfje met lange, stuntelige pootjes, en het keek ons totaal niet schuw van alle aandacht met grote zwarte ogen bedachtzaam aan en flapte met zijn tengere oortjes.

Die avond sloegen we ongeveer vijf kilometer buiten de stad Naryn ons kamp op, en daar zouden we onze rustdag doorbrengen. Wic had Max al een week gesmeekt een veearts te zoeken die naar Zwarte Pampers' wond kon kijken, omdat die ondanks haar en Shamils goede zorgen niet wilde genezen. Elke ochtend en avond maakten ze de wond schoon en smeerden er trekzalf op, waardoor die niet erger was geworden, maar het paard had nog steeds een gapend gat van acht centimeter op zijn schoft, waarin je zelfs het bot kon zien. Het was een afschuwelijk gezicht, maar gelukkig had Zwarte Pampers geen pijn, behalve als er druk op de wond kwam. Sinds Shamil Wics zadel had aangepast hoefde ze niet meer zonder zadel te rijden, en volgens haar kon zelfs draven of galopperen geen kwaad. Max had beloofd in Naryn een veearts te zoeken en nieuwe medicijnen voor de wond te kopen, die hij volgens Shamil bij een drogist zou kunnen krijgen. En Mouse wilde een smid zoeken die Big Bens hoeven kon afvijlen, vooral na haar recente val. Bazar-kul had geen vijl die sterk genoeg was voor dit karwei.

De volgende morgen vroeg gingen Max en Shamil naar

benen op en neer om haar paard, dat we Kogel hadden gedoopt, in een snelle galop voor ons uit te laten racen. We
moesten er altijd weer om lachen.

# 6  Afscheid van de bergen

Een paar dagen later gebeurde er opnieuw iets met een paard dat verdeeldheid zaaide in onze groep. Shamil wekte me op een morgen om half zeven om me te vertellen dat Charty's paard niet in orde was. Ik liep met hem mee en zag dat Kogel terneergeslagen in een modderpoel stond.

'Wat is er met hem aan de hand?'

'Ik denk dat hij gisteren heeft mogen drinken zonder daarna uit te rusten, want zijn onderbenen zijn helemaal opgezwollen.'

Inmiddels waren de anderen ook naar buiten gekomen. Charty hield bij hoog en bij laag vol dat ze Kogel niet had laten drinken, maar Shamil kon niets anders bedenken. Even later arriveerde de veearts uit het naburige dorp. Hij zette Kogel in de sloot naast het kamp en gespte een soort harnas om hem heen dat hem belette te eten of te drinken. Het water was bedoeld om zijn benen af te koelen en te laten slinken. Na een uur of drie kneep de veearts in Kogels enkels en toen die nog steeds gezwollen waren, maakte hij er sneetjes in om het vocht eruit te laten lopen. Vervolgens liet hij Kogel een half uur lang op de weg heen en weer galopperen om ervoor te zorgen dat zijn bloed nog gezond door zijn zwarte lijfje stroomde, en ten slotte kreeg Shamil de opdracht Kogel aan de truck vast te binden zodat hij niet kon gaan liggen. De veearts legde uit dat Kogel absoluut moest blijven staan, anders zou er niet genoeg bloed naar zijn benen stromen en zou hij een langzame, pijnlijke dood sterven.

We bedankten de veearts en gingen naar de keukentent. Kogel verplaatste onophoudelijk zijn gewicht van het ene op het andere been om de pijn te verzachten, maar op een gegeven moment slaagde hij erin het touw wat losser te trekken en zich op de grond te laten zakken, waar hij triest bleef liggen. Shamil zag het en rende naar hem toe om hem weer overeind te trekken, en hij bond het touw steviger vast om te voorkomen dat dit nog eens zou gebeuren. Een uur later lag Kogel toch weer op de grond. Shamil trok aan het touw en schopte hem tegen zijn ribben om hem te dwingen op te staan. Charty zag wat hij deed en hoewel dat niet leuk, maar wel noodzakelijk was, rende ze naar hem toe om te protesteren.

'Wees niet zo wreed!' schreeuwde ze.

Shamil riep mij om te tolken. 'Kogel mag niet liggen, want dan wordt de bloedtoevoer naar zijn benen afgesneden.'

'Je bent veel te wreed,' verweet ze hem.

Ik kwam tussenbeide. 'Hoe wil jij het dan doen, Charty?'

'Waarom bedenken ze niet iets dat minder erg is dan in zijn benen snijden en hem dwingen te blijven staan?'

Shamil legde uit dat hij Kogel, als dat mogelijk was geweest, liever een serie injecties had gegeven, maar die waren op zo'n verafgelegen plek niet beschikbaar. Dit vertaalde ik voor Charty, die inmiddels was gaan huilen.

'We hebben echt geen keus, Charty.'

'Dat is niet waar! Ik rijd al mijn hele leven en als bij ons een paard iets heeft, wordt het nooit zo slecht behandeld. Ze zijn hier gewoon hard en wreed.' Na deze scherpe veroordeling liep ze terug naar haar tent, waar ze de hele midddag bleef liggen huilen. Niemand kon haar troosten.

Shamil vroeg me waarom Charty zo overstuur was en ik

legde uit dat ze de behandeling van Kogel te hardvochtig vond.

'Maar begrijpt ze dan niet dat het niet anders kan?'

'Natuurlijk. Maak je maar geen zorgen, Engelsen zijn wat dieren betreft altijd erg emotioneel.'

De verbijsterde Shamil vroeg me nog een paar keer of Charty echt begreep dat er voor de arme Kogel geen andere oplossing was. Toen het tot hem doordrong dat ze zich daar beslist van bewust was, zei hij met een gekwetst gezicht: 'Dan snap ik niet dat ze me wreed vindt. Ik werk al ruim twintig jaar met paarden en dat zou ik niet doen als ik niet van ze hield, want het is een zware, slechtbetaalde baan.'

De twintig jaar ervaring van Shamil bestond uit het trainen als springruiter op internationaal niveau en daarna het beheren van een staatsrenstal in Oezbekistan. Daar moest hij erop toezien dat de jonge paarden werden getemd en dat paarden die te onhandelbaar waren geworden weer discipline leerden, en studeerde hij twee jaar paardenfysiologie en -anatomie. Ook al was de Sovjet-Unie in materieel opzicht arm, de inwoners konden er een betere opleiding volgen dan in welk Westers land ook. Wetenschappers, kunstenaars, bergbeklimmers, wie dan ook, ze staan allemaal op een niveau dat wij in het Westen ondanks onze materiële voordelen maar nauwelijks kunnen bereiken. Sinds deze expeditie heb ik diverse andere tochten gemaakt met Shamil, en ik ben altijd weer onder de indruk van zijn ongelooflijke kennis van paarden, de natuur en dieren in het wild. Ik vond het vreemd dat Charty zich wat paarden betreft superieur voelde aan Shamil, maar waarschijnlijk gedroeg ze zich zo onredelijk omdat ze zich zorgen maakte om Kogel en omdat ze zo ver van huis was. En misschien had het ook te maken met de manier waarop sommige Engelsen zich na eeuwen van imperialisme jegens buitenlanders gedragen. Wanneer ik door Centraal-Azië reis, valt het me altijd weer op hoe anders de mensen daar naar de Russen kijken dan de mensen in vroegere Afrikaanse of Indiase kolonies naar de Engelsen. In Azië voelen de mensen geen wrok jegens de kolonisten van weleer, eerder het omgekeerde. In Oezbekistan, Kazachstan, Turkmenistan en Kirgizië willen veel mensen hun Russische inwoners juist graag houden.

Ironisch genoeg was het Shamil die de hele nacht bij Kogel bleef waken om ervoor te zorgen dat hij niet weer ging liggen en erop toe te zien dat zijn benen niet verder opzwollen. Mouse was met het slimme idee gekomen om pijnstillers te verpulveren en die gemengd met een handje haver aan Kogel te voeren, waarna hij minder pijn leek te hebben, maar Charty weigerde nog steeds met Shamil te praten en bleef volhouden dat hij de paarden te ruw behandelde. Helaas gooide Max olie op het vuur door te beweren dat Kogel de volgende morgen beter zou zijn en dat Charty hem dan weer kon berijden. Shamil hield zich op de vlakte, maar Bazar-kul was ook van mening dat Kogel die nacht weer helemaal zou opknappen. Vanzelfsprekend waarschuwde Charty Max dat ze niet op Kogel zou rijden tenzij er een wonder gebeurde en dat hij alvast op zoek moest gaan naar een ander paard. Max vond dat ze moesten afwachten en we zochten afleiding in kaartspelletjes en wodka.

De volgende morgen zei Shamil dat Kogel een stuk beter was, maar dat hij nog niet kon worden bereden. Max was al naar het dorp gegaan om een ander paard te zoeken, en kwam na het ontbijt terug met een opvallend lichte schimmel, een ruin, die onmiddellijk de aandacht trok van Big Ben. Intussen zou de eigenaar van de schimmel Kogel onder zijn hoede nemen.

We vertrokken, blij dat het drama van de vorige dag voorbij was, ook al was de sfeer nog wat gespannen. De scheuring in onze groep was weer voelbaar geworden en werd nog ver-ergerd door de aanwezigheid van twee extra mensen: Charty en Rachel. Omdat Wic en Lucy het al eerder met Shamil oneens waren geweest, kozen ze partij voor Charty, terwijl ik het opnieuw met Shamil eens was. Mouse en Rachel deden hun best om neutraal te blijven, maar omdat ze geen Russisch spraken en al heel lang met Charty bevriend waren, waren ze toch geneigd Charty gelijk te geven.

Het hoogtepunt van die morgen was het karkas van een paard op de weg. Volgens Shamil was het dier gedood door wolven. Toen we dichterbij kwamen, maakte een hond zich uit de voeten, beroofd van zijn feestmaal. Ook zagen we een zwerm grote, donkere vogels langzaam opstijgen van de heuvel voor ons. Het bleken reusachtige arenden te zijn, die hun brede vleugels spreidden en ons hun gestreepte buiken lieten zien. Ze verduisterden de lucht en we telden er minstens twintig. Snel draafden we verder, om aan hun scherpe ogen te ontkomen toen ze neerstreken op een heuvel ernaast. Toch wilde ik graag weten hoe groot ze precies waren en of ze ons zouden aanvallen, want dat leek zo. Ik draaide Rode Leeuws hoofd naar hun gebogen vormen toe en galoppeerde zo hard mogelijk de heuvel op. Opnieuw stegen ze op en cirkelden klapwiekend boven mijn hoofd. Hun vleugelbreedte overtrof Rode Leeuws lengte en het werd opeens donker boven me. Ik wist niet hoe gauw ik weer beneden moest komen.

We lunchten op de oever van de rivier de Tasj Rabat, ongeveer tweehonderd meter stroomopwaarts van de plek waar onze vrachtwagen pech onderweg had. Sergei stond over een wiel gebogen. We hadden in de zadeltassen niet veel te eten meegebracht, dus Charty besloot van de gelegenheid gebruik te maken om nog wat te halen. Ze sprong op de schimmel en reed in langzame galop naar de truck.

'Stop! Niet galopperen!' schreeuwde Shamil haar na.

Charty hoorde hem niet of negeerde hem, en toen ze met brood terugkwam, zei Shamil dat we nu nog een uur moesten wachten tot haar paard voldoende afgekoeld was om te drinken. Onze paarden mochten al wel water hebben.

'Waarom is dat nodig?' vroeg Charty nors.

'Omdat het gevaarlijk is een paard te laten drinken als het warm is, en ik wil niet dat hem hetzelfde overkomt als Kogel gisteren,' antwoordde Shamil.

Toen ik dit had vertaald, rolde Charty met haar ogen. 'Waarom moet hij altijd kritiek leveren op alles wat we doen?' riep ze tegen de anderen. Ze susten haar vol meegevoel en verweten Shamil luidkeels gebrek aan dankbaarheid voor het brood, terwijl ik zwijgend bij hem zat. Ik was zo van streek vanwege de manier waarop ze Shamil behandelden dat ik de rest van de dag nauwelijks meer iets tegen hen kon zeggen.

Dit soort wrijvingen werd toen hoog opgenomen, maar achteraf gezien zijn ze bijna vermakelijk onbenullig. We waren en zijn nog steeds goed met elkaar bevriend, en het lijkt nu bespottelijk dat we ons om zulke onbelangrijke dingen zo druk maakten. Maar in de afzondering van ons nomadenleven was dat waarschijnlijk onvermijdelijk, vooral omdat we met zes meisjes waren!

Die middag reden we verder het dal van de Tasj Rabat in naar de beroemde Zijderoute-karavaanserai. Een paar kilometer voor onze bestemming, bij een bocht in de rivier, stegen we af en zadelden de paarden af. Net toen we de tenten hadden opgezet, schoven er wolken voor de zon die een lading hagelstenen zo groot als knikkers losten. Misschien had Malish in zijn korte leven nog nooit hagel gezien, want doodsbang legde hij zijn oren plat en schopte zijn achterbenen hoog in de lucht.

De volgende morgen reden we naar de karavaanserai, hoog in een deel van het Tiensjangebergte dat At-Basjinski ('paardenhoofd' – heel toepasselijk) wordt genoemd. De meningen over het bouwjaar van deze herberg zijn verdeeld: volgens onze reisgids dateert hij uit de tiende eeuw, maar volgens een paar plaatselijke bewoners die we daar tegenkwamen uit de zeventiende eeuw. Hij ligt aan de voet van de Tasj-Rabatpas en was een rustplaats voor karavanen die over de Zijderoute trokken, van China naar Centraal-Azië of omgekeerd. De herberg is gebouwd door een man die kooplieden tegen betaling onderdak verleende voor de nacht en daarbij garant stond voor hun leven en koopwaar. Kamelen en paarden werden buiten bewaakt door schildwachten met waakhonden.

Het belangrijkste vertrek is een grote koepelzaal, waar de kooplieden aten en gezellig bijeen zaten. In de koepel zitten vier vierkante gaten, net als in een Mongoolse joert, waardoor het zonlicht op de vloer valt. Hieraan kun je ook zien hoe laat het is. Aan weerskanten van de koepelzaal ligt een grote, rechthoekige zaal met stenen banken, waarop de kooplieden sliepen. Er zijn ook kleinere kamers, die iemand kon huren om zijn goederen in te bewaren. Als die erg kostbaar waren, kon hij ze verbergen in een 'schatkist': een groot gat in de grond afgedicht met een tegel, waarop de koopman dan kon slapen. Omdat de karavaanserai een aantrekkelijk doelwit voor bandieten was, liepen er diverse ondergrondse gangen de bergen in, waardoor de gasten in geval van nood konden ontsnappen. Shamil nam Charty, Rachel en mij mee naar een pikdonkere ronde kamer, waar we ons meteen vastklampten aan de houten pilaar in het midden. Dat was maar goed ook, want toen Shamil een lucifer aanstak, zagen we dat ik vlak naast een gat stond dat naar een van die gangen leidde.

Helaas was de Tasj-Rabatpas, die we hadden willen nemen, vanwege late sneeuwval nog niet open. Shamil en ik besloten er toch een kijkje te nemen. In galop volgden we de rivier, zagen in het dal een kudde jakken grazen, en reden omhoog de uitlopers van de berg in. We zagen er ontelbare marmotten, en werden tot staan gebracht door de indrukwekkende besneeuwde top waarover de weg kronkelt die naar China leidt. Het eerste stuk van die weg loopt over leisteen om enorme rotsblokken heen naar boven en dan komt de sneeuw. Het was een ontzagwekkend idee dat hele kameelkaravanen ooit langs deze gevaarlijke route waren getrokken.

Die morgen had zich in het kamp opnieuw een incident voorgedaan. Max had ons al voor het ontbijt verteld dat we niet zoals we van plan waren deze pas konden nemen, maar Wic en Lucy dachten dat dit een smoes was omdat hij geen zin had een plaatselijke gids te zoeken.

Max was eerder tactloos dan onwillig, en dat bleek ook weer uit zijn antwoord: 'Shamil zegt dat hij, ook al nemen we een gids mee, alleen verantwoordelijk wil zijn voor Sacha en Mouse.'

'Waarom?'

'Hij zegt dat jij en Lucy de vorige keer dat jullie een moeilijke pas over moesten, in Toktagul, bang waren en kwaad op hem werden. Hij zegt dat jullie lafaards zijn.'

In mijn tent kromp ik ineen in afwachting van Wics en Lucy's woedende reacties.

'Zeg maar tegen hem dat hij de lafaard is!' riepen ze.

Ik ben er nooit achter gekomen of Shamil Wic en Lucy echt lafaards heeft genoemd. Hij heeft het steevast ontkend, maar het kwaad was geschied en ze waren ontzettend beledigd. Ik vond al die ruzies vreselijk; ze hadden voortdurend kritiek op onze gidsen en volgens mij was dat niet terecht. Misschien was ik niet erg meevoelend, maar ik vond het in dat schitterende landschap gewoon ongepast om je zo druk te maken over kleine dingen. En het verbaasde me dat geen van de anderen na de onenigheid met Max mee wilde met Shamil en mij om naar de pas te kijken.

Ik was blij dat ik die middag alleen met Shamil kon doorbrengen, weg van de gespannen sfeer, maar toen we terugkwamen, wilden Mouse en Lucy me spreken. Ze waren boos op me omdat ze vonden dat ik me niets van hen aantrok en Shamil te veel in bescherming nam, en dat had een scheuring in de groep veroorzaakt. Ik verdedigde me door te zeggen dat ik het beschamend vond dat ze de gidsen met hun kritiek en geschreeuw zo slecht behandelden.

'Maar je moet begrijpen dat Wic erg gestrest is, alleen maar omdat ze zoveel van Zwarte Pampers houdt!' Ik had Mouse nooit eerder kwaad gezien, maar nu kon ze zich niet meer inhouden.

'Dat is nog steeds geen excuus om bot te doen, vooral tegen Shamil, die altijd zijn best doet om Zwarte Pampers zo goed mogelijk te verzorgen. Een van de redenen waarom hij niet over die steile pas wil, is vanwege Zwarte Pampers' wond.'

'Hoe dan ook, je moet beter je best doen om met de anderen overweg te kunnen, want ik heb schoon genoeg van de akelige sfeer.'

Ze draaiden zich om en liepen terug naar de anderen.

Gelukkig maakten Max en Zula die avond een lekkere maaltijd klaar en hadden ze wodka gekocht van herders bij de karavaanserai. We zaten allemaal bij elkaar en bij elke volgende toast loste de wrijving van die dag een stukje meer op. Plotseling leken al die ruzietjes niet belangrijk meer. We hadden samen al heel wat bereikt en natuurlijk waren we erg op elkaar gesteld, maar soms was het in ons besloten wereldje onmogelijk om de dingen in hun juiste proportie te zien. Ik wilde alleen maar dat ik Wic voor de expeditie beter had gekend, want dan zou ik toegeeflijker zijn geweest. Onderweg besefte ik niet hoe anders ze zich gedroeg dan normaal, terwijl Mouse en Lucy, die haar al jaren kenden, dat wel beseften. Maar naarmate ik haar beter leerde kennen, kwam ik tot het inzicht dat ze alleen maar zo deed omdat ze zo van streek was vanwege haar paard. Nu beschouw ik haar als een van de aardigste, gevoeligste vriendinnen die ik heb en weet ik dat ik toen soms te hard over haar oordeelde.

De volgende morgen stelde Shamil voor dat we allemaal nog even naar de voet van de bergpas zouden rijden voordat we onze weg naar de grens met China voortzetten. Mouse wilde liever meteen door, maar Shamil hield vol dat het erg jammer zou zijn als ze niets van die magnifieke hellingen zou zien. Big Ben, wiens bewondering voor Charty's schimmel dagelijks toenam, had naar Lucy's rug gehapt toen ze tussen hem en de schimmel in reed. Sinds dat vervelende voorval stond Shamil erop dat Charty helemaal achteraan reed, waar Big Ben haar paard niet kon zien. Maar dat vond Charty niet leuk en vaak kwam ze naast ons draven, wat Shamil daar ook van zei. Op de terugweg van de pas, toen we plotseling achter elkaar moesten gaan rijden, kwam Shamil op Malish tussen Charty en Mouse terecht. Daar werd Big Ben zo kwaad om dat hij uithaalde naar Shamil en hem hard in zijn onderarm beet. Shamil werd woedend, wat begrijpelijk was. Hij sprong van zijn paard en gebaarde dat Mouse ook moest afstijgen. Dat weigerde ze. Toen pakte hij haar teugels en gaf Big Ben een paar harde zweepslagen op zijn bil. Mouse protesteerde dat ze Big Ben zelf al had gestraft, maar Shamil antwoordde dat hij het om Big Bens bestwil deed, want als hij zich zo agressief bleef gedragen, moest hij worden afgemaakt. Daarna sprong hij weer op Malish en ging, terwijl we konden zien dat zijn arm pijn deed, een eind voor ons uit rijden. Ik galoppeerde achter hem aan, want ik begreep waarom hij boos was.

Die middag reden we over drie rotsachtige passen, met elkaar verbonden door met bloemen bezaaide valleien die ons telkens weer uitnodigden de volgende bergketen over te steken. We galoppeerden over velden met irissen, vlas, ereprijs en boterbloemen en langs beken met ijskoud, kristalhelder water. Boven op een van de passen zagen we twee grote oranje marmotten bij de ingang van hun naast elkaar liggende holen. Ze stonden rechtop, namen elkaar van top tot teen op en begonnen te vechten. Maar toen we dichterbij kwamen, zagen ze ons en verstijfden even voordat ze terugschoten, hun holen in.

Tegen het eind van de dag bereikten we de hoofdweg tussen Naryn en China. Een tijdelijk verlaten controlepost was er het enige teken van leven, en we reden verder de brede vallei in om ons kamp te zoeken. We vonden het in de heuvels links van ons, verborgen in een geul. Max was die dag jarig, dus de wodka kwam weer te voorschijn en we bleven nog tot laat in de nacht zitten feesten.

Het moment waarop we Centraal-Azië moesten verlaten kwam akelig dichtbij, en we zagen steeds meer op tegen de rit door China. Binnenkort zouden we alleen nog maar door de eentonige, hete zandvlakte van de Taklamakanwoestijn rijden en alles achter ons laten wat ons in Centraal-Azië zo vertrouwd was geworden.

Het was opeens weer erg koud geworden, waardoor een oude breuk in de enkel van Mouse haar veel pijn bezorgde. Dit gebeurde steeds wanneer de temperatuur plotseling flink daalde. Shamil had geprobeerd de pijn te verlichten met een massage met Russische zalf, maar volgens mij verheugde ze zich op de hete woestijn, waar ze er geen last van zou hebben. Anders dan zij zagen Wic en ik tegen die hitte op, dus genoten we dubbel van de laatste kou en nattigheid.

Onze laatste dag in Centraal-Azië was heel verdrietig. We deden ons best om elk moment in die valleien voor de grens goed in ons op te nemen en hielden een lunchpauze om daar nog meer tijd voor te hebben. We kregen gezelschap van enkele grenswachters, die de kans aangrepen om zich te bedrinken. Tijdens het gesprek met hen hoorde ik dat er in Kirgizië beter Russisch wordt gesproken dan in Oezbekistan en dat dit komt doordat de Russische troepen na de val van de Sovjet-Unie tien jaar daarvoor Oezbekistan onmiddellijk verlieten, maar in Kirgizië gebleven waren. De grenswachters zeiden ook dat ze het jammer vonden dat de Russische burgers waren vertrokken, want nu had Kirgizië groot gebrek aan leraren, artsen en andere hogeropgeleiden.

We namen afscheid van hen voordat ze ons konden overhalen aan hun drinkgelag mee te doen en reden naar ons laatste kamp voor de grens. We draafden langs bunkers die in de jaren zestig, toen de verhouding tussen China en Rusland nogal gespannen was, waren gebouwd, en vonden het kamp op de vlakte aan de voet van de Torugartpas, de grensovergang tussen Kirgizië en China.

De volgende morgen hadden we nog een etmaal te gaan voordat we die grens zouden oversteken. Mouse beschreef het moment als 'het einde van een tijdperk', want de volgende vijf maanden van onze reis zouden een heel andere belevenis worden. In plaats van veranderlijk weer zouden we alleen meedogenloze hitte en zon te verduren krijgen. De bergen en dalen zouden overgaan in een vlakke, eentonige woestijn en we zouden onze geliefde paarden moeten inruilen voor kamelen. We zouden niet meer rechtstreeks met anderen kunnen communiceren, want terwijl ik in Centraal-Azië als tolk had kunnen dienen, sprak niemand van ons Chinees. Maar ik zag het meest op tegen het komende afscheid van Shamil, ik vond het verschrikkelijk dat ik hem achter moest laten.

Terwijl wij met het oog op de terugkeer van Rachel en Charty naar Engeland nog vlug allerlei brieven schreven om mee te geven, speurden Max en Shamil de weg af op zoek naar een vrachtauto die de paarden mee terug kon nemen naar Bisjkek, waar ze zouden worden verkocht. Ten slotte stopte er een gammel blauw geval en toen hadden we nog een paar uur om onze dieren vaarwel te zeggen, wat na drie maanden en ruim zevenentwintighonderd kilometer niet meeviel. Behalve dat we het akelig vonden dat we ze nooit meer zouden zien, maakten we ons zorgen om wat er met ze zou gebeuren. Shamil had ze liever mee terug genomen naar Tasjkent, maar Max stond erop ze in Bisjkek te verkopen. Wic wilde liever niet dat Zwarte Pampers in Kirgizië zou blijven omdat hij op die hoogte moeite had met zijn ademhaling, en we gaven er allemaal de voorkeur aan dat Shamil, die we vertrouwden, nieuwe eigenaars voor ze zou vinden. Hij had de hele nacht langs de weg gestaan in de hoop een vrachtwagen te kunnen aanhouden die helemaal naar Tasjkent ging, maar tevergeefs. Niemand was bereid de dieren zo ver mee te nemen.

Onze paarden moesten nog steeds een eindje bij elkaar uit de buurt vastgebonden worden, want ondanks de drie maanden in elkaars gezelschap waren ze elkaar nog steeds vijandig gezind. Maar het leek wel of ze het naderende afscheid aanvoelden, want ze stonden er met hangende hoofden treurig bij. Ik kon Rode Leeuw echter nauwelijks mijn genegenheid betuigen, want zodra ik in zijn buurt kwam, probeerde hij me te bijten. Hij was zo'n sterk en betrouwbaar dier dat ik ondanks zijn stuurse aard op hem gesteld was geraakt. Wic vond het vreselijk afstand te moeten doen van Zwarte Pampers, die ze met zoveel liefde had verzorgd. Zijn kwetsbaarheid vanwege zijn wond had de band tussen hen nog versterkt. Wic was opgegroeid op het platteland en had daar een eigen paard gehad, waar ze dol op was geweest. Later waren haar ouders gedwongen naar de stad te verhuizen, maar Wic had het landleven altijd gemist. Ik weet nog dat ze me een keer vertelde dat ze het gelukkigst was geweest op haar paard, dus misschien had Zwarte Pampers de heimwee naar haar jeugd weer opgerakeld.

Shamil stelde voor dat we voor het vertrek van de paarden nog één keer samen een ritje zouden maken. Op Rode Leeuw en Malish galoppeerden we langs de oever van het Tsjatyr-Koelmeer, dat iets ten noorden van ons kamp lag. Shamil daagde me uit voor een race en naast elkaar vlogen we over de vlakte tot de paarden het opgaven. Ik deed mijn uiterste best om van elke minuut te genieten, maar ik kon mijn verdriet om het onvermijdelijke afscheid niet helemaal onderdrukken.

Toen brak het laatste moment aan. Een voor een werden de paarden vanaf de hoge wegkant via een wankele loopplank naar de open laadbak geleid, maar toen Zwarte Pampers aan de beurt was, weigerde hij steigerend en bokkend naar opzij ook maar een hoef op de plank te zetten. Bij elke poging leek hij banger te worden. Uiteindelijk sprong Shamil op zijn rug en dwong hem met een paar schoppen over de plank de vrachtwagen in te draven. De hoofden en benen van de paarden werden stevig vastgebonden, zodat ze elkaar tijdens de lange reis niet zouden bijten of trappen. Toen we naar ze omhoog stonden te kijken, rolden ze met hun ogen, alsof ze ons onze ontrouw verweten.

De truck reed weg, de paarden zwaaiden heen en weer en de stuntelige Big Ben viel bijna om. We keken de stofwolken na tot ze oplosten in de verte. De verdwaasd kijkende hoofden boven de achterkant van de laadbak waren het laatste dat we van onze trouwe viervoeters zagen. Zwijgend gingen we naar de keukentent. Wic en Mouse huilden. Terwijl de enerverende gebeurtenissen van die dag ons hadden uitgeput, begon Shamil, die ook op Malish gesteld was geweest, algauw weer te lachen en grapjes te maken, filosofisch als altijd.

De sfeer in het kamp werd weer wat opgevrolijkt door de komst van twee knappe Zwitserse jongens, Christian en Mario, die door Kirgizië fietsten op weg naar India, via China. Max was hen tegen het lijf gelopen en had hen uitgenodigd de nacht in ons kamp door te brengen. Ze hadden geen vergunning om over de Torugartpas naar China te rijden en Max beloofde hun dat hij ze daar de volgende dag aan zou helpen. De anderen waren meteen weg van de jongens en vroegen of ze wilden meedoen met spelletjes triktrak en kaart. Ze hadden flessen wodka in hun fietstassen en maakten die meteen open, en de rest van de middag brachten we in de keukentent door.

Die avond maakte Zula een feestmaal klaar dat bestond uit plov, gebakken plakken aubergine, salades en soep, om onze laatste nacht in Centraal-Azië te vieren. Met de Zwitsers erbij bestond onze groep nu uit dertien leden, die met een beetje inschikken nog net om de kamptafel pasten. De heildronken begonnen meteen, met zelfgebrouwen wodka die Max van een vrachtwagenchauffeur had gekocht. Shamil hief zijn plastic bekertje beurtelings naar ons vieren, te beginnen met een toast op Lucy vanwege haar 'vriendelijkheid' en haar positie als zijn 'vriendin nummer een'. Mouse prees hij om haar tact, Wic om haar schoonheid, en als laatste noemde hij mij zijn 'vechtvriendin'. In de laatste paar weken hadden we een paar keer knallende ruzie gehad, meestal veroorzaakt door zijn jaloezie. Wanneer ik met Max, Bazar-kul of zelfs Sergei praatte, had hij me berispt omdat ik volgens hem met hen flirtte, ook al gingen die gesprekken gewoonlijk om de meest onromantische zaken, zoals tentharingen. En dan had ik zijn wantrouwen op geen enkele manier kunnen sussen, en had hij me soms een hele middag genegeerd. Na zijn toast moet ik nogal teleurgesteld hebben gekeken, want Shamil hief nogmaals zijn bekertje en voegde er, deze keer serieus, aan toe: 'Op jou. Meer kan ik niet zeggen...' Iedereen was even stil, maar toen zwol het rumoer weer aan en werd het toasten hervat. Wic had één kostbaar cassettebandje meegebracht, zorgvuldig verpakt in haar rugzak, dat ze nu te voorschijn haalde en aan Sergei gaf, met het verzoek het op het apparaat in zijn truck af te spelen. Haastig deed hij wat ze vroeg en even later zweefden de klanken van Boney M nogal bizar weg over de maanverlichte steppe. Ik herinner me dat ik, toen iedereen begon te dansen, werd vervuld van een soort uitgelaten vrijheid, alsof niets ons in dit woeste, open landschap nog kon beteugelen.

Een voor een trokken we ons terug in onze tenten, doodmoe van de emoties van die dag en de wodka. De volgende morgen werden we met barstende hoofdpijn wakker en konden nauwelijks op gang komen. Maar we moesten wel, want alles moest worden ingepakt voor de grensovergang die middag. We wisten dat we al de volgende dag de verstikkende hitte van de Taklamakan zouden moeten verdragen, maar we konden onze winterkleren niet achterlaten, want in september zou het weer koud worden. We pakten ze in om in de nieuwe vrachtwagen te stouwen. We gingen door al onze bezittingen heen, van kookgerei tot geneesmiddelen, en gaven alles wat overbodig was aan Rachel en Charty mee. Ten slotte stapelden we alle tassen op een grote hoop en gingen erop zitten, in afwachting van de truck die ons de grens over zou brengen.

Op bepaalde dagen mogen voertuigen met een speciale vergunning vanuit Kirgizië de grens met China oversteken. Als je daar geen gebruik van maakt, is het heel moeilijk China binnen te komen, dus samen met de Zwitserse jongens wachtten we op de vrachtwagen die ons zou meenemen. Max zou met ons meegaan om erop toe te zien dat we veilig aan de andere kant kwamen, maar van de anderen moesten we nu afscheid nemen.

Ik zag de komst van de vrachtwagen met angst en beven tegemoet, want dan zou ik Shamil vaarwel moeten zeggen. Toen ik de truck in de verte zag aankomen, begon ik te huilen. Shamil zei niets, maar hield mijn hand stevig vast. We hadden zoveel samen beleefd en gezien dat ik het niet kon verdragen dat ik zonder hem verder moest. Ik was nog nooit zo gelukkig geweest als in die tijd met Shamil, en ik had nooit eerder iemand ontmoet zoals hij – dat heb ik nog steeds niet. Niet alleen was hij knap om te zien en intelligent, maar ook straalde hij, zonder arrogant te zijn, zoveel kracht en zekerheid uit dat alles door zijn enthousiasme een leuk avontuur werd. Verveling kreeg geen kans. Hij was zich niet van zijn aantrekkingskracht bewust en bezat een zeldzame ongekunsteldheid.

Toen de vrachtwagen voor ons stopte, snikte ik onbedaarlijk. Ik kon Charty en Rachel nauwelijks gedag zeggen, laat staan Zula, Sergei en Bazar-kul. En ik voelde me erg schuldig jegens Charty en Rachel, goede vriendinnen van me, omdat ze zoveel moeite hadden gedaan om een eind met ons mee te reizen en ik me in die tijd zo in beslag had laten nemen door Shamil. Maar Max was onverbiddelijk. Terwijl ik Shamil nog stond te omhelzen, trok hij me de vrachtwagen in en beval de chauffeur door te rijden. Door het raampje zag ik Shamil met een treurig gezicht naar me zwaaien tot hij ons niet meer kon zien.

Toen ik nog harder begon te huilen, deed Wic haar best om me te troosten. De vrachtauto zat vol Franse bergbeklimmers van middelbare leeftijd, die ook naar China wilden. Een van hen keek me nieuwsgierig aan en vroeg op luide toon: 'Heb je een zonnesteek?' Wic wierp haar een bestraffende blik toe en antwoordde bits: 'Nee, het heeft hier de laatste paar dagen gesneeuwd.'

Bij de grenspost probeerde Max ons de volgende paar uur in het oog te houden terwijl wij op zoek gingen naar een wc, douaneformulieren, pennen en chocolade. Toen hij ons eindelijk weer allemaal bij elkaar had, wenkte een douanebeambte dat we in zijn kantoor moesten komen. Dicht opeen lieten we ons op een smalle bank zakken, met onze ogen ter hoogte van zijn bureaublad. Max bleef zenuwachtig bij de deur staan. Achter de dikke beambte, die aan zijn bureau ging zitten en vandaar op ons neerkeek, stonden zwijgend enkele jongere grenswachters. Er volgden vijf minuten van doodse stilte terwijl de ambtenaar onze documenten doorlas. Ten slotte begon hij schor te lachen en draaide zich om op zijn stoel om de onverstaanbare grap met zijn collega's te delen. Vervolgens pakte hij een stempel en zette die zomaar ergens in onze paspoorten. Daarna mochten we naar de volgende post (een man in een houten hokje), de deur uit en een bus in, waar we de Fransen weer aantroffen. We konden geen afscheid nemen van de Zwitserse jongens, die vlak achter ons zaten, maar hoopten dat we hen bij de volgende controlepost terug zouden zien.

Een afgesleten weg leidde ons door niemandsland naar China. De bus hield halt onder een indrukwekkende boog, waar we per e-mail hadden afgesproken met meneer Jin, onze Chinese logistieke coördinator. Mouse had hem het jaar daarvoor tijdens haar verkenningsreis ontmoet. Nadat we drie kwartier nerveus hadden gewacht, kwam er aan de andere kant van de boog een enorme jeep gierend tot stilstand. Er sprong een grote Chinees uit in een oogverblindend rode joggingbroek met op de zijkant van de pijpen een waterval van roze glittersteentjes. Met een brede glimlach stormde hij op ons af, met gespreide armen, en brulde: 'Sophia!' (Zo heet Mouse echt.)

Terwijl we op de nieuwe volgtruck wachtten, haalden we onze lading bagage uit de grensbus. We verwachtten eigenlijk dat er een gammele Lada puffend de hoek om zou komen, dus we konden onze ogen niet geloven toen er in de verte een vrij grote vrachtwagen aankwam. Ondanks de kleine wielen, die geschikter leken voor een kinderwagen, dachten we dat hij het karwei wel aankon. Maar het was niet zomaar een vrachtwagen: er lag een grote lap rode zijde overheen met in het geel (het vaderlandslievende kleurenschema viel ons meteen op) de kaart van China erop. Op de kaart was onze route getekend, en daarboven stond zowel in het Chinees als in het Engels: 99 BRITSE OUDE ZIJDEROUTE KAMEELTOCHT. Links van de kaart stonden de getallen: 5000 KM/161 DAGEN, en langs de onderrand: ITALIAANSE MAKOPOLO IN OUDE TIJD en BRITSE MEISJES IN HEDEN. Later kwamen we erachter dat ze er in het Chinese schrift de naam van Mouse hadden bijgezet, zodat we de volgende vijf maanden in dorpen steeds werden nageschreeuwd met 'Sophia! Sophia!'

Toen we dachten dat we de verrassingen gehad hadden, wees meneer Jin apetrots op zijn eigen uitvinding: een douche. Op het dak van de vrachtwagen had hij een grote watertank laten plaatsen, naar eigen ontwerp. Hij was zwart geverfd om overdag zoveel mogelijk warmte op te nemen, en aan de achterkant zat een slang met een douchekop. Helaas zouden we de installatie tijdens onze reis door China maar één keer gebruiken, omdat er nauwelijks genoeg water was om de kamelen te laten drinken, laat staan een douche te nemen.

We klommen bij meneer Jin in de jeep en reden naar onze eerste Chinese douanepost. Daar kregen we te maken met een legertje tienersoldaten, dat enthousiast om ons heen ging staan alsof wij de eersten waren die dat jaar de grens hadden gepasseerd. We moesten een voor een een kamertje in en de inhoud van onze zakken uitstallen op een houten bureau in het midden. Ze keken met grote belangstelling toe, vooral mijn lippenzalf werd zorgvuldig bestudeerd. Nadat ze me heen en terug door een detectiepoortje hadden gestuurd, mocht ik gaan en was het volgende slachtoffer aan de beurt. De beambten leken pas tevreden als het detectiepoortje piepte, misschien hadden ze dan pas het idee dat ze de veiligheid van het land naar behoren dienden.

Het volgende obstakel was een jonge beambte die duidelijk te veel films over krijgsgevangenen had gezien en vond dat hijzelf ook een prima verhoorder was. Nadat hij door onze paspoorten had gebladerd, rechtte hij zijn rug en hief zijn kin – alsof hij dan groter was dan wij (hij was een dreumes) – en sprak onheilspellend: 'Visa niet geldig.' Zijn mondhoeken krulden omhoog terwijl hij wachtte op onze reactie.

'Dat zijn ze wel,' zeiden wij allemaal tegelijk.

'Waar jullie visa halen?'

'Asjchabad.'

'Ik herhaal: waar jullie visa halen?'

'Turkmenistan.'

'Waar?'

'TURKMENISTAN.'

Hij keek weer naar de paspoorten en de soldaten om hem heen vroegen blijkbaar wat we hadden gezegd. 'Turkmasan,' mompelde hij, en toen waren zij net zo verbijsterd als hij. Hij veranderde van onderwerp.

'Hoeveel jullie voor visa betalen?' schreeuwde hij.

Drie van ons antwoordden: 'Zeventig dollar', terwijl Lucy 'Tachtig' zei.

'Hoeveel?'

Geschrokken om de uiteenlopende antwoorden zeiden Wic, Mouse en ik: 'Tachtig dollar', en Lucy maakte er zeventig van.

'Arrrrrh.' Hij grijnsde breed. 'Jullie zeggen zeventig dollar, jullie zeggen tachtig dollar... Waarom jullie zeggen zeventig of tachtig?'

De grijns verdween. Het had geen enkele zin te proberen hem uit te leggen dat Lucy, onze penningmeester, verantwoordelijk was voor het geld en dat zij dus de enige was die de juiste prijs wist. Nadat we dezelfde vraag nog minstens dertig keer hadden beantwoord, was het duidelijk dat er geen schot in de zaak zat. Gelukkig vond zelfs hij het toen welletjes. Met een nogal zelfgenoegzaam gezicht vroeg hij: 'Waarom jullie visa kopen in Bisjkek, niet in Engeland?'

We haalden diep adem. 'We hebben ze niet in Bisjkek gekocht, maar in Asjchabad. We konden ze niet in Engeland kopen omdat ze binnen twee maanden gebruikt moeten worden,' antwoordde Lucy overdreven geduldig.

'Jullie,' riep hij, 'waarom jullie niet visa kopen in Bisjkek?'

We vroegen ons af of hij ons echt ergens op wilde betrappen of dat hij alleen maar aan zijn collega's zijn uitstekende kennis van het Engels en zijn gezag wilde demonstreren. We hadden er genoeg van. Mouse haalde meneer Jin erbij en wij verlieten het kantoor om toezicht te houden op het doorzoeken van de vrachtwagen. Onze zorgvuldig ingepakte rugzakken waren leeggeschud op het asfalt en alles, van vuile was tot zonnebrandcrème, werd aandachtig bekeken. Tot onze schrik was de grote blauwe tas met de illegale satelliettelefoon ook op de grond gesmeten. De telefoon werd ontdekt, maar gelukkig wisten ze niet wat ze ermee aan moesten en namen ze hem niet in beslag. We kregen alleen maar het bevel hem bij de volgende en laatste douanepost aan te geven. 'Vanzelfsprekend,' zeiden we hoofdknikkend terwijl we terugliepen naar de jeep, Lucy met de verboden telefoon. Ze verstopte hem onder een stoel in de jeep en daar bleef hij rustig liggen tot we de grens veilig over waren. We ploften op de achterbank en hoopten dat meneer Jin het visaprobleem kon oplossen.

Opeens hoorden we in de verte iemand 'Sophia! Sophia!' roepen. De onverzettelijke douanebeambte had Mouses naam ontdekt op de vrachtwagen en eiste haar aanwezigheid. Na een zorgwekkend lange tijd kwam ze terug. Blijkbaar waren haar weer dezelfde vragen gesteld en had ze dezelfde antwoorden gegeven. Ten slotte kwam onze vijand met ferme passen naar de jeep toe en brulde, alsof hij het tegen een eskadron tanks had: 'Deur open!' In plaats daarvan draaiden we een raampje naar beneden, hij gaf ons onze paspoorten terug en beval dat we door moesten rijden. Dat deden we onmiddellijk.

Bij de laatste douanepost waren de grijnzende beambten tot onze opluchting meer geïnteresseerd in onze namen en geboorteplaatsen dan in onze documenten of eigendommen. In een mum van tijd waren we er klaar, hoera!

Niet veel later had meneer Jin ons naar ons eerste kamp in China gereden. Daar wachtten onze kamelen: negen dieren van voor de zondvloed, die tussen de populieren bedaard op blaadjes stonden te kauwen. Ze waren griezelig mager, maar zagen er toch heel majestueus uit en hun lome bewegingen gaven ze een statig aanzien. Sommige hadden grote bossen haar aan hun schoften hangen, wat ze niet minder statig maakte, maar waardoor wij ons bezorgd afvroegen of ze wel gezond waren. Maar meneer Jin verzekerde ons dat ze alleen maar in de rui waren, wat om de een of andere reden ook van invloed was op hun gewicht. We doopten ze Sir David Moon Boot, Queenie, Punk Rocker, Merlijn, DHL, Amec, Meredith-Jones, Neuroot en Wierook, hoewel het een poosje duurde voordat we konden onthouden wie wie was.

Vervolgens maakten we kennis met de twee kamelendrijvers, Rozi en Egem, twee jonge Kirgiezen uit een plaats ten zuiden van Kasjgar. Onze kok, meneer He, maakte een geestdriftige indruk en de chauffeur, meneer Lee, ook. De laatste droeg een short, een T-shirt en witte nylon handschoenen, die hij, zo bleek later, nooit uittrok, zelfs niet midden in de woestijn. Op dat moment vond Mouse hen allebei nog 'aanbiddelijk' en 'schattig', een oordeel dat helaas na verloop van tijd volkomen misplaatst bleek te zijn. Als laatste was er Sadiq, een Engelssprekende Oeigoer, die tot Kasjgar met ons mee zou gaan. We aten onze eerste Chinese maaltijd, rijst met roerbakgroenten, voordat we de tenten opzetten. Ik lag nog uren wakker en dacht aan Shamil en onze tijd in Centraal-Azië. Opeens was alles weer zo vreemd dat ik me verloren voelde en naar huis verlangde.

# 7 China, eindelijk

China, eindelijk. Hoewel ik Centraal-Azië nog steeds miste, was het toch spannend wakker te worden in China, waar alles, ook al lagen Kirgizië en de Torugartpas nog maar ruim honderdvijftig kilometer achter ons, anders was. Niet in de laatste plaats ons ontbijt, dat bestond uit gekruide groente en een omelet met tomaat, die we met stokjes aten en wegspoelden met de eeuwige groene thee. Tijdens deze voor ons vreemde maaltijd namen we afscheid van meneer Jin, die voor ons uit terugging naar Kasjgar.

Terwijl we de tenten afbraken, drentelden de kamelen als prehistorische monsters om ons heen en vraten kalm de boomgaard kaal waarin we ons kamp hadden opgeslagen. Er was ook een menigte kinderen en volwassenen toegestroomd, die onbeschaamd naar ons stond te staren – een gewoonte die tot onze ergernis door alle dorpelingen in China werd gedeeld. Ondanks de hitte droegen de meisjes fluwelen jurken, en ze hadden allemaal, als weerwolfjes, een dikke zwarte streep tussen hun wenkbrauwen getrokken. Blijkbaar worden doorlopende wenkbrauwen daar als het toppunt van schoonheid beschouwd.

Toen kwam het moment waar we erg tegenop hadden gezien: het bestijgen van de kamelen. Hoewel het Bactrische waren en ze dus een stuk kleiner waren dan hun neven, de dromedarissen, zagen ze er vergeleken met onze paarden angstaanjagend groot uit. De zadels, die hoog tussen de twee bulten balanceerden, waren van gestreept canvas en gevuld met stro. Ze waren vastgezet met dikke takken aan weerskanten die met kameelharen touwen aan elkaar vast waren gebonden, en hadden twee openingen om de bulten te laten ademen. Dit soort zadels wordt op de Zijderoute al ruim tweeduizend jaar gebruikt.

Lucy beschreef haar eerste ervaring op een kameel als volgt: 'Kameel op de grond. Been eroverheen. Heen en weer schuiven tot je goed zit. Geen probleem. Toen hief de kameel zijn kop op, strekte zijn achterpoten en werd ik naar voren gegooid op zijn nek. Ik greep wild naar de stokken die het zadel op zijn rug hielden en hield me stevig vast toen hij ook zijn voorpoten strekte en ik naar achteren werd gegooid.'

Ik was de volgende die deze procedure moest doorstaan en ik klemde me vast aan een pluk haar op de voorste bult van mijn kameel. Toen we allemaal zaten, zetten Rozi en Egem de dieren in twee rijen. Elke kameel had een houten neuspen met een touw eraan, dat aan het zadel van zijn voorganger vast werd gemaakt. Om ons te laten opstappen, moesten de dieren met hun poten onbeholpen onder hun lichaam gevouwen op de grond gaan liggen, maar Rozi en Egem brachten ons in verlegenheid door gewoon rechtstreeks in het zadel te springen. Zij bereden de voorste kamelen en namen ieder hun rijtje volgelingen mee naar de weg. Later kwamen we erachter dat het allemaal minder gemakkelijk was dan het leek en dat deze zo te zien eenvoudige manier van kamelen berijden grote kennis vereiste. Toen Lucy en ik een keer probeerden de voorste kamelen te leiden, weigerden ze een poot te verzetten of gingen in een kringetje rondlopen.

De bijna vijftig kilometer naar Kasjgar bestond uit met populieren omzoomde wegen, waar we voortdurend door toeterende jeeps en trucks werden ingehaald. De kamelen, die niet aan verkeer gewend waren, werden er nerveus van en stapten steeds angstig opzij. Ik werd er ook bang van en dwong Egem al na vijf minuten onze kleine karavaan tot stilstand te brengen zodat ik kon afstappen. Ik liep het hele eind naar Kasjgar, met twee enorme blaren en een onlesbare dorst. De anderen, die dapperder waren dan ik, liepen en reden afwisselend. Om twaalf uur hielden we halt om in de schaduw – het was al dertig graden – onze lunch te eten van abrikozen en rijstkoeken, die we in de zadeltassen hadden meegebracht. De kamelen mochten vrij grazen, maar opeens hoorden we een schelle kreet toen een ervan door zijn touw om een boom te wikkelen per ongeluk de pen uit de neus van een andere trok. Op de grond verscheen een grote plas bloed. Rozi en Egem, die blijkbaar aan dit soort voorvallen gewend waren, braken kalm een takje van een boom en staken dit door het bloedende neusgat om de gebroken pen te vervangen.

Tegen de tijd dat we de buitenwijken van Kasjgar bereikten en halt hielden om ergens een bijzonder welkom biertje te drinken, hadden Lucy en Wic zes uur in het zadel gezeten en konden ze hun benen nauwelijks meer recht krijgen. Voordat we ons hotel vonden, kwamen we onze hulpploeg tegen, die een fotograaf uit Beijing bij zich had. Hij wilde dat we op de kamelen naar de ingang van het hotel reden om foto's te maken. Met tegenzin steeg ik weer op en reed in doodsangst door twee afschuwelijk drukke straten.

Toen we door de poort van het hotel reden, zagen we iets ongelooflijks: boven het pad hing een enorme opblaasregenboog en aan weerskanten stond de hele staf van het hotel te applaudisseren. We wisten niet hoe we het hadden. Ten slotte mochten we afstijgen en naar binnen, en het enige waaraan we konden denken, was stromend water en een douche, want we hadden het ruim twee maanden zonder moeten doen.

Nadat we een paar kakkerlakken uit de badkamer hadden gezet, genoten we van de luxe. Daarna, toen we ons in bijna schone kleren een ander mens voelden, gingen we naar John's Café, beroemd in Kasjgar om zijn bananenpannenkoeken en fruitmilkshakes. Maar net toen we wilden gaan eten, kwam de manager naar ons toe. 'Zijn jullie die meisjes met de kamelen?' Het verbaasde ons dat nieuws in zo'n grote, drukke stad zo snel de ronde deed.

'Ja.'

'En jullie gaan helemaal naar Xian?'

'Ja.'

'Door de Taklamakan?'

'Ja.'

'Die weg heb ik een keer gereden, in vier dagen.'

'O ja?' We deden ons best om belangstellend te kijken.

'Er is niets te zien.'

'O nee?'

'Nee. Alleen woestijn, geen bomen, geen struiken, geen leven. Ik zei tegen de man die reed: "Laten we maken dat we hier wegkomen. Doe de ramen en deuren op slot en rij door." Niets te zien.'

Gelukkig vonden we de pannenkoeken zo lekker dat zijn onheilspellende woorden ons niet ongerust maakten, terwijl hij later gelijk bleek te hebben.

Toen we de volgende morgen wakker werden, verheugden we ons op een ontdekkingstocht door Kasjgar, een stad waarover we veel hadden gelezen. Kasjgar ligt in Xinjiang ('verre grens'), vroeger Oost-Turkestan, en de bevolking bestaat voornamelijk uit Oeigoeren, een Turks volk dat naar men zegt afstamt van de Hunnen.

In 138 v.C. vertrok een avontuurlijke jonge Chinese reiziger, Chang Ch'ien, vanuit Ch'ang-an (het tegenwoordige Xian) met een geheime opdracht van de Han-keizer, Wu-ti, om de in die tijd verafgelegen, mysterieuze gebieden in het westen te verkennen. Dertien jaar later kwam Chang Ch'ien eindelijk terug, met nieuws dat het hof danig in beroering bracht. De ontdekkingsreiziger vertelde de keizer niet alleen over Xinjiang, maar ook over de welvarende en tot dan toe onbekende koninkrijken Ferghana, Samarkand, Buchara en Balch. En de Chinezen hoorden ook voor het eerst van het bestaan van Perzië en een ander heel ver land, dat ze Li-jien noemden (zo goed als zeker was dit Rome). Als dank voor alle moeite gaf Keizer Wu-ti zijn afgezant de titel 'Grote Reiziger'. Chang Ch'ien, die vaak de vader van de Zijderoute wordt genoemd, wordt in China nog steeds geëerd, omdat hij degene was die als eerste een weg vond naar het westen, naar Europa, de weg die uiteindelijk de verbinding werd tussen de grootmachten uit die tijd: het keizerrijk China en het keizerrijk Rome. Maar pas in 73 n.C. werd Xinjiang formeel onder Chinees bestuur gesteld, door een militaire held, Ban Chao, die Kasjgar als hoofdkwartier gebruikte.

Na het einde van de Han-dynastie viel Kasjgar onder verschillende heersers, tot het werd opgeëist door de Tang-dynastie (618-907, de periode waarin de Zijderoute wat kunst en beschaving betreft op zijn hoogtepunt was). In het begin van de dertiende eeuw was de stad een van de eerste veroveringen van Dzjengis Khan. Pas in de tijd van de Ch'ing-dynastie (1644-1911) toonde China weer belangstelling voor de gebieden in het noordwesten.

In de tijd van het Grote Spel speelde Kasjgar een interessante rol. In 1865 besloot de verbannen islamitische heerser van deze stad dat hij zijn voormalige bezit van de Chinezen terug wilde hebben. Daarbij werd hij geholpen door een legertje onder aanvoering van de avonturier Yakub Beg, die beweerde een nakomeling van Tamerlane te zijn. Nadat Yakub Beg erin was geslaagd Kasjgar en Yarkand te heroveren, ontdeed hij zich meedogenloos van zijn beschermheer en riep zichzelf uit tot heerser van het nieuwe land Kasjgaria. Hij eigende zich steeds meer stukjes van het Chinese Turkestan toe, tot zijn leger ten slotte door de Chinezen werd verslagen en hij naar Kasjgar moest vluchten, waar hij in 1877 stierf.

Bijna alle beroemde reizigers over de Zijderoute, met inbegrip van Marco Polo, Peter Fleming en Hsuan-tsang, de grote boeddhistische pelgrim uit de zevende eeuw, hebben Kasjgar aangedaan.

Marco Polo schreef over deze stad: 'Cascar is een streek tussen het noordoosten en het oosten; het was vroeger een koninkrijk, maar nu valt het onder de Grote Kan. De mensen aanbidden Mohammed. Er liggen vrij veel steden en dorpen, maar de grootste, mooiste stad is Cascar zelf... Vanuit dit gebied trekken veel kooplieden met hun handelswaar de wereld in. De inwoners zijn beklagenswaardige, vrekkige mensen; ze eten en drinken op een armzalige manier...'

Na het ontbijt in ons hotel, dat bestond uit ingemaakte zwarte eieren en hompen taai, ongebakken brood, leek deze beschrijving helaas ook op Kasjgar in de twintigste eeuw van toepassing te zijn. Sadiq kwam ons halen en we verlieten het rustige hotel en slenterden door straten die ons deden denken aan de kleurrijke drukte en hitte die Kiplings Kim langs de 'Grote Weg' ondervond: 'Een rivier van leven die je nergens anders ter wereld ziet'. Het verkeer bestond voornamelijk uit ezelkarren, maar overal zagen we ook andere dieren, behalve honden, die het jaar daarvoor blijkbaar allemaal waren gedood vanwege een hondsdolheidepidemie. Op elke straathoek werd eten verkocht, meestal in een ronde lemen oven gebakken, en langs de straten lagen stapels meloenen. De mannen droegen, waarschijnlijk net als hun voorvaderen, een wijde broek, een lange, loshangende jas die met een sjerp om het middel werd gesloten en een islamitisch kalotje. De vrouwen hadden een jurk aan en vaak een bruine wollen sjaal over hun hoofd en een deel van hun gezicht. Na de rust en de verlatenheid van Kirgizië was het een schok opeens in dat lawaaiige, hete stadsgewoel te lopen.

Die morgen besteedden we een paar uur aan het kopen van touw, tassen, spiegels, doorgestikte dekens en dunne katoenen stoffen. Vervolgens gingen we naar een kleermaker om van de stoffen broeken en blouses te laten maken. Zijn atelier was een vertrekje vol jonge meisjes aan ouderwetse Singer-naaimachines. Daarna bezochten we een Oeigoerse arts, wiens voorouders al ruim vierhonderd jaar de geneeskunst bedreven. Wic wilde hem raadplegen over uitslag op haar armen die ze de afgelopen maand had ontwikkeld. Hij beweerde meteen te weten wat het was: een gif in het bloed dat naar de oppervlakte was gestegen, en gaf haar een kleverige zwarte zalf die ze met olie moest mengen en erop smeren, dan zou het over een maand over zijn.

Later die dag nam Sadiq ons mee naar de avondmarkt: lange rijen voedselkraampjes in een aantal straten, waar ze meelballen, kebabs en mie verkochten. Hij stelde nadrukkelijk dat Marco Polo's minachtende beschrijving van Kasjgaars eten alleen van toepassing was op Chinese gerechten en dat Oeigoers eten van een heel andere orde was. Om te laten zien dat hij gelijk had, nam hij ons mee naar een Oeigoers café, waar we mie met groente aten. Net als in alle andere restaurants in Xinjiang ging het er heel vrijblijvend aan toe; de mensen zaten alleen of met anderen aan tafeltjes te eten, maar ze praatten er niet bij. De eigenaar was ervan overtuigd dat we er de vorige dag ook waren geweest – zij vinden het net zo moeilijk Europeanen uit elkaar te houden als wij Aziaten.

Onder het eten vertelde Sadiq ons iets over de politiek in Xinjiang. Anders dan in Centraal-Azië, waar veel mensen het vertrek van de Russen betreuren, hebben de Oeigoeren een hekel aan de Chinezen, ook al hebben ze een veel langere geschiedenis van kolonisatie. Hij zei dat Chinezen en Oeigoeren, net als Russen en autochtone volken in Centraal-Azië, zelden met elkaar trouwen, en als het toch voorkomt, trouwt een Han-Chinees met een Oeigoerse vrouw. Het jaar daarvoor was er in Xinjiang enkele malen een bomaanslag gepleegd, door Oeigoeren tegen Chinezen, en volgens Sadiq heerste er in Kasjgar en andere grote steden in Xinjiang sindsdien een erg onzekere sfeer. Hij schatte dat van de Oeigoerse bevolking tachtig procent tegen de Chinezen is maar geen politieke actie neemt, dat tien procent profijt heeft van de communisten en daarom niets doet, en dat de laatste tien procent de bomaanslagen steunt. Hijzelf hoorde bij de laatste groep en noemde de daders 'dapper'.

Toen we de mie met groente op hadden, die inderdaad heerlijk had gesmaakt, nam Sadiq ons mee naar een kraampje op straat en bestelde daar meelballen, kebabs en bier. Na de overvloedige maaltijd konden we ons nauwelijks meer bewegen en ondanks Sadiqs smeekbeden om mee te gaan naar een nachtclub wilden we alleen nog maar naar bed.

Nadat we die nacht ondanks de hitte prima hadden geslapen, gingen we terug naar het restaurant van de vorige avond en ontbeten daar met verrassend lekkere, kruidige groente in gelei en gebakken meelballen. Om tien uur was het alweer dertig graden; we konden ons nauwelijks meer voorstellen dat we een paar dagen geleden in de tent hadden geschuild voor sneeuw. In plaats van de dikke rijbroeken en jassen droegen we nu T-shirts en de wijde broeken die de kleermaker voor ons had gemaakt. Sadiq stelde een bezoek voor aan het Abakh Hoja-mausoleum, dat in 1640 was gebouwd door Abakh, een beroemde islamitische leider, als eerbetoon aan zijn vader. In zalige afzondering lag het een eind bij het drukke stadscentrum vandaan. Wij waren die morgen de eerste bezoekers en toen we voor het hek stonden te wachten, zagen we twee Oeigoerse vrouwen onder een moerbeiboom zijde spinnen. De ene vrouw, van top tot teen gekleed in zijde met een ruitpatroon, kookte ongeveer honderd gedroogde zijdemotcocons in een groot vat water, om ze zacht te maken opdat de dunne zijden draden zich los zouden wikkelen. Als het zover was, haalde ze ze uit het water en stak de draden door een vierkant raam naar de andere vrouw, die ze spon op een wiel en vervolgens op een klos wond. Daarna waren de draden zo strak en dun dat ze geverfd en verder verwerkt konden worden.

Sadiq trok ons mee om ons het mausoleum te laten zien, dat op een lapjesdeken van akkers en begraafplaatsen stond. Het met blauwe en groene tegels bedekte gebouw met koepeldak ligt bijna helemaal vol met anonieme graven, naar men zegt met tweeënzeventig lichamen van vijf generaties politieke en religieuze leiders, onder wie Yakub Beg, de rebel die door de Chinezen werd verslagen.

We verlieten de serene tombe en gingen naar de markt. Kasjgar, met zijn strategische ligging vanwege het knooppunt van de zuidelijke en noordelijke routes door de Taklamakan in het oosten en de wegen naar India en Centraal-Azië in het westen, is sinds de tijd van de Zijderoute nog steeds een handelscentrum. Op de beroemde zondagsbazaar, waar ze alles verkopen, van hangbilschapen tot bontmutsen, was het toen we er rond het middaguur aankwamen een drukte van belang. Het was al een hele prestatie er te komen, want tot kilometers in de omtrek waren de wegen versperd door ezelkarren, fietsen, kruiwagens en auto's vol koopwaar. Overal zag je dieren, sommige aan een touw, andere in toom gehouden met een stok. De heksenketel van geschreeuw, geblaat, geloei en snerpende muziek in die hitte was overweldigend. Sadiq nam ons mee naar een open plek omringd door voedselkraampjes. Het midden van de markt was bestemd voor de dieren: ezels, schapen, geiten, koeien, stieren en kippen, allemaal in een aparte afdeling, waar ze door eventuele kopers werden bekeken en betast. Aan het eind was een open plek voor het inspecteren van paarden, en een groepje vuile jongens galoppeerde er in de stofwolken heen en weer. Af en toe kwam er een man om een ezel uit te proberen, en steeds weer gaf het dier er zo gauw mogelijk schoppend en bokkend de brui aan en moest zijn berijder soms in het stof bijten.

We ontsnapten naar de betrekkelijke koelte van de bazaar zelf, opgezet in een ruitpatroon en beschaduwd door bonte doeken boven de houten kramen. Algauw waren we druk aan het onderhandelen over de prijs van bontmutsen van lynx, handdoeken, zakken, shampoo, gedroogde vijgen en stokvormige koeken, maar na een uur vond Sadiq dat het tijd was voor 'De Boomgaard', een Oeigoers restaurant buiten de bazaar onder een groepje fruitbomen. We moesten een paar steegjes door om er te komen en zagen dat het bestond uit een verzameling tafeltjes rondom een soort platform. Het zat er vol mensen: oude mannen die mahjong speelden, babbelende vrouwen, drinkende jongemannen en kinderen die overal tussendoor renden. Om een uur of twee werd het platform in gebruik genomen door een Oeigoer die jammerende muziek begon te spelen en mensen die met wiegende heupen begonnen te dansen. Te midden van de deinende massa aten we kebabs en meloen, en Sadiqs verloofde kwam ons gezelschap houden. Ze was een heel mooi, zedig uitziend Oeigoers meisje met donkere ogen en een sjaal over haar haren. In tegenstelling tot Sadiq, die aan een stuk door praatte en zeer gretig bier dronk, zat zij er de hele middag glimlachend maar zwijgend bij. Onze tijd in Kasjgar was bijna om, de volgende dag zouden we eindelijk de woestijn ingaan. Ik vroeg Sadiq een paar keer hoe heet het daar zou zijn en steeds antwoordde hij ontwijkend: 'Net als hier.'

'En wanneer wordt het koeler?'

'Eh, ongeveer eind juli.'

'O, dat is geweldig! Ze hadden ons gezegd dat dat pas eind september zou gebeuren.'

De voorspelling uit Engeland bleek accurater te zijn dan die van Sadiq, maar achteraf gezien was het beter dat we dit toen niet wisten, omdat de gedachte dat we die verschrikkelijke hitte nog drie maanden zouden moeten verdragen ons er misschien toe zou hebben bewogen de rest van de reis voor gezien te houden.

Na te hebben genoten van onze laatste nacht in het hotel bestegen we onze kamelen op het binnenplein, waar ze het hele weekeinde hadden lopen grazen. Rozi en Egem namen opnieuw de leiding van onze twee kleine karavanen en wij volgden nerveus, Kasjgar in zuidelijke richting verlatend. We hadden echter niet voorzien dat we, voordat we de stad achter ons konden laten, een omweg van twee uur zouden maken omdat de fotograaf weer was opgedoken en allerlei lumineuze ideeën had. Pas later hoorden we dat hij was ingehuurd door de cynische Chinese organisatie die de logistiek verzorgde om foto's van ons voor hun volgende advertentiecampagne te gebruiken.

Onze eerste halte was de grote bazaar. Gelukkig was het

geen zondag, hoewel het verkeer nog steeds een chaos was. Het krioelde er van de ezelkarren, kuddes schapen en kinderen, die zelfs tussen de kamelen door renden, en uit luidsprekers schalde muziek die klonk als gekweel met begeleiding van een wespenorkest. De kamelen draafden er schichtig doorheen en rukten paniekerig aan elkaars neuspennen. Ik werd weer doodsbang en smeekte Rozi te stoppen om te kunnen afstappen.

De situatie werd iets minder beangstigend toen de kamelen plotseling een smalle zijstraat insloegen die deel uitmaakte van het netwerk van straatjes door de oude stad. Hier waren de huizen veel rommeliger; de meeste waren van leem of hout en vaak hadden ze een balkonnetje, dat vlak boven de straat hing. IJverige handwerkslieden – smeden, metaalbewerkers, timmerlieden, kleermakers – maakten reclame voor hun producten door ze op straat uit te stallen of aan kraampjes te hangen.

Uiteindelijk verlieten we de doolhof van steegjes en kwamen bij de Id Kah-moskee, een van de grootste moskeeën in China. Hij is in 1442 gebouwd en is tijdens de Culturele Revolutie zwaar beschadigd, maar inmiddels is hij in zijn oude glorie hersteld. De warmgeel betegelde buitenkant stak prachtig af tegen de felblauwe lucht, en de fotograaf besloot van de schilderachtige achtergrond gebruik te maken. Inmiddels stond er een grote menigte om ons heen, die verbaasd toekeek hoe Rozi en Egem de kamelen voor- en achteruit lieten stappen, terwijl er zomaar ergens vandaan ook nog een cameraman van de televisie was opgedoken.

Eindelijk mochten we de reis voortzetten. Naarmate de uren verstreken en we verder naar het oosten reden, werd het verkeer minder, maar nog steeds kwam er af en toe een auto met gierende banden voor ons tot stilstand en sprong de cameraman van de achterbank. De zon scheen fel en de thermometers op onze horloges bleven staan op vierendertig graden. Na een rit van ongeveer vijfendertig kilometer waren we blij toen we aan het eind van de dag ons kamp zagen liggen.

Net toen we de kamelen hadden vastgebonden en onze dorst wilden lessen, dook de fotograaf weer op en drong erop aan dat we nog een paar kilometer verder zouden rijden, waar een maagdelijke duinenrij een ideaal decor zou vormen. Wij protesteerden, maar blijkbaar had Sadiq uit Beijing strenge instructies meegekregen. Hij haalde ons over weer op onze arme, vermoeide kamelen te klimmen en mét Rozi en Egem naar de duinen te rijden. Intussen pakten Sadiq, meneer Li en meneer He alles weer in en kwamen met de vrachtwagen achter ons aan. Opnieuw trokken we een nieuwsgierig publiek, dat vooral belangstelling had voor de tenten en slaapzakken.

De volgende morgen om acht uur vervolgden we onze weg, oostwaarts de Taklamakan in. Er loopt één weg langs het noorden van deze woestijn en één langs het zuiden en wij hadden voor de laatste gekozen, omdat deze tak van de Zijderoute later nooit meer per kameel was genomen. Onze route was in Kasjgar als asfaltweg begonnen, maar in oostelijke richting ging hij over in een stenig zandpad. Hoewel de weg werd beschaduwd door populieren, kwamen we algauw tot de conclusie dat je in een gebied waar de temperatuur maandenlang boven de vijfendertig graden ligt, alleen kunt opschieten als je voor zonsopgang opstaat. We besloten de volgende dag met het nieuwe schema te beginnen en te rijden tot het middaguur.

We werden voor de tweede keer die dag onzeker toen we een paar karren tegenkwamen die werden getrokken door Bactrische kamelen. Tot op dat moment hadden we aangenomen dat onze magere dieren de geschikte soort waren, omdat meneer Jin ons een paar keer had verzekerd dat ze er alleen maar zo sjofel uitzagen omdat ze in de rui waren. Maar toen we die stevige, glanzende dieren met fiere bulten zagen, voelden we ons misleid. Meneer Jin had Mouse beloofd dat onze kamelen vanaf drie maanden voor onze komst extra voer en rust zouden krijgen, maar het was duidelijk te zien dat de scharminkels met hun slappe bulten al heel lang niet fatsoenlijk te eten hadden gekregen. Sadiq beloofde dat hij vanuit een dorp langs de weg het hoofdkwartier in Beijing zou bellen. Helaas hadden we in China, waar je zonder tussenkomst van een officiële instantie niet mag rondreizen, via het bedrijf van ene meneer Ma in Beijing, ongeveer achtenveertighonderd kilometer verder, onze kamelen moeten kopen en de gidsen moeten huren. Sadiq hield vol dat we zonder goedkeuring van meneer Ma niet mochten besluiten nieuwe kamelen te kopen. Er zat niets anders op dan ongeduldig uitkijken naar een dorp.

Om elf uur kwamen we bij een veld met groen gras en bezorgd om onze dieren lieten we ze daar grazen, terwijl wij ons te goed deden aan de twee suikermeloenen die Sadiq in zijn zadeltas had meegebracht. Daarna dreven we de kamelen uit het hoge gras naar de weg en om half een zetten we de reis voort. De grote hitte had me gedwongen mijn angst voor het berijden van een kameel te overwinnen. Het was zo heet dat ik niet langer dan een uur kon lopen, want dan had ik barstende hoofdpijn, dus ik had geen keus.

Vroeg in de midddag naderden we Yengisar, dat beroemd is om zijn messen – zo hoorden we van een glimlachende Oeigoer met een pet op een fiets. We glimlachten terug en hij zei: 'Englia?' 'Ja, we komen uit Engeland.' Daarmee hield het gesprek op, en toen haalde hij een schede van zijn gordel en trok daar een groot mes uit, waarmee hij tot haar schrik naar

Lucy wees. Toen hij 'bazaar' zei, haalden we opgelucht adem, want hij wilde ons het mes alleen maar verkopen.

We reden door Yengisar, een groep lemen huizen met een stoffige hoofdstraat, en zagen aan de andere kant in de verte een enorm waterreservoir liggen. Het schitterde in de zon en we vroegen Sadiq verlangend of we erin konden zwemmen. 'Nee, het is vuil.' We sloegen vlak bij de oever ons kamp op, met naar het zuiden uitzicht op de uitlopers van het Kun Lun-gebergte. Maar doordat we zo dicht bij het water waren, werden we de hele nacht geplaagd door zwermen muggen.

De volgende morgen stonden we om half zes op. Eigenlijk wilden we om zes uur vertrekken, maar bezorgdheid om de kamelen weerhield ons daarvan. Een van de dieren was pijnlijk mager en had grote rauwe plekken op zijn buik, waar de zadeltouwen langs schuurden. We vroegen Rozi en Egem het zadel eraf te halen en in de vrachtwagen te leggen, want we dachten niet dat we hem nog als rijdier konden gebruiken. Uiteindelijk vertrokken we om zeven uur en toen was het al behoorlijk heet. In een dorp onderweg werden we uitgenodigd om in de boomgaard van een inwoner abrikozen te komen eten. We liepen door zijn comfortabele lemen huis, dat werd beschaduwd door een wijnrank en waar binnen aan één kant grote vierkante banken stonden met gewatteerde dekens erop. De boomgaard achter het erf was klein, maar de bomen waren dichtbegroeid en we ontdeden een paar takken van de sappige vruchten. De oude man was erg teleurgesteld omdat we weer zo gauw weg moesten (vanwege de hitte), want nu kreeg hij niet eens de tijd om speciaal voor ons een schaap te slachten. Later vertelde Sadiq ons dat de oude man onze kleren verschrikkelijk had gevonden. Blijkbaar had hij verwacht dat we prachtige jurken zouden dragen in plaats van vuile, gescheurde katoenen broeken, T-shirts en afgetrapte laarzen.

Ongeveer een uur later kwam er goddank bewolking opzetten en het begon zelfs te regenen. We wikkelden ons in de groene gewatteerde dekens die we op het zadel hadden gelegd en de verf sijpelde in al onze kleren. In het kamp schuilden we in de truck tot de regen ophield. Het was een heerlijke onderbreking van de zonnehitte, hoewel het eigenlijk nauwelijks koeler werd. Die avond ontvingen we e-mail, ook van Charty en Rachel. Ze waren veilig in Tasjkent aangekomen, samen met Shamil, Sergei, Zula en Max. Rachel vertelde me over Shamil en een bandje dat ik hem bij ons afscheid had gegeven: 'Hij kwijnt weg van verlangen en speelt het Elvisbandje wanneer hij maar kan, in taxi's, restaurants...' Ik moest ervan huilen en de hele avond zat ik apart en probeerde me alles te herinneren wat Shamil ooit tegen me had gezegd.

De volgende morgen werden we om half zes wakker en zagen een dramatisch roze lucht boven de Kun Lun. Toen de zon hoger kwam te staan, werden de bergen wazig geel. We pakten alles zo vlug mogelijk in om de hitte zoveel mogelijk voor te zijn. Afwisselend liepen we een stuk en reden we een paar uur op de kamelen, over de lange, rechte weg naar ons volgende kamp, die zelfs geen helling of bocht had om de tocht wat spannender te maken. Slechts de hitte van de zon en de twee rijen telegraafpalen langs de weg maakten duidelijk dat wij en de dag vorderingen maakten. Na vijf uur waren de bergen rechts van ons verdwenen en bevonden we ons in een onafzienbare zee van grijs zand, die zich naar alle kanten uitstrekte.

In het kamp hielpen meloenen en groene thee onze voortdurende dorst te lessen, en roerloos lagen we onder een lap die over vier palen was gehangen te wachten tot de zon onderging. Sadiq was erin geslaagd Beijing te raadplegen over de kamelen, maar hij had geen goed nieuws. Hij had te horen gekregen dat niet wij verantwoordelijk voor ze waren, maar dat meneer Ma dat was, en dat we gewoon moesten wachten tot ze doodgingen. We besloten dat we niets konden ondernemen tot we een andere gids kregen, die zich over een paar dagen bij ons zou aansluiten.

Die avond namen we onze eerste en laatste douche uit de tank op de truck. Privacy was onmogelijk, dus we verborgen ons zo goed mogelijk achter de auto om van het door de zon opgewarmde water te genieten, terwijl passerende vrachtwagenchauffeurs zo nu en dan naar ons toeterden. Plotseling werd Lucy doodziek, met verschrikkelijke buikkrampen. Ze ging met de flap open in haar tent liggen en Sadiq stelde allerlei vragen: 'Wanneer is het begonnen?' 'Wat heb je vandaag gegeten?' 'Loopt je mest eruit?' Daar moesten we vreselijk om lachen, ook al hoopten we dat het geen dysenterie was.

Hoewel we die morgen bij het aanbreken van de dag waren opgestaan, vonden we dat eigenlijk nog niet vroeg genoeg, omdat we de laatste twee uur van de rit in de gloeiende zon hadden moeten afleggen. Met tegenzin besloten we dat we in het vervolg in het donker moesten opstaan om zodra het licht werd van start te kunnen gaan. De volgende morgen om vier uur kropen we uit onze slaapzakken om bij het licht van zaklantaarns de tenten en andere spullen in te pakken. Lucy had geen oog dichtgedaan en was nog steeds misselijk, dus we besloten dat zij in de truck moest gaan liggen. Om vijf uur, toen de zon opging, vertrokken we en genoten het eerste uur van niet-verstikkende lucht en onbezwete kleren. Maar tegen zevenen werd het alweer heet en tegen achten werd het zicht wazig. De weg liep recht naar de horizon. Af en toe verscheen er in de verte een zwart stipje, dat in de hittesluiers pas een paar meter voor ons herkenbaar werd. Op een bepaald moment was ik er heilig van overtuigd dat een naderende vrachtwagen een andere kamelenkaravaan was.

Na een week waren we aan de deinende gang van de kamelen gewend en werkte die zelfs slaapverwekkend. Wic schreef: 'Terwijl de minuten en uren voorbijgaan zonder veel bezienswaardigs om me heen om mijn fantasie te stimuleren, merk ik dat ik maar al te gemakkelijk mijn ogen sluit en me door het ritmische geschommel van mijn kameel in slaap laat wiegen. Soms geef ik mijn ogen rust door ze dicht te doen en als ik ze dan weer open, weet ik even niet meer waar ik ben.' Rozi en Egem moesten zich voortdurend omdraaien om te controlen of we niet waren ingedommeld.

Gelukkig werden we laat in de morgen verblijd met de aanblik van een grote oase, met de steden Yarkand en Karghalik. Het was een abrupte, wonderbaarlijke overgang van de grijze rotsachtige woestijn naar de groene, vruchtbare oase. Slechts een modderig riviertje van hooguit anderhalve meter breed diende als natuurlijke grens tussen deze twee uitersten. Opnieuw werd de weg omzoomd door populieren, maar anders dan in Centraal-Azië ritselden ze niet. Het bleef windstil en benauwd.

Ergens op een beschaduwde plek langs de weg viel mijn blik op een prachtig tapijt van feloranje abrikozen, dat door een groepje mannen en vrouwen zorgvuldig werd neergelegd. Onze truck reed ons voorbij en stopte. Lucy, die er nog slechter uitzag dan bij het opstaan die morgen, zat voorin. Ze was grauwbleek en had donkere kringen onder bloeddoorlopen ogen. Sadiq had besloten haar naar het ziekenhuis in Yarkand te brengen, dat vanaf ons kamp maar een kwartier rijden was.

We zouden Lucy later opzoeken, maar eerst moesten we kennismaken met onze nieuwe gids. Met ons vergeleken zag hij er schoon en fris uit. Mamat-Jan, ofwel Marmite Jam, zoals we hem gingen noemen, was een Oeigoer die zowel Chinees als Engels sprak. Tot onze schrik was hij pas eenentwintig, even oud als mijn jongere broer, maar het leek ons beter hem niet te vragen hoeveel ervaring hij met woestijnreizen had. Nadat we ons allemaal aan elkaar hadden voorgesteld, bracht meneer Li ons naar het ziekenhuis, een gebouwtje met kamers die op cellen leken aan een smalle gang. De patiënten lagen op gammele bedden, en het weergalmde er van het gekreun en kindergehuil. Lucy lag te slapen in een kamer met twee lege bedden. Ook al maakte ze nog een zwakke indruk, ze zag er al beter uit. Maar algauw begon Mouse zich ook niet lekker te voelen, en ze ging op een van de bedden naast Lucy liggen.

De rest van ons ging op pad om ergens mie te kopen en toen we daarna terugkwamen, was Mouse er ellendig aan toe. Zij en Lucy kregen ieder een piepklein doosje en een glazen flesje, en de opdracht die met monsters te vullen. Een uur later kwam er een forse verpleegster de kamer binnenbanjeren met een blad met middeleeuws uitziende instrumenten. Ze pakte een wattenstaafje, liep naar Lucy toe en begon aan haar broek te trekken. Lucy schrok zich een hoedje, maar toen begon ze te giechelen en gebood ons de andere kant op te kijken terwijl de delicate handeling werd uitgevoerd. Even later kwam de imposante verpleegkundige terug met een schoon wattenstaafje, en Mouse werd nog bleker. Alsof het vooruitzicht op de marteling niet genoeg was, draaide de verpleegkundige eerst een paar keer met haar schouders voordat ze zich over de tweede patiënt boog.

Tegen de middag werd de langverwachte diagnose bekend gemaakt: ze leden aan 'diarree nummer twee'. Deze informatie stelde ons nauwelijks gerust. Voordat Wic en ik weggingen, zagen we dat de twee zieken aan een infuus werden gelegd dat aan een kromme, roestige paal hing. We vroegen hoe ze naar de wc moesten, want de infuuspalen waren niet ontworpen om mee te lopen en de mestvaalt, zoals Sadiq het noemde, bevond zich buiten op het binnenplein. Bij wijze van antwoord werd gewezen naar een plastic teiltje in een hoek van de kamer.

Terug in het kamp werden we begroet door wat eruitzag als de complete provinciale politiemacht. Blijkbaar gaf de plaatselijke misdaad ze niet genoeg te doen, want via Mamat-Jan deelden ze ons mee dat het kamp dag en nacht bewaakt moest worden. Verbaasd zagen we dat ze hun slaapzakken vlak naast onze tenten legden. Dat was vooral erg vervelend voor Wic, want zij voelde zich inmiddels ook niet lekker en moest die nacht aan één stuk door naar de wc. De volgende morgen kwam Mamat-Jan een beetje verlegen naar ons toe.

'Eh...'

'Wat is er?'

'Eh, misschien moeten jullie 's nachts voortaan op één plek naar de wc gaan.'

Blijkbaar hadden de agenten toen het licht werd een onplezierige verrassing gekregen.

Wic en ik klommen op de kamelen en gingen op weg, met een raar gevoel omdat Lucy en Mouse er niet bij waren. Maar om een uur of zeven kon zij het ook niet langer volhouden. We zeiden tegen Mamat-Jan dat Wic net als de anderen naar het ziekenhuis moest, waar ze een tijdje later het tweede lege bed in beslag nam. Ze bood de verpleegkundige een 'mestmonster' aan, maar dat werd geweigerd omdat de artsen in het weekeinde vrij hadden.

Twee minuten later kwam er een arts binnen. Via Sadiq ondervroeg hij Lucy zorgvuldig, maar hij besteedde geen aandacht aan de anderen. Toen hij ervan overtuigd was dat ze iets beter was dan de vorige dag, vertrok hij. Vervolgens kwam Gulina binnen, een zestienjarig Oeigoers meisje dat de vorige avond de taak op zich had genomen Lucy en Mouse koelte toe te wuiven. Deze keer had ze een groepje vriendinnen bij zich, om hun de buitenlanders te laten zien en hun te laten horen hoe goed ze Engels sprak (wat waar was). De rest van de dag kwam ze regelmatig langs, en ze vond het absoluut niet gênant dat Wic voortdurend op haar hurken boven het teiltje hing. De enige andere bezoeker was een schoonmaak-ster, een zuur kijkende Oeigoerse vrouw, die een vuile zwab-ber in vies water doopte en over de vloer trok.

De rest van de dag bracht ik met Rozi en Egem door, afwis-selend rijdend en lopend, zoals gewoonlijk. We legden bijna dertig kilometer af en verlieten de oase van Yarkand om weer de verlaten woestijn in te trekken. Mamat-Jan vertelde me opgewonden dat hij een kleine herberg had gevonden waar de kamelen en ik de nacht konden doorbrengen. Ik verheug-de me erop die nacht niet in de tent te hoeven slapen, maar ik dacht er anders over toen ik de kamer zag. Hij had geen ra-men en geen elektrisch licht, en was een soort zwart gat. In een hoek ontwaarde ik een krakkemikkig ijzeren bed, en het krioelde er van de insecten. Ik besloot mijn kampeermatras op de lemen vloer te leggen om de bedwantsen in elk geval te ontwijken.

Voordat ik ging slapen bracht Mamat-Jan me een emmer vuil water om me mee te wassen. Ik had het zo warm en was zo plakkerig van het zweet dat ik hem aannam in de hoop dat ik er ten minste van zou afkoelen. Ik voelde me erg eenzaam zonder de anderen. De hulpploeg sliep in andere kamers rondom het binnenplein, maar toch was ik bang om de deur open te laten uit angst voor een paar mannen die eerder die avond naar me hadden zitten staren. Het was verstikkend heet in de kamer en ik lag doodstil om het zweten te beperken. Ondanks mijn pogingen om de insecten bij me vandaan te houden, voelde ik het overal kriebelen. Net toen ik eindelijk in slaap dommelde, werd er hard op de deur gebonsd. Zenuwachtig deed ik open en zag een verschrompeld oud vrouwtje staan. Ze duwde me opzij, liep de kamer in, pakte de emmer en nam hem mee, zonder een woord te zeggen.

De volgende morgen had ik de grootste moeite met opstaan. Na een week om vier uur te zijn gewekt, was ik zo moe dat ik bijna niet meer kon lopen en reed het grootste deel van de morgen op Moon Boot, die we zo hadden genoemd vanwege de weelderige vacht onder aan zijn poten. Terwijl we het dorp uitreden, trok hij met zijn lange lippen aan elke tak die hij zag, waarbij hij regelmatig struikelde.

Om half elf bereikten we ons kamp aan de rand van een nederzetting. Opnieuw hadden we bijna dertig kilometer afgelegd – de kamelen liepen vijf kilometer per uur, niet meer en niet minder. Toen we het kamp naderden, hadden Rozi's spiedende ogen een meisje met een fietstaxi gezien, en zij bood aan me een lift te geven. Ik had op onze reis nog niet eerder iemand gezien die er zo bizar uitzag. Met haar brede mond en grove, golvende zwarte haar leek ze eerder een aboriginal dan een Chinese of Oeigoerse, en ze had haar gezicht wit bepoederd, precies tot aan haar hals. Onderweg begon de poeder in de hitte uit te lopen, maar dat deed geen afbreuk aan Rozi's bewondering. Het meisje ging weg en kwam terug met een zakje eieren voor mij, en ze legde koket haar oranje schort op Rozi's gewatteerde deken. Toen kwamen de anderen per taxi terug uit het ziekenhuis. Ze waren weer helemaal opgeknapt en we aten een heerlijk avondmaal van zelfgebakken brood en mie, blij dat we na mijn eenzame dagen weer bij elkaar waren.

Sadiq vermaakte ons die avond door ons zijn versie te geven van de reacties van het ziekenhuispersoneel op onze verschijning. Blijkbaar had het grote verbazing en zelfs afschuw gewekt dat we zo blank, blond en groot waren. Ze vonden dat Mouse en ik met ons blonde haar en blauwe ogen op geesten leken, en iedere man die ons in het donker tegenkwam, zou zich rot schrikken. De artsen hadden Sadiq een paar keer gevraagd wat Wic en Lucy aten waardoor ze zo lang als mannen waren geworden. Oeigoeren hebben een donker uiterlijk en zijn in het algemeen kleiner dan Europeanen. Dit zuidelijke, landelijke deel van Xinjiang was pas sinds kort toegankelijk voor buitenlanders en vaak waren wij de eersten van die soort die ze zagen. Vanaf dat moment voelde ik me ongemakkelijk wanneer ik door een Oeigoers dorp liep en alle dorpelingen naar me zag staren.

Die avond namen we afscheid van Sadiq, die ons met tegenzin verliet (het was goedbetaald werk voor hem) en die de laatste paar dagen Mamat-Jan voortdurend had bekritiseerd in de hoop dat we hem de laan uit zouden sturen. Niet alleen vonden we het jammer dat we hem en zijn amusante verhalen zouden moeten missen, maar ook vroegen we ons af of Mamat-Jan wel zou voldoen. Meneer Jin had hem echter van harte aanbevolen, dus ondanks zijn jeugd vonden we dat we hem een kans moesten geven.

De volgende morgen was het bijna koud; de zon ging schuil achter een dik wolkendek. Maar een paar uur later was het alweer vreselijk warm en benauwd. De weg liep door Karghalik, een weelderige oase, langs moerasland, velden en verzorgde akkers met groente. Toen de kamelen langs een groepje lemen huizen met platte daken liepen, hadden we vanaf onze hoge zitplaats een prachtig uitzicht op wat Mouse het 'Oeigoerse dakenrijk' noemde, met boven de stoffige we-

gen plantenmanden, wijnstokken en zelfs miniatuurgroente-
tuintjes.

Zoals gewoonlijk staarde de lokale bevolking vol verbazing
naar onze stoet. Mannen legden hun gereedschap neer en bekeken ons met grote ogen, kinderen begonnen te gillen en
vrouwen begluurden ons vanonder hun hoofddoek. Het verkeer op straat bestond uit paard-en-wagens, een ezelkar met
geiten erin, vrouwen die met houten schoffels naar de akkers
liepen en een kleine kar vol mannen met kalotjes.

De volgende dag was onze eerste rustdag in bijna twee weken, dus die nacht logeerden we in het kleine, eenvoudige
berghotel in Karghalik. Het was zalig om de volgende morgen
pas laat wakker te worden en te weten dat we net zo lang konden uitslapen als we wilden. Daar pas beseften we hoe moe we
waren. We brachten het grootste deel van de dag door met slapen en lezen, en verlieten de kamers alleen om in het restaurant iets te eten. De serveerster, blij dat ze eindelijk een paar
klanten mocht bedienen, rende met een brede glimlach op
haar gezicht tussen de keuken en de eetzaal heen en weer. We
wisten niet precies wat we voorgezet kregen, want alles was
in deeg gefrituurd. In elk geval herkenden we aubergines in
deeg, schapenvlees in deeg en tot ons afgrijzen patat in deeg.
Hoewel het allemaal droop van het vet, aten we alles op. Toen
we die avond naar bed gingen, zagen we ertegen op weer om
vier uur te moeten opstaan.

De volgende dag was het veertien juli, mijn zesentwintigste
verjaardag. De anderen mompelden gelukwensen toen we
slaperig onze spullen pakten en in het donker het hotel uit
strompelden. We hadden inmiddels de gewoonte aangenomen de eerste tien kilometer te lopen, volgens de mijlpalen
langs de weg. Die dag markeerde het einde van de tien kilometer lange grens van de oase Karghalik. Het ene moment

liepen we nog onder heel hoge populieren tussen maïs- en rijstvelden door, het volgende hield de bomenrij op, werden de velden opgeslokt door de oase en zagen we voor ons alleen nog maar een aardeachtig grijze zandvlakte. Het was een schokkend contrast.

De woestijn leek op een onafzienbaar strand zonder golvende duinen. De wind had het zand geribbeld en de enige onderbreking was de weg, die aan de horizon verdween. Uiteindelijk bereikten we een winderig kamp, waar Mamat-Jan ter voorbereiding van mijn verjaarsfeest de tenten alvast had opgezet. Het was veertig graden en de wind blies het zand op en joeg het in vlagen over ons en onze spullen heen. Verwachtingsvol ging ik op mijn gewatteerde deken zitten toen de anderen met spannend uitziende pakjes uit de vrachtwagen sprongen. Ik voelde me geroerd omdat ze zelfs de moeite hadden genomen ze in te pakken. Het eerste cadeau was gestreepte canvas zadeltassen voor mijn kameel, die als twee grote enveloppen aan weerskanten zouden hangen. Het tweede was gouden oorbelletjes, die Sadiqs vriendin hun had aangeraden voor me te kopen en die ik voortaan elke keer dat we in een stad waren droeg. Het laatste was een enorm blok chocolade, dat al half gesmolten was en onder het zand kwam te zitten, maar dat heerlijk smaakte. Mamat-Jan had bij een bakker in Kasjgar een in schreeuwende kleuren versierde taart gekocht; we doken erop af, maar bij de tweede hap waren we al minder gretig. We dronken er een fles zoete rode wijn bij, en bier dat we koelden door het in een natte sok aan een tentpaal te hangen (een tip van Mouses grootvader, die in de Tweede Wereldoorlog bij het leger in de woestijn had gediend). Tot mijn verbazing hoorde ik opeens gerinkel en zag dat Mouse stiekem onze satelliettelefoon had aangesloten. 'Ik denk dat dat voor jou is.'

'Nee toch? Mijn familie weet het nummer niet en wie zou het anders kunnen zijn?'

'Neem toch maar op.'

Ik sta bekend om mijn liefde voor de telefoon, dus ik sputterde niet tegen.

'Van harte gefeliciteerd!'

'Mama!' gilde ik van verrassing en blijdschap. Haar stem klonk heel dichtbij en duidelijk, terwijl ze nauwelijks verder van ons winderige plekje in de woestijn vandaan kon zijn. Ik vond het heerlijk met haar en met de rest van de familie te praten, hoewel het me ook wel verdriet deed dat zij allemaal zo gezellig thuis waren en ik mijn verjaardag midden in de Taklamakanwoestijn moest vieren.

Die nacht werden de tenten geteisterd door een verschrikkelijke storm en vol zand geblazen. Toch vertrokken we, terwijl het zand onze gezichten striemde en het zicht belemmerde. Omstreeks het middaguur ging de wind liggen, maar toen werd het weer snikheet. We hadden Mamat-Jan al twee dagen gevraagd de twee magerste, zwakste kamelen in te ruilen voor andere, maar hij had Beijing niet van de noodzaak kunnen overtuigen. Mamat-Jan was heel charmant en aardig, maar niet erg assertief, en we vreesden dat zijn overtuigingskracht tamelijk beperkt was. We geloofden zelfs niet dat hij Beijing had gebeld, omdat wij onderweg nergens een telefoon hadden gezien en hij niet had gevraagd of hij de satelliettelefoon mocht gebruiken. Die dag bleek dat de zaak dringend was, want nadat we een paar uur door het hete zand hadden geploeterd, zakte Queenie, een van de twee zwakke kamelen, plotseling in elkaar en weigerde op te staan. Hij was broodmager, had diepe kuilen tussen achterpoten en ribben, en elke stap kostte hem moeite. Nu hadden zijn benen het begeven, waarbij hij de neuspen van de kameel achter hem eruit had getrokken, wat luid gejammer tot gevolg had. Uiteindelijk slaagden Rozi en Egem erin het meelijwekkende dier weer overeind te krijgen. De rest van die dagrit verliep heel langzaam en de enige onderbreking was een bus vol Taiwanese toeristen, die uit het niets opdoemde en stopte om de passagiers gelegenheid te geven ons te fotograferen.

Een heel lange man kwam Lucy en mij iets vragen: 'Geen jongens?'

'Nee.'

'Jullie GEK!' Hij wees op zijn voorhoofd.

Ze klommen weer in de bus en reden terug in de richting waar ze vandaan waren gekomen.

Ten slotte kwamen we doordrenkt van het zweet en onder het zand aan in de kleine oase Pisjan, waar we die nacht zouden blijven. Op een binnenpleintje wasten we ons met emmers water, en daarna aten we kommen rijst met groente, die meneer He had klaargemaakt. Queenie liet zich weer op de grond zakken en wilde niet eten, een slecht teken. We drongen er bij Mamat-Jan op aan hem en de andere zwakkeling, Punk Rocker, achter te laten, omdat het wreed was ze verder mee te nemen. Eerst wilde Maman-Jan daar niet aan en zei hij dat Beijing hem ten strengste verboden had een kameel achter te laten.

'Maar wat heeft het voor zin, Mamat-Jan, die kamelen te dwingen door te lopen tot ze dood neervallen?'

'Dat moet van meneer Ma.'

'Dat doet er niet toe. Wij hebben voor de kamelen betaald en wij mogen zeggen wat er met ze gebeurt.'

'Maar meneer Ma zegt dat we ze niet achter mogen laten.'

'Wat maakt het nou uit of we ze meenemen of hier laten? We gebruiken ze immers niet als rijdier.'

Deze praktische opmerking van Wic bracht Mamat-Jan

even van zijn stuk, maar toen antwoordde hij: 'Dat weet ik niet, maar meneer Ma zegt dat ze moeten doorlopen tot ze doodgaan.'

Mamat-Jans gebrek aan gezond verstand en onwrikbare gehoorzaamheid aan meneer Ma's regels dreven ons de komende maanden vaak tot wanhoop. Maar ook al ergerden we ons groen en geel aan hem, hij bleef glimlachen, en op het laatst was zijn manier van denken zelfs een bron van goedmoedig vermaak voor ons.

De volgende morgen slaagden we erin zonder de twee kneusjes te vertrekken, en de hoteleigenaar beloofde ze te voeren. We wonnen het pleit niet met logische argumenten, maar met dwang. Mamat-Jan beefde van angst bij de gedachte aan de gevolgen voor zijn carrière als meneer Ma het opstandige besluit ter ore kwam, maar wij beloofden hem dat we de schuld op ons zouden nemen. Al deed het ons verdriet de twee magere scharminkels achter te laten, we konden het niet langer aanzien dat ze zoveel pijn leden. Onze karavaan bestond nu nog maar uit zeven dieren, waarvan één reserve.

Helaas was de oase Pisjan maar een korte adempauze in de woestijn. Naarmate de temperatuur steeg, nam onze vermoeidheid toe, ook al legden we kortere afstanden af. De laatste paar weken hadden we vrij regelmatig in een oase overnacht, maar oases werden zeldzamer en kleiner. We begonnen de beklemming van de woestijn te voelen waarvoor we in Engeland zo vaak gewaarschuwd waren. De Taklamakan – een Turkse naam die 'hij die komt, vertrekt nooit' betekent – is een van de droogste woestijnen ter wereld, met nauwelijks planten of dieren. Anders dan de Sahara bestaat hij niet uit pittoreske, golvende duinen, maar uit een oneindige lössvlakte – stenen die door de wind zijn vergruizeld. Daardoor heeft hij een dofgrijze kleur en ziet er spookachtig uit, bijna als een maanlandschap.

Nadat we op een dag weer ongeveer zesendertig kilometer hadden afgelegd, slaakten we allemaal een zucht van opluchting toen we een heel kleine oase bereikten, waar Mamat-Jan onder een boom zat. Hij sprong op en zei dat het kamp nog geen kilometer verder lag. We haalden het nog net, ploften met bonzende hoofden neer onder een paar stakige acacia's en merkten niets van het legertje mieren dat meteen over ons heen kroop. Vooral Mouse en ik voelden ons ellendig en hoewel we zoveel mogelijk water dronken, hadden we nog steeds hoofdpijn toen we naar bed gingen.

Toen ik de volgende morgen wakker werd, voelde ik me niet beter. Naast het genadeloze gebons in mijn hoofd was ik nu ook misselijk. Wic vermoedde dat ik een zonnesteek had, en het leek ons beter dat ik die dag rust zou nemen. Dus bracht ik in ons volgende, schaduwloze kamp de dag door met het najagen van de schaduw van de vrachtwagen om te proberen daar te slapen, terwijl de anderen de route per kameel aflegden. Wic schreef: 'De uren gingen traag voorbij. Ik heb het gevoel dat ik elk mogelijk onderwerp ter wereld heb overdacht en ook uitgebreid besproken. Elke keer dat me nog iets nieuws te binnen schiet, geniet ik van de paar minuten dat ik erover na kan denken. Mijn gedachten worden vooral in beslag genomen door zwembaden, ijsjes, superdouches, poolcirkels, koelkasten, vriezers, sneeuwpoppen en sproeiers in Engelse tuinen. Ik heb eindelijk de kunst onder de knie gekregen van het lezen op een kameel en dat is, moet ik zeggen, een fantastische manier van ontsnappen. Ik heb uren de tijd om te fantaseren over D'Artagnan, mijn nieuwe held uit *De drie musketiers*.'

Boeken werden een onmisbaar onderdeel van ons leven, nog belangrijker dan eten of zelfs de afleiding van een oase. We boften dat uitgeverij Everyman ons had willen sponsoren, waardoor de vrachtwagen ook een kleine bibliotheek bevatte van hun klassieke en andere boeken, van Tolkiens *De Hobbit* tot Evelyn Waughs *Oorlogstrilogie* en Peter Hopkirks *Vreemde duivels op de Zijderoute*. Hoewel we in Centraal-Azië ook hadden gelezen, werden deze boeken in de woestijn pas van levensbelang voor ons. Met opzet lazen we achter elkaar dezelfde verhalen, zodat we er later over konden praten en er op die manier meer van konden genieten.

Toen de anderen in het kamp aankwamen, was Mouse er net zo slecht aan toe als ik. Daarom besloten we dat zij en ik, vergezeld door Mamat-Jan, per bus naar de volgende, grote oase zouden gaan, waar we de drie dagen tot de komst van de anderen zouden blijven. Wic schreef: 'Intussen zagen Lucy en ik Rozi en Egem uit hun tent komen alsof ze van plan waren de plaatselijke nachtclub met een bezoek te vereren. Voor het eerst sinds ze zich bij ons hadden aangesloten, droegen ze andere kleren. Rozi droeg een keurig gestreken donkerrood hemd dat netjes in een schone beige broek was gestopt, Egem droeg een hemd met een druk patroon, ook ingestopt in een schone broek. Vervolgens bekeken ze zichzelf wel vijf minuten lang zo goed mogelijk in een spiegeltje zo groot als het deksel van een jampot en kamden netjes hun haar. Toen ze zich zo goed mogelijk hadden opgedoft, begonnen ze ruzie te maken. Vervolgens trok Egem zijn oude kleren weer aan en ging met zijn boze collega aan het bier. Een uiterst vreemde voorstelling.'

Mouse en ik installeerden ons in een redelijk schoon hotel in Khotan, van een veel betere kwaliteit dan de andere die zich tot nu toe 'hotel' hadden genoemd. We kregen zelfs schone handdoeken en een kamer met douche. Maar het was niet goedkoop, ontdekten we toen Mamat-Jan ons de volgende morgen de rekening voor zijn kamer gaf. Toen hij vriendelijk aanbood om tot de komst van de anderen bij ons te blijven, verzekerden we hem dan ook vlug dat dat niet nodig was en dat hij met een gerust hart zijn taak als kampleider weer op zich kon nemen. Met tegenzin nam hij de bus terug naar het kamp, waarna Mouse en ik weer naar bed gingen om bij te komen van de schrik.

Mamat-Jan kwam Lucy en Wic onderweg tegen. Zij hadden inmiddels weer een zandstorm moeten verduren, of *buran*, zoals ze hier heten. Lucy beschreef hem in haar dagboek: 'Toen we om vier uur wakker moesten worden, hadden we nog niet geslapen, en plotseling ging onze tent ervandoor. Hij had het juiste moment afgewacht, want Wic ging net zitten om water te drinken. Door de verminderde druk op haar kant begon hij om te rollen; de tentharingen vlogen door de lucht en even dachten we, toen onze spullen alle kanten op vlogen, dat we een dag eerder in Khotan zouden zijn. Toen we wat later in een rommelige hoop met tent en al een eindje verder lagen, probeerden we te bedenken wat we moesten doen. We besloten de tent aan de watervaten vast te binden, maar ook de rest van de nacht hield de wind ons met zijn genadeloze woedeaanvallen uit de slaap.'

Wic schreef: 'Daarna zaten we nog tweeënhalf uur in onze ballon van klapperend canvas in de val. Om zeven uur besloten we het te wagen, en met skibrillen op gingen we in de loeiende storm op weg. Het zand gleed als stroken zijde over de weg en overal om ons heen bliezen wervelwinden de korrels de wazige, stoffige lucht in, die heel laag voor ons hing.

Hoewel het zand OVERAL in doordrong: oren, hemd, laarzen en haar, was het eigenlijk geen akelige ervaring. De temperatuur was gezakt, waardoor alles veel minder erg was en als je je mond maar dicht hield, ging het best.'

Terwijl Lucy en Wic die twee dagen de strijd aanbonden

met de zandstorm, sliepen Mouse en ik, en verlieten we de hotelkamer alleen om brood en water in te slaan. Ik begon me al beter te voelen, maar de arme Mouse had behalve haar zonnesteek ook al een week diarree. Haar hoofdpijn verdween, maar ze kon almaar geen eten binnenhouden. Toen ik een keer op pad ging om vers brood te kopen, vond ik ook een suikermeloen, en Mouse smeekte me die in de badkamer op te eten om haar niet jaloers te maken.

Die avond arriveerden Wic en Lucy, een dag eerder dan we hadden verwacht. Warm en vies van de reis wilden ze meteen in bad. De volgende dag, een kostbare rustdag, wilden Lucy en Wic natuurlijk het liefst zo lang mogelijk uitslapen, maar om negen uur, vijf uur later dan de normale tijd van opstaan, hadden ze er genoeg van en wilden ze naar de bazaar in de oude stad. Ik voelde me goed genoeg om mee te gaan, maar Mouse niet. Het straatbeeld leek op dat van Kasjgar, maar dan op kleinere schaal. Ezelkarren, paard-en-wagens, auto's, bussen, motorfietsen en fietsen baanden zich een weg door de smalle straten en maakten zoveel mogelijk lawaai. Marktkooplui schoten achter hun kramen vandaan, zwaaiend met koopwaar, en riepen: 'Hallo, hallo, hallo!'

Na een paar uur afdingen hadden we een paar cadeautjes voor Mouse gekocht, die binnenkort jarig was. Toen we terugkwamen, was ze er nog steeds niet beter aan toe. Lucy en Wic gingen op zoek naar onze medische handleiding en kwamen tot de conclusie dat ze salmonellavergiftiging had, en ze schreven een antibioticum voor.

Toen we de volgende morgen wakker werden, was het iets koeler en motregende het zelfs een beetje. Mouse en ik sloten ons weer bij de karavaan aan, blij dat we weer gewoon mee konden. Terwijl de zon opkwam, liepen we door de straatjes van Khotan, langs kooplieden die buiten voor hun kramen lagen te slapen. Hier en daar vlamde het vuur in een oven al op en lagen er deegballen naast om brood van te bakken. Wic en Mouse verdwenen en kwamen vijf minuten later terug met vers brood en warme donuts, die we onderweg met smaak opaten. Even later bevonden we ons weer op een met populieren omzoomde weg, met lemen huisjes in hun schaduw. Bij sommige groeiden fraaie pompoenplanten langs rekken tegen de muren, met prachtige gele bloemen tussen de donkergroene bladeren. Onderaan hingen pompoenen al bolrond te rijpen.

De populieren in de oases worden gedwongen te groeien op een manier die de hele dag de meeste schaduw biedt. De rij langs de wegkant buigt naar binnen, zodat hun kruinen, als ze volwassen zijn, elkaar bijna raken, de middelste rij staat rechtop en de buitenste rij buigt naar buiten. In de beschaduwde tunnel was het heerlijk koel, maar na ongeveer twintig kilometer hield de oase op en moesten we weer de woestijn in. In het begin scheidden pasgeplante populieren ons nog van het zand, maar nu in een enkele rij. Het viel Mouse op dat de takken er aan de uiteinden dor uitzagen en volgens haar kwam dit door luchtvervuiling. Als bewijs voor haar verklaring kwamen we algauw langs een fabriek die wolken grauwe rook uitblies – het eerste teken van industrie sinds Kasjgar.

Toen we de laatste schaduw achter ons hadden gelaten, hielpen Rozi en Egem ons weer op de kamelen. Lucy zat een broodje te eten dat ze uit haar zadeltas had gehaald toen ze opeens iets in haar elleboog voelde prikken en toen ze opzij keek, zag ze een stel grote tanden haar arm beroeren. Het was de jongste kameel, die een hapje wilde meeëten. We vroegen ons al weken af of de kamelen niet te weinig voer kregen en dit leek onze bezorgdheid te rechtvaardigen. Elke avond gaven Rozi en Egem ze een berg ballen gemaakt van maïs, zout en water, maar daar leken ze alleen maar meer honger van te krijgen, want met hun lange, dikke tongen bleven ze daarna nog uren de bakken uitlikken. Weliswaar werd hun dieet aangevuld met bossen gras, die we op de vrachtwagen meenamen, maar dat was niet bepaald krachtvoer. Wic en Mouse stelden Mamat-Jan voor ze meer te geven, maar hij antwoordde, en we hadden niet anders verwacht, dat hij instructies had om ze elk precies tien maïsballen per dag te voeren, meer niet. Daar werden we erg boos om, want we hadden meneer Ma veel geld betaald en hij probeerde op de verkeerde manier te bezuinigen. Het kostte ons heel wat tijd om Mamat-Jan over te halen, maar we hielden koppig vol en behaalden toch weer een overwinning. Hij stemde erin toe de kamelen voortaan extra maïsballen te voeren, ook al waren dat er nog steeds niet zoveel als wij wilden. Wic hield in het vervolg in de gaten hoeveel voer Rozi en Egem ze gaven.

Inmiddels deden Rozi en Egem vaker een poging om in hun gebrekkige Engels met ons te praten, en ze leerden ons zinnen in het Kirgizisch. In het begin waren ze erg verlegen geweest, maar nu draaiden ze zich voortdurend in het zadel om om ons iets aan te wijzen. De ochtend na de kwestie over het kamelenvoer waren ze extra aardig; ze hielpen met het inpakken van de tenten en toonden veel belangstelling toen we de kaart bestudeerden. Mamat-Jan zei dat ze geen afstanden konden uitrekenen en soms vroegen we ons af of ze wel konden lezen, maar eigenlijk waren ze veel verstandiger en wereldser dan de arme Mamat-Jan, die hun intuïtie en gezond verstand moest ontberen. Naarmate ze toeschietelijker en nieuwsgieriger werden, werd Egem ijdeler. Elke ochtend en avond keek hij eindeloos in zijn spiegeltje, drukte zich op en bokste tegen de banden van de truck. Rozi en Egem waren tengere, gespierde mannen van begin twintig en ze waren allebei getrouwd; Rozi had zelfs thuis, ten zuiden van Kasjgar, al een kind. Ze waren al sinds hun kinderjaren bevriend en toonden veel genegenheid voor elkaar, soms zelfs door elkaars hand vast te houden.

Die dag vond Mamat-Jan in de duinen een geschikte plek om te kamperen. Het heldere avondlicht, dat het gras voor de kamelen, de gestreepte zadels en het gele zand extra deed oplichten, maakte er een schilderachtig plaatje van. Toen we rijst met groente zaten te eten, kwam er een jeep aan met een groepje mannen erin. Ze stapten uit en een van hen stelde zich in het Russisch voor als de Kazachstaanse ambassadeur in China. Hij vertelde dat hij rondreed door de Taklamakan om de oude steden te bekijken die waren opgegraven door de beroemde archeoloog Sir Aurel Stein en door anderen, en dat hij ook artikelen schreef over de relatie tussen China en Kazachstan.

'Jullie zijn altijd welkom in Almaty (de hoofdstad van Kazachstan),' zei hij. 'Het lot heeft bepaald dat we elkaar moesten ontmoeten omdat het lot graag prettige dingen laat gebeuren, en daarom zullen we elkaar weerzien.' Zijn uitnodiging deed ons genoegen, vooral omdat hij ons avontuur 'heldhaftig' noemde.

Twee dagen later kwamen we aan in Lai-Su, een typisch oasedorp van de zuidelijke Taklamakan, waar de straten schoon waren en de huizen er comfortabel uitzagen. De mensen keken tevreden en de dieren leken genoeg te eten te krijgen. Vroeg in de morgen ontdekten we dat sommige inwoners hun voordeel deden met de koelte en al aan het werk waren, terwijl andere tot een uur of acht onder een deken op de grond naast hun huis, waar het waarschijnlijk het koelst was, bleven doorslapen. De meeste huizen waren van leem, met een lemen muur eromheen, andere waren helemaal van bamboe en hadden ook een bamboe omheining. Ze waren opgedeeld in een deel voor de mensen en een voor de dieren. De kleinste huizen waren van baksteen en hadden bijna allemaal een grote, met snijwerk versierde houten deur. Tussen de ruim uit elkaar staande huizen en de weg lag een irrigatiekanaal, dat water verschafte om mee te koken en om aan de dieren te geven. De geasfalteerde hoofdweg door deze oase, een van de oeroude zijtakken van de Zijderoute, werd op regelmatige afstand doorkruist door een smal zandpad dat naar groepjes populieren of akkers met meloenen leidde. Diverse keren gingen we te voet zo'n uitnodigend pad af om te zien waar het eindigde, terwijl de kamelen verder liepen.

Op een morgen vertelde Mamat-Jan ons dat we in de buurt van een meer waren. Omdat zijn voorspellingen meestal niet uitkwamen, waren we blij verrast toen we inderdaad een grote waterplas zagen. Het water was schoner dan we hadden verwacht en tot onze geruststelling zagen we een Chinees paar dat op de modderige oever stond te vissen. Na een nogal teleurstellende poging tot zwemmen, waarbij we werden aangevallen door een zwerm muggen, gingen we in het kamp in de schaduw liggen doezelen tot, zoals Wic schreef: 'we een stel meisjes met verwachtingsvolle gezichten naar ons toe zagen komen, die ons ongetwijfeld wilden vragen waar we vandaan kwamen, wat we deden en waarom, hoe oud we waren, of we getrouwd waren en kinderen hadden, of we hun levensverhalen wilden horen, enzovoort.' Voordat ze ons hadden bereikt sprongen we op en renden terug naar het meer, waar we ons vlug wasten en een beetje rondpoedelden. De verleiding om weer te zwemmen was groot, maar de angst om een fatale huidziekte op te lopen groter.

Die avond vielen we in slaap bij het gejammer van de kamelen, wier rauwe neuzen door Rozi en Egem met een vliegenspray werden bespoten. Ze hadden maden ontdekt in de open neuspengaten van de arme dieren en moesten niets hebben van onze homeopatische paardenzalf, maar beweerden dat vliegenspray het enige betrouwbare middel was. We protesteerden meermalen, maar dat hielp niet, dus we vluchtten naar onze tenten en hoopten dat de brute methode in elk geval snel zou werken.

Het was inmiddels al vijf dagen bewolkt, wat een onverwacht genoegen! Daarnaast verkenden we twee dagen het dorp Lai-Su en vervolgens de oase Keriya, waar we bovendien profijt hadden van de schaduw van de populieren, walnoot- en moerbeibomen langs de weg. Veel rivieren in de Taklamakan stromen alleen in de zomer, wanneer de gletsjers smelten van het Kun Lun-gebergte, de grens tussen de woestijn en Tibet, en de meeste komen niet verder dan de rand van de woestijn. Vandaar dat we hadden besloten dicht langs de rand van deze droge vlakte te rijden in plaats van er dwars doorheen. Sir Aurel Stein schreef: 'De Keriya is de enige rivier afkomstig uit de Kun Lun ten oosten van Khotan die, gevoed door grote gletsjers, erin slaagt tot ver in de Taklamakan door te dringen voordat hij ook tussen de zandrichels uitsterft.' Daarom is Keriya de grootste oase aan de zuidelijke rand van de woestijn.

De vrouwen die daar hun ezelkarren menden, boden een boeiende aanblik. Ze droegen allemaal de normale Oeigoerse dracht, een jurk met een hoofddoek, maar ze hadden ook nog een soort zwart kommetje, zoiets als een eierdopje, boven op hun hoofd staan. We konden ons niet voorstellen dat dit ergens toe diende, maar iedere vrouw had er een. De mannen droegen ondanks de hitte een hoge zwarte of bruine schapenbonten hoed. Nergens anders dan in Keriya en de naburige oase, Niya, hebben we zulke hoeden gezien, wat bewijst hoe plaatselijk gewoonten kunnen zijn.

In Keriya brachten we de nacht door op het grote vierkante

binnenplein van de school, ongeveer anderhalve kilometer van het centrum. De kamelen mochten uitrusten op het basketbalveld en wij kozen een koel klaslokaal als slaapzaal, waar we tafeltjes tegen elkaar schoven om bedden te maken, want de lemen vloer was ons te vuil.

De tocht van Keriya naar Niya duurde drie dagen. We liepen, reden en liftten soms mee met een ezelkar. Bij ons vertrek uit Keriya vroeg in de ochtend kwamen we langs een imposant standbeeld van Voorzitter Mao, die welwillend glimlachte met zijn hand op de schouder van een Oeigoer. Hoewel Mao heel klein was, hadden ze hem groter gemaakt dan de andere man.

Toen ik een poosje naast Egem liep en de uren verstreken, werd hij vertrouwelijker en vertelde me over zijn leven met acht anderen in een joert.

'Hoeveel mensen wonen er in jouw joert in Engeland?'

'Eh, zes.'

Toen hij me had verteld dat zijn vader jakken, schapen, geiten en paarden hield, wees hij plotseling naar mijn gezicht en zei: 'Goed, goed, jij dertig.'

'Nee, nee, ik ben zesentwintig,' protesteerde ik.

'Nee, jij dertig,' hield hij vol.

'Nee, ik ben zesentwintig,' zei ik ferm, maar ik vroeg me geschrokken af of de woestijnzon al zo'n rampzalig effect op mijn huid had gehad. Ik gaf het op.

Later, toen Lucy en ik met hem en Rozi praatten, drong het opeens tot ons door dat hij het in zijn gebrekkige Engels niet over mijn leeftijd had gehad, maar dat hij me een knap meisje vond.

In het kamp na Keriya besloten Lucy en ik in de buitenlucht te slapen, en we maakten onze bedden op naast de vrachtauto in het zand. In de tenten was het verstikkend heet, dus Mouse en Wic kwamen er algauw bij. Het enige nadeel van buiten slapen was het verkleden onder de schaamteloze blikken van de hulpgroep. We smeekten Mamat-Jan een paar keer de anderen te vragen hun hoofd af te wenden, maar ook al bracht hij, verlegen lachend, ons verzoek over, ze bleven staren.

De eerste avond buiten de tenten maakten Rozi en Egem vlakbij een tweepersoonsbed voor zichzelf op van zakken en kamelendekens: 'Wij vechten tegen bandieten.' Lucy en ik begonnen te lezen, maar plotseling zagen we bij het licht van onze zaklantaarns dat Egem niet meer in zijn bed lag, maar dat hij in een verleidelijke houding tegen de achtergrond van ons in onze slaapzakken op de grond was gaan liggen en dat Rozi daar met hun camera een foto van maakte. Vervolgens namen ze elkaars plaats in en deden hetzelfde. Ongetwijfeld zouden hun vrienden veel plezier aan deze bizarre foto's beleven. Het was pas de tweede keer dat ze hun camera gebruikten, de eerste foto was van de twee zieke kamelen die we hadden achtergelaten.

De volgende twee dagen trokken we door de stenige vlakte met hier en daar lage duinen van bijeengeblazen zand. Op de tweede dag besloot Mamat-Jan dat hij met ons en de kamelen wilde meelopen; waarschijnlijk had hij er genoeg van tussen meneer He en meneer Li geperst in de cabine van de vrachtwagen te zitten. Even later verliet hij vol zelfvertrouwen de weg en marcheerde de woestijn in.

'Ik denk kortere weg goed idee.'

'Hoe weet je dat het een kortere weg is?'

'Gisteravond heb ik daar autolichten gezien.' Hij wees in de richting van het Kun Lun-gebergte en Tibet. 'Daar is bocht in weg.'

Hoewel we het niet helemaal vertrouwden, volgden we hem gehoorzaam de duinen in, met onze waterflessen stevig in de hand. Het was er redelijk gemakkelijk begaanbaar en voor de kamelen comfortabeler dan de asfaltweg. Het onbetreden zand was stevig, met grote korrels, en de lage glooiende duinen glinsterden in het ochtendlicht, met dalen als zilveren dekens. De duizenden zandheuvels die zich tot de horizon uitstrekten boden een spookachtige, maar schitterende aanblik. Het landschap was zo onwezenlijk dat we het gevoel hadden op een andere planeet te zijn. Er was geen aasje wind en het enige geluid was het knarsende zand onder de voeten van de kamelen.

Wonder boven wonder kwam de weg weer in zicht, en we prezen Mamat-Jan om zijn intuïtieve navigatie. We vervolgden de kaarsrechte weg en om de tijd door te komen, vroegen we Mamat-Jan naar zijn vriendin.

'Ga je met haar trouwen?' vroeg Wic.

'Natuurlijk.'

'Wanneer?'

'Na mijn broer.'

'Wanneer gaat hij trouwen?'

'Als ik na reis naar Kasjgar ga. Ze wachten op me.'

'Vind je zijn verloofde aardig?'

'Misschien.'

'Eh, is ze dan niet aardig?'

'Weet ik niet.' Hij haalde zijn schouders op alsof het een belachelijke vraag was.

'Waarom niet?'

'Ik heb haar nooit ontmoet, alleen foto gezien.'

'O. Is ze mooi?'

'Gaat wel.' Hij trok een gezicht en draaide zijn hand heen en weer.

We hoorden dat de ouders van de verloofde, goede vrienden van de ouders van Mamat-Jan, een foto van haar hadden gestuurd met het verzoek of Mamat-Jans oudere broer met haar wilde trouwen. Vroeger werden alle huwelijken in deze islamitische maatschappij door de ouders geregeld en nu gebeurt het nog steeds veel.

Gewoonlijk hielden we dit soort gesprekken voor elf uur 's morgens, want daarna stond de zon hoog in de lucht en benam de hitte ons de lust tot praten. Een paar uur later kwam de truck ons tegemoet en zagen we twee Chinezen, meneer He en meneer Li, wild met hun armen zwaaien.

'Oké,' vertaalde Mamat-Jan, 'we moeten nog negentien kilometer naar Niya.' Dat betekende tien kilometer meer dan we die dag van plan waren af te leggen, terwijl we er al ruim tweeëntwintig kilometer op hadden zitten. Tien klinkt niet veel, maar als je mond droog is en je billen ruw zijn, je hoofd bonst en je kleren doordrenkt zijn van het zweet, lijken het er wel honderd. Alleen al bij de gedachte stortten we in en we besloten nog vijf kilometer verder te gaan en de resterende veertien te bewaren tot de volgende dag. Meneer He en meneer Li reden boos weg, hun hoop op een nacht in een hotel vervlogen.

Een paar kilometer verder stond de truck op ons te wachten. Meneer Li was niet van de weg af gereden en deelde ons mee dat er in de hele omgeving geen geschikte plek was om het kamp op te slaan. Verbaasd keken we om ons heen naar de enorme vlakte, en we krenkten zijn trots toen we een paar meter verder naar een zandpad wezen. Om te bewijzen dat hij gelijk had, deed hij zijn best om de truck op een zo dramatisch mogelijke manier te parkeren. Hij leunde uit het raampje om naar de achterwielen te kijken en schoof met veel geruk aan de versnellingspook eindeloos steeds een klein stukje naar achteren en naar voren.

Toen het kamp eindelijk stond, gingen we zitten om een

meloen te eten en naar de kamelen te kijken. Elke avond maakten we ze van elkaar los en bonden ze elk apart vast aan een rotsblok. Geamuseerd keken we toe hoe een van de grotere dieren, die een bosje groen buiten zijn bereik zag hangen, na een paar pijnlijke pogingen om zijn touw los te trekken even de tijd nam om over het probleem na te denken. Vervolgens keek hij schichtig onze kant op, pakte het touw tussen zijn tanden en trok de grote steen met zich mee.

De volgende morgen legden we de rest van de afstand naar Niya zo snel mogelijk af en bereikten om half negen ons hotel, een gebouw van één verdieping rondom een binnenplein. Eerst wilden we slaap inhalen, dus kwamen we pas tegen de lunch weer uit onze kamers te voorschijn. Met Mamat-Jan gingen we naar een Oeigoers restaurant, waar alleen één lange tafel stond met rijen kommen erop, waarin meteen groene thee werd geschonken. Je bereikte de eetzaal via een voorvertrek aan de straat, waar twee kookvuren brandden. De vloer lag er vol as en in een hoek stond een emmer vuil water, overal blijkbaar de enige voorziening om van alles in te wassen. De kleine eetzaal was versierd in typisch Oeigoerse stijl, met grote, vale posters met fruitmanden vol exotisch, Caribisch fruit, watervallen die leken te stromen, en een vanuit een tulpenperk gefotografeerd meer, met een zwaan onnatuurlijk in het midden. We aten er een eenvoudige, maar heerlijke maaltijd van mie met gekruide groente en sappige kebabs, met grote kommen gefermenteerde yoghurt met honing toe. Na negen dagen van rijst en rottende groente was het een extra traktatie.

Op de laatste dag in juli was Mouse jarig. We gingen naar de kleine bazaar in Niya, waar je de kegelvormige bontmutsen kon kopen die we de mannen in Keriya hadden zien dragen. Zoals in veel Oeigoerse steden was het oude centrum verwoest door de Chinezen en waren de bochtige straatjes vervangen door een brede weg, geflankeerd door witgetegelde gebouwen. De gebouwen zagen er altijd vervallen uit, met ontbrekende tegels en kapotte ramen. De nieuwe straten waren karakterloos en in alle steden hetzelfde. Ze waren saai en leeg, met hier en daar een winkel waar van alles werd verkocht, van snoepgoed tot autobanden. Er hing een bijna sinistere sfeer. De Chinezen hadden ze voor oases in de woestijn veel te breed gemaakt, zodat de wind en het zand er voortdurend doorheen joegen. Gelukkig waren deze pogingen tot modernisering beperkt gebleven en lag er achter die lelijke littekens meestal nog een wirwar van kronkelige, drukke straatjes. Daar vonden we in Niya ook de bazaar. Mamat-Jan keek altijd verbaasd als we zeiden dat we ergens naar de markt wilden, want hij vond markten 'primitief' en zei dat de Chinese winkels veel meer te bieden hadden. Zijn vader was een succesvolle ambtenaar in Xinjiang, dus was het onvermijdelijk dat Mamat-Jan was grootgebracht met veel respect voor de communisten en hun 'hervormingen', ook al was hij een Oeigoer.

We zagen weer allerlei interessante dingen in de bazaar en kochten 'pappels', heerlijke vruchten die een kruising zijn tussen appels en peren, waar Niya al sinds de tijd van Marco Polo beroemd om is. Die avond vierden we Mouses verjaardag in een ander Oeigoers restaurant. In het raamloze vertrek werd het verschrikkelijk benauwd en we wapperden ons met papieren servetten koelte toe, maar het eten smaakte goed en het lauwe bier gaf ook wat verfrissing.

# 8  De Taklamakan

Na Niya trokken we eindelijk de echte woestijn in. Opnieuw werd de asfaltweg slechter (voor ons beter, want er kwam een eind aan het hete, plakkerige wegdek) en ging over in een zandpad, waar het rulle woestijnzand op veel plekken over de randen kroop. Het landschap varieerde van kale zandvlakten tot met kreupelhout begroeide heuveltjes en hier en daar een groepje bomen. Er is weinig veranderd sinds onze voorganger Sir Aurel Stein aan het begin van de twintigste eeuw schreef: 'Of de reiziger nu de Taklamakan betreedt vanaf de rand van landbouwgrond in een oase of vanuit een strook bos langs een rivier, eerst komt hij door een gebied met woestijnvegetatie, voornamelijk in de vorm van tamarisken, wilde populieren of riet dat op stuifzand overleeft. Een erg vreemd en interessant verschijnsel in dit gebied zijn "tamariskkegels": kegelvormige heuvels die vaak dicht bij elkaar liggen. Door de langzame, maar gestage ophoping van zand rondom tamarisken, normaal struiken of kleine bomen, zijn die in de loop der eeuwen omhooggestuwd tot een hoogte van vijftien meter of nog meer.'

Het is een oud geloof dat de woestijnen op aarde door zonde veroorzaakte smetten op Gods schepping zijn, waardoor de mensen zijn gaan geloven dat er boze geesten rondwaren. De verschrikkingen van de Taklamakan die Hsuan Tsang, een boeddhistische pelgrim uit de zevende eeuw, en generaties

kooplieden uit de slaap hielden, kregen vorm in de volgende
voorouderlijke waarschuwing:

> O ziel, ga niet naar het westen,
> waar oneindige zandvlakten liggen,
> waar duivels tieren, zwijnkoppig, behaard,
> met uitpuilende ogen,
> die wild schaterend met hun snijtanden knarsen.
> O ziel, ga niet naar het westen
> waar veel gevaren wachten...

Veel later schreef Marco Polo in zijn beroemde *Reizen* over de
Taklamakan: 'Er zijn geen dieren, want er is niets voor ze te
eten. Maar over deze woestijn wordt een wonderlijk verhaal
verteld: als reizigers 's nachts onderweg zijn en een van hen
blijft een eindje achter of valt in slaap of iets dergelijks, dan
hoort hij, wanneer hij zijn metgezellen wil inhalen, geesten
praten en dan denkt hij dat het zijn vrienden zijn. Soms roepen ze zelfs zijn naam, en zo komt het vaak voor dat een reiziger verdwaalt en zijn metgezellen nooit terugziet. Op deze
manier zijn velen omgekomen.'

In wezen is de woestijn nu nog net zo woest en leeg als de
afgelopen eeuwen. Na Niya liggen de oases ongeveer driehonderd kilometer uit elkaar, een dag of tien rijden. Tussen deze
ver uiteenliggende nederzettingen zagen we op de lege weg
zelden een teken van leven.

In het halfdonker vertrokken we uit Niya. Toen de dag aan-
brak en het donker zich terugtrok, werden de toppen van de
laatste populieren versluierd door mist. Zo nu en dan doemde er als vanuit het niets een ossenwagen op, die met zijn
enorme lading langs ons heen leek te drijven en weer in de
mist verdween. Algauw hield ook dit teken van leven op en re-

den we helemaal alleen door de stille nevel, met als enige geluid het zachte geklak van de kamelenvoeten. Eerst konden we nog hier en daar de omtrekken van tamarisken of bosjes riet onderscheiden, maar toen de mist eindelijk optrok, zagen we dat winderosie duizenden ribbels had veroorzaakt in het korstige zand. Het werd steeds benauwder. De zon scheen niet, maar in de verstikkende hitte waren onze kleren algauw doordrenkt van het zweet, en we hadden het gevoel dat de lucht vlak boven onze hoofden hing. We dronken ieder een halve liter water per uur en zochten na een uur of vijf een plek waar de kamelen ook konden drinken. Opeens zag Rozi een stromend beekje en stuurde Moon Boot en zijn gevolg ernaartoe. De oever zag eruit als vrij stevig zand, maar het bleek glibberige modder te zijn. Moon Boot gleed gracieus naar het water toe en Rozi sprong net op tijd van zijn rug, en zakte prompt met zijn blote voeten in de blubber. Nadat Moon Boot weer op vaste grond was getrokken, reden we door op zoek naar een veiliger waterplaats.

Uiteindelijk kwamen we bij een kleine poel. We maakten alle dieren los en ze gingen langs de rand staan. Lawaaiig slurpten ze van het modderige water en koelden zich af door hun kop op te heffen en met hun lippen te klapperen om zich te besproeien.

We sloegen ons kamp op naast een eenzame regeringsbasis midden in een met struikgewas begroeid stuk van de woestijn. Even later werden we omringd door 'ambtenaren' die foto's van ons wilden nemen. Ze waren niet de enige nieuwsgierigen, want we werden ook bezocht door kudden schapen, geiten en ezels. De kamelen mochten vrijelijk grazen bij een vijver met zwermen muggen erboven en maakten meteen van de gelegenheid gebruik om alle kanten op de rennen.

Toen we bij het kamp kwamen, was Wic rechtstreeks naar

Mamat-Jan gelopen om hem te verwijten dat hij ons die morgen niet genoeg water had meegegeven.

'Zo gaat het echt niet, Mamat-Jan.'

'Maar meneer He zegt dat jullie ieder niet meer dan drie flesjes water mogen hebben.'

'Dat is belachelijk. We zijn in een woestijn, we moeten veel meer drinken.'

Het was een aanhoudend meningsverschil geworden tussen meneer He, die erbij kwam staan en die op alles wilde bezuinigen om, zo vermoed ik, zoveel mogelijk zakgeld over te houden, en ons, omdat we bang waren door uitdroging opnieuw een zonnesteek op te lopen. We probeerden hem uit te leggen dat het gevaarlijk voor ons was als we per dag niet minstens vier liter water dronken, maar meneer He was niet te vermurwen.

'Dat maakt niet uit. We hebben afgesproken dat we elke dag twaalf flesjes water zouden leveren.'

'Dit is te gek voor woorden! We hebben een heleboel geld betaald en jullie weigeren ons meer water te geven!' Wic verhief haar stem en Mamat-Jan stond er zenuwachtig bij.

'Kan meneer He niet wat meer water voor ons koken?' stelde Mouse voor.

'Ik zal het hem vragen.' Mamat-Jan keek opgelucht bij de mogelijke oplossing.

Meneer He snoof minachtend en er volgde een scherpe woordenwisseling tussen hem en Mamat-Jan.

'Hij zegt dat we niets hebben om het gekookte water in te doen.'

'Doe niet zo dom, Mamat-Jan. We kunnen de lege flesjes gebruiken,' zei Wic snibbig, en daar had hij niets op te zeggen.

Intussen waren de regeringsambtenaren om ons heen gaan staan en ze smeekten ons op een rij te gaan zitten voor de fo-

214

to's. We gingen zitten en ik zei: 'Arme Mamat-Jan, ik heb met hem te doen.'

'Waarom?' zei Wic geërgerd.

'Omdat het eigenlijk niet zijn schuld is. Blijkbaar is hij doodsbang voor meneer Ma, die hem al die stomme instructies heeft gegeven.'

'Dat is niet ons probleem en hij draagt de verantwoordelijkheid.' Wic was echt boos.

'Je moet wel eerlijk blijven, Alex,' kwam Lucy tussenbeide. 'Wic mag best boos worden als ze vindt dat ze ons tekort doen.'

'Oké, rustig maar.'

'Nee, het is echt niet eerlijk. Jij denkt dat je aardig moet zijn voor Mamat-Jan, maar hij doet zijn werk niet goed en hij zou dit waterprobleem moeten oplossen.'

We hadden allebei met stemverheffing gesproken, maar we hielden ons verder in vanwege de ambtenaren, die nieuwsgierig naar ons keken. Geforceerd glimlachend lieten we ons een paar minuten braaf op de kiek zetten, maar zodra ze klaar waren, sprong ik op en rende naar de andere kant van het kamp, waar ik met een ellendig gevoel op de grond ging liggen.

Overmand door heimwee naar mijn familie draaide ik mijn gezicht naar de grond en begon te huilen. Toen ik weer opkeek, zag ik Egem naast me zitten, die me glimlachend mijn reisschaakspel voorhield. Hij zei niets, maar begon rustig de stukken op het bord te zetten, klaar voor een spelletje schaak. Dat ontroerde me en ik was dankbaar voor de afleiding.

Toen het spel afgelopen was, probeerde ik te lezen tot Lucy naar me toe kwam, met een ongewoon streng gezicht. Opnieuw begon ze me uit te leggen dat ik niet het recht had Mamat-Jan te verdedigen. Ik was het niet met haar eens en even later ging ze terug naar de anderen. Die avond at ik niet met hen mee en ik sleepte mijn bed naar de andere kant van de vrachtwagen om daar in mijn eentje vroeg te gaan slapen, geplaagd door de muggen die vanaf het water de weg naar ons kamp hadden gevonden.

Toen ik de volgende morgen wakker werd, merkte ik dat een mug me op een ooglid had gebeten en dat het zo'n grote rode bult was geworden dat ik dat oog niet open kon doen. We ontbeten in een onbehaaglijke stilte, en vanwege mijn opgezwollen oog voelde ik me nog minder op mijn gemak. Zoals gewoonlijk gingen we te voet op weg, en ik ging achteraan lopen. Na een half uur bleef Lucy op me staan wachten. Nadat we nog eens over de gebeurtenissen van de vorige dag hadden gepraat, zei ze: 'Dit is belachelijk, we moeten geen ruzie maken, want we zijn eigenlijk heel goede vriendinnen.' Plotseling stroomde er een golf van opluchting en geluk door me heen. Later beschouwde ik dat moment als het begin van een grote verandering in ons groepje, het moment waarop de laatste spanningen verdwenen die de verhoudingen sinds onze tijd in Centraal-Azië hadden bedorven.

De rest van die morgen bleven Lucy en ik gezellig keuvelend naast elkaar lopen. Na onze terugkeer in Engeland werden we door een tijdschrift geïnterviewd en een van de vragen luidde: 'Merkten jullie dat jullie ieder een bepaalde rol op je namen?' Wic antwoordde: 'Ja, Mouse was onze verpleegster, omdat ze zo lief is, en Lucy is erg ordelijk en een harde werker, dus zij was de penningmeester.' Lucy vervolgde: 'Wic filmde alles en Alex...' Ze aarzelde en alsof ze opeens inspiratie kreeg, zei ze: 'Als je naast Alex liep, verveelde je je nooit, want zij had altijd iets om over te praten.' Misschien was dat niet de hoogste lof die je iemand kon toezwaaien, maar ze bedoelde dat ik in elk geval had meegeholpen de uren sneller voorbij te laten gaan. Ik kon vooral goed praten met Lucy, omdat we belangstelling hadden voor veel dezelfde dingen, zoals geschiedenis en literatuur.

Tegen zevenen begon het harder te waaien en was het wolkendek dat ons beschermde tegen de zon onheilspellend zwart geworden. De wind blies dunne sluiers zand over de golvende duinen en in onze gezichten, stuifzand dat kriebelde in je keel en prikte in je ogen. Even later reden we in een grote zandwolk en konden we nog maar een meter of vijf voor ons kijken. Regelmatig verdwenen de kamelen uit het zicht en dan voelden we ons echt als dolenden in de woestijn. De storm hield een uur of twee aan en kwam de rest van die dag met tussenpozen terug. Toen we het kamp bereikten, hadden we zwarte gezichten met nette witte kringen om de ogen waar de bril had gezeten.

Zelfs in het kamp konden we niet aan de wind ontsnappen. De keukentent vloog bijna de lucht in, maar we konden er nauwelijks iets aan doen. Uiteindelijk slaagden we erin de zijkanten van de tent in het zand te drukken door stenen op de tentharingen te leggen. In de tent zetten we de jerrycans water tegen de zijkanten als muurtje tegen de wind, en sliepen we dicht opeengepakt op een rij met Rozi, Egem en Mamat-Jan. In de loop van de nacht ging de wind liggen, maar hij wakkerde tegen zonsopgang weer aan.

Sinds we twee dagen geleden uit Niya waren vertrokken, waren we behalve de ambtenaren geen mensen meer tegengekomen. Geranseld door de genadeloze wind zetten we onze tocht over de lange, rechte zandweg voort. Alleen hier en daar zagen we hoog riet aan de vlakke horizon staan en heel zelden een wilde populier met diepgroene bladeren.

We hadden op de kaart gezien dat er ongeveer halverwege tussen Niya en Charchan, de volgende grote oase, een dorp lag, en we hoopten dat daar een bron was. De vijver bij het regeringscomplex was zo vuil dat Rozi en Egem ons hadden gewaarschuwd het water zelfs niet aan te raken. Daardoor hadden we ons al drie dagen niet gewassen en wat erger was, de kamelen hadden al die tijd niet gedronken. Onze jerrycans met water raakten leeg, we hadden niet genoeg tot Charchan. Die morgen hadden we Mamat-Jan gevraagd met de truck naar het dorp te gaan om te zien of ze er een bron hadden.

Toen we bij het kamp van die dag kwamen, zat Mamat-Jan daar met zijn benen omhoog en zijn pet op zijn gezicht. We kwamen erachter dat hij niet naar het dorp was geweest.

'Waarom niet, terwijl we je dat uitdrukkelijk hadden gevraagd?'

'Omdat meneer Li zei dat de rit erheen en terug te veel benzine zou gebruiken.'

'Wat? Dat is belachelijk! We hebben je op de kaart laten zien dat het dorp maar ongeveer twintig kilometer verderop ligt.'

Ten slotte dwongen we meneer Li en Mamat-Jan naar het dorp te rijden, omdat water op dat moment belangrijker was dan benzine. Ze begrepen niet dat als de kamelen door uitdroging niet verder konden, zij daar net zo goed onder zouden lijden. Het enige waar zij aan dachten, was extra werk vermijden.

Een tijdje later zagen we de truck in een grote stofwolk terugkomen. Mamat-Jan sprong uit de cabine.

'Vijftien kilometer verder ligt geen dorp,' zei hij.

'Wat zeg je?'

'Vijftien kilometer verder ligt niets.'

'Bedoel je dat jullie vijftien kilometer verder zijn gereden en toen je daar geen dorp zag, zijn omgekeerd?' We staarden hem ongelovig aan. De vorige avond hadden we geprobeerd uit te rekenen hoe ver het dorp nog bij ons vandaan lag en waren uitgekomen op een kilometer of vijftien.

'Toen zijn jullie toch wel doorgereden?'

'Ja, en négentien kilometer verder ligt wel een dorp.' Hij keek ons trots aan omdat hij had bewezen dat onze berekening fout was.

'Mooi zo,' zeiden we met rollende ogen. 'En hebben ze daar ook een bron of een reservoir?'

'Nee, ze hebben geen water.'

'Zelfs niet voor de kamelen?'

'Nee, die kunnen toch niet uit een bron drinken!'

'We bedoelen een rivier. Is er een rivier waaruit ze kunnen drinken?'

'Ja, dat denk ik wel.'

We besloten de volgende dag naar dat dorp te rijden om de kamelen te laten drinken.

Het zand wervelde nog steeds om onze benen, zodat koken bijna onmogelijk was. Om water te verwarmen, moesten we het kooktoestel afschermen met onze dekens om te voorkomen dat het gas werd uitgeblazen. We schonken kokend water bij gedroogde mie, klommen achter in de vrachtwagen, deden de deuren dicht en aten bij het licht van zaklantaarns.

Naast het kamp waren brede geulen in het harde zand gegraven om te voorkomen dat stuifzand de weg zou bedekken. Die avond besloten we weer in de tenten te slapen, nadat we vanwege de storm al twee nachten nauwelijks een oog dicht hadden gedaan. Lucy en ik zetten onze tent op in zo'n geul, in de hoop dat die extra bescherming zou bieden tegen wegwaaien. Mouse en Wic waren zo dapper om hun tent op een vlak stuk grond een eindje van de weg af te zetten.

Plotseling tilde een harde windvlaag uit het westen de tent van Wic en Mouse op en nam hem wel twee kilometer mee, terwijl de bewoonsters erachteraan renden. De hoge tamariskkegels onderweg hielden de tent niet tegen, maar gaven zelfs extra duwtjes. Uiteindelijk kon de tent met behulp van de truck en Egem worden gevangen, waarna hij naast de onze stevig werd verankerd in de geul.

Om twee uur 's nachts werden we gewekt door gegil van Rozi en Egem: het goot van de regen en zij sliepen in de openlucht. We vielen weer in slaap, maar werden om vier uur wakker en hoorden de regen nog steeds op het tentdoek kletteren. Het was zelfs koud en vochtig – een bijna vergeten ervaring – dus we haalden onze regenkleding te voorschijn en gingen op weg, genietend van het nieuwe gevoel. Na precies negentien kilometer ontmoetten we een zelfvoldaan kijkende Mamat-Jan in een gehucht met een paar miezerige huisjes van bamboe en leem en een restaurant, waar we naartoe gingen nadat we de kamelen in het riviertje hadden laten drinken en op het binnenplein hadden vastgebonden. Net als de andere restaurants in oases was de voorkant open en stond er in de eetzaal een lange tafel met banken. We aten er heerlijke mie met groente. Het werd droog en we vervolgden de reis. De lucht werd helder en later baadden de tenten en kamelen tussen bosjes bamboe in een stralend avondlicht.

Mamat-Jan had kennisgemaakt met een paar dorpelingen en ging met hen mee om een geit te slachten voor ons avondmaal. Nog trotser dan die morgen kwam hij terug met een aan een boomtak geregen geit die, gepaneerd met maïsmeel, was geroosterd. Hij sneed er stukken voor ons af en die aten we samen met lekkere, door meneer He gebakken frites.

De zandstorm kwam niet terug; de volgende morgen was het fris en waaide er een briesje door de bamboestengels. Maar de temperatuur liep algauw weer op en om negen uur bereikten we tot onze vreugde weer een gehucht, Xu Tang. Mamat-Jan, meneer He en meneer Li kwamen er uit het enige restaurant, ook weer gebouwd van bamboe en leem, dat werd aangedaan door de zeldzame bussen die door dit verafgelegen deel van de woestijn reden. Breed lachend kondigde Mamat-Jan aan: 'Hier blijven we vannacht.'

'Waarom?'

'Te grote vloed.' Dit vond hij blijkbaar een bevredigende verklaring en hij ging terug naar zijn mie. Nadat wij ook een kom van de voorspelbare mie hadden gegeten, hadden we genoeg moed om te vragen wat hij met die 'vloed' bedoelde.

Mamat-Jan gaf een lange, ingewikkelde uitleg die inhield dat er ergens een eind verderop een 'grote' rivier buiten zijn oevers was getreden, een brug had meegesleurd en het gebied eromheen en ruim dertig kilometer van de weg minstens drie meter onder water had gezet. De weg was dus onbegaanbaar. Omdat wij maar één dag regen hadden gehad, konden we ons dit niet voorstellen en we vroegen Mamat-Jan of hij eraan had gedacht erheen te rijden om te kijken of de informatie klopte. Zorgvuldig ontweek hij een antwoord op deze belangrijke vraag, tot Mouse hem en meneer Li ten slotte meenam naar de truck. Eerst wilde ze weten hoeveel benzine er nog was. Mamat-Jan had allerlei redenen genoemd waarom ze geen acht kilometer konden rijden om de omvang van de overstroming te inspecteren, met als belangrijkste argument gebrek aan benzine. Meneer Li draaide de dop van de tank, keek Mouse aan en gaf er een harde klap op, alsof hij wilde zeggen: geen benzine, dat zei ik toch, duivelse vreemdeling! Maar de benzinemeter toonde aan dat de tank nog meer dan halfvol zat. Toch bleef meneer Li koppig naast de auto staan en weigerde te gaan rijden. Mouse gooide het over een andere boeg. 'Mamat-Jan, als meneer Li niet wil rijden, moet hij er misschien naartoe lopen om te zien hoe de toestand daar is. Per slot van rekening is hij de enige die weet waar de truck wel of niet naartoe kan.' Mouse wachtte op de onvermijdelijke explosie en ja hoor, meneer Li stak zijn kin naar voren en vuurde een kanonnade van Chinese scheldwoorden af. Maar Mouse kreeg haar zin. Meneer Li rukte het portier open en duwde haar en Mamat-Jan de cabine in.

In een ijzig stilzwijgen reden ze naar de overstroming. Mouse zei later dat meneer Li's kin van woede zo ver naar voren stak dat hij de voorruit bijna raakte. De overstroming bleek inderdaad erger te zijn dan we ons hadden kunnen voorstellen. De woestijn aan weerskanten van de weg lag diep onder water en het was duidelijk dat er geen vrachtauto of kameel doorheen kon. We vonden het ironisch dat ons eerste oponthoud in de woestijn werd veroorzaakt door een overstroming.

Nu pas vertelde Mamat-Jan ons dat het water in de rivieren van de Taklamakan elk jaar stijgt wanneer de zomerhitte de gletsjers van het Kun Lun-gebergte doet smelten, en samen met de regen van de afgelopen tijd had dit de ergste overstroming ooit tot gevolg. Het zou wel twee weken kunnen duren voordat de weg weer begaanbaar was. Met een vrolijk gezicht voegde Mamat-Jan er deze laatste mededeling aan toe, zichtbaar blij met het vooruitzicht van een pauze in de zware tocht. Enthousiast stelde hij voor dat we, tot we de reis konden voortzetten in het dorp zouden blijven en hoewel wij dit geen prettig vooruitzicht vonden, moesten we er wel mee instemmen. Doorreizen voordat het water zich terugtrok zou waanzin zijn en onszelf en de kamelen onnodig in gevaar brengen. Maar het was ons duidelijk geworden dat we, als we voor het eind van het jaar in Xian wilden zijn, een andere vrachtauto moesten hebben. Het was ook weer een voorbeeld van kortzichtige zuinigheid dat de hulpploeg de truck die we nu bij ons hadden, met zijn veel te lage chassis, had uitgezocht voor een tocht door de woestijn, want behalve door hoog water kon de weg ook door zandhopen worden versperd. We stuurden een aantal e-mails naar Beijing en zochten een plek in het gehucht om ons kamp op te zetten. De enige geschikte plek was het vuile binnenplein achter het restaurant. We brachten de middag in het restaurant door met eten, kaarten en lezen, tot de avond viel en we naar het binnenplein gingen om onze slaapzakken naast de vrachtauto op de grond te leggen. Meneer He, meneer Li en Mamat-Jan hadden hun tenten in een hoek gezet, en Rozi en Egem sliepen net als wij in de buitenlucht, om de kamelen in de gaten te kunnen houden. Die nacht was de lucht erg helder en boven onze hoofden liep de brede baan van de Melkweg. Terwijl we in het donker lagen te praten en uit te kijken naar vallende sterren, werd de rust alleen verstoord door een ezel die klokslag om het uur balkte. De zachte ademhaling van de kamelen suste ons in slaap, maar midden in de nacht werden we wakker gemaakt door een stomdronken meneer Li. Hij struikelde over onze benen en probeerde vergeefs het portier van de truck te openen voordat hij 'Mamat-Jan' mompelde en in zijn bed kroop.

Toen meneer Li de volgende morgen wakker werd, had hij na de hele fles rijstwijn van de vorige avond vreselijke dorst en vroeg hij meneer He om water. Toen meneer He hem thee bracht, werd hij razend. Hij begon lege bierflesjes naar de kamelen te gooien en aan de tent van Mamat-Jan te rukken. Vervolgens wankelde hij naar de truck en wilde daarmee door de bakstenen muur van het binnenplein rijden. Gelukkig slaagden meneer He en Mamat-Jan erin hem uit de cabine te sleuren en op de grond te drukken. Uiteindelijk beende hij met een tasje over zijn gebogen schouder en zwaaiende armen weg, om even later terug te komen om zijn portefeuille te pakken, die hij bij zijn verder zo waardige aftocht was vergeten.

Een tijdje later deelde Mamat-Jan ons mee dat meneer Li

niet langer voor ons werkte, maar we konden er niet achter komen of hij was ontslagen of zelf ontslag had genomen. Meneer Li's waardigheid liep een extra deuk op toen hij tot het besef kwam dat hij nergens anders naartoe kon. Hij was gedwongen bij ons in het restaurant te zitten, waar hij zijn woede koelde op de kung-fufilm die van een wazig televisiescherm het vertrek in tetterde. Het idee van weer een dag in dat gehucht van anderhalve man en een ezelskop begon aantrekkelijk te worden. We hadden alles gedaan wat we konden doen en konden nu alleen nog maar uitrusten en wachten.

Bij het ontwaken de derde ochtend in Xu Tang was het binnenplein ons al helemaal vertrouwd. Het stonk er elke dag meer naar kamelen. Sinds Niya, een week geleden, hadden we ons niet meer kunnen wassen, en omdat de temperatuur nog steeds boven de vijfendertig graden was en de woestijnwind alles met zand bedekte, roken we zelf ook niet bepaald fris. Mamat-Jan kwam bij ons in het restaurant ontbijten en vertelde dat hij met de dorpsagent had gesproken.

'Wat zei hij?'

'Achter ons is ook een overstroming, van de Niya Darja.'

'O.'

'Ja, en hij zei dat er een paar vrachtwagens vastzitten in de overstroming.'

Volgens de agent zou het nog wel een week kunnen duren voordat we verder konden, maar aangezien hij ook de eigenaar van het restaurant bleek te zijn, vermoedden we dat hij er belang bij had te overdrijven. De afgelopen dagen waren er steeds meer bussen uit Niya aangekomen, die ook niet door konden rijden. Zo langzamerhand was de kleine oase overvol.

Hoewel de toevloed van mensen het er niet comfortabeler op maakte, vooral omdat het enige openbare toilet achter een van de lage muren van het binnenplein lag, was er wel volop afleiding. We zaten de hele dag in het restaurant, waar het ook snikheet was, maar waar we in elk geval de zon en de smerige lucht op het binnenplein, die in al onze eigendommen was doorgedrongen, konden ontlopen. De klanten varieerden van Chinese studenten tot Oeigoerse families. Er was ook een man die onderweg was met zijn dochter en kleinzoon die, net als alle peuters in China, een broekje met een grote spleet droeg in plaats van een luier. De grootvader liet het kind voortdurend op zijn knie rijden en gaf het in alles zijn zin, terwijl de dochter toekeek.

Toen we onze gewatteerde dekens op de grond spreidden om weer een nacht onder de sterren te slapen, kwam Mamat-Jan naar ons toe met een nieuwtje.

'Er is hier nog een buitlander.'

'Een buitlander?'

'Ja, met bus meegekomen.'

'Wat voor soort buitlander?' vroeg ik.

'Een man,' antwoordde Mamat-Jan, en hij wachtte even om dit goed tot ons te laten doordringen. 'Misschien Amerikaan, misschien Duitser.'

'Hoe ziet hij eruit?' vroeg Wic, want onze belangstelling was gewekt.

Mamat-Jan gaf een summiere beschrijving van het uiterlijk van de 'buitlander': lang, bruin haar, draagt een broek. Omdat wij inmiddels halfontkleed in onze slaapzakken lagen, stuurden we Mamat-Jan op pad om de man uit te nodigen ons een bezoek te brengen op het binnenplein, tussen de bierflesjes en krakkemikkige ezelkarren.

Een tijdje later kwam hij terug. 'De buitlander is naar de burg gegaan.'

'Wat?' riepen we. 'Wáár is de buitlander naartoe gegaan?'

'Hij is naar de burg,' zei Mamat-Jan, een beetje verbaasd om onze ontsteltenis.

'De brug! De brug!' schreeuwde Wic.

'Waarom is hij naar de brug gegaan? Die is toch kapot?'

'De bus is naar de burg gegaan om te wachten tot de burg gemaakt is.'

Toen we hoorden dat er mensen naar de brug gingen, hadden we opeens geen belangstelling meer voor de 'buitlander'. Tot laat in de avond bespraken we wat we de volgende dag zouden doen.

De vierde dag in Xu Tang begon met het gebruikelijke ontbijt van gestoomd brood met jam, gevolgd door uienbrood, maar daarna verbraken Lucy en Mouse de dagelijkse routine door de eeuwig tegenstribbelende meneer Li en Mamat-Jan over te halen naar de brug te rijden. Meneer Li was blijkbaar weer in genade aangenomen en omdat we niet wisten waar we zo gauw een andere chauffeur vandaan moesten halen, stelden we geen vragen. Ze vertrokken en kwamen met het teleurstellende nieuws terug dat er een vrachtwagen vastzat in het eerste ondergelopen stuk en dat er verderop nog vijftig bussen en trucks vastzaten, helaas ook de bus met de 'buitlander'. Dus legden we ons erbij neer dat we nog een dag van zwaar te verteren mie en rondhangen in het restaurant voor de boeg hadden.

Die avond kwam Mamat-Jan stralend van trots naar ons toe omdat hij twee geweldige nieuwtjes voor ons had. Ten eerste stond er frites op het menu, en ten tweede konden we de volgende morgen uit Xu Tang weg omdat de 'burg' op een wonderbaarlijke manier gerepareerd was. Om dit te vieren, smeekten we meneer He, die over ons budget ging, ons in een slaapkamer van het restaurant te laten overnachten. Hoewel dit voor ons allemaal omgerekend maar één dollar kostte, zuchtte hij verontwaardigd en zei dat het veel te duur was. Maar we bleven aandringen en uiteindelijk gaf hij toe, en we kregen twee stoffige kamers toegewezen, waarvan een zonder licht. De restauranteigenaar/politieagent en een kelner bonden de strijd aan met een gloeilamp en toen de nieuwe erin zat, genoten we van de luxe van de halfdonkere, oncomfortabele kamers. En we mochten zelfs een douche nemen! Jammer genoeg kwam daar bronwater uit en dat was vuil, was ons gezegd, maar we lieten ons niet afschrikken door het risico van een huidziekte en namen het aanbod gretig aan. Het ontwerp van de douche was origineel en heel slim: een rubberen slang langs het plafond van een lege kamer met een colablikje eraan waarin een heleboel gaatjes waren geprikt. Maar de contraptie werkte en sproeide heerlijk door de zon verwarmd water over onze vuile lichamen.

De volgende dag vertrokken we een kwartier vroeger dan normaal, dolblij dat we weer verder konden en Xu Tang konden verlaten, al was het alleen maar vanwege de mie. De zandstorm van de vorige dag had de lucht schoongeveegd. We hadden afgesproken dat we Mamat-Jan om zes uur bij het begin van de overstroming zouden ontmoeten, voor het geval dat de truck niet verder kon. We hadden kunnen weten dat hij om zes uur niet zou komen opdagen, en om half zeven was hij er ook nog niet. Om zeven uur kwam hij in een rode taxi aanrijden, die met piepende remmen stopte. Mamat-Jan zei 'Hoi' en liep door naar het water. We keken elkaar verbaasd aan en riepen hem na: 'Mamat-Jan!' Blijkbaar was 'hoi' alle uitleg die hij nodig vond voor het wachten, het wegblijven van onze truck, de taxi...

Vervolgens zagen we de vrachtwagen door de woestijn komen aanrijden, met een boos kijkende meneer Li achter het stuur. Het bleek dat de auto in de zeven kilometer tussen het gehucht en de overstroming tweemaal vast had gezeten in het zand. Op een van die momenten was de taxi langsgekomen en had Mamat-Jan meegenomen.

De overstroming lag nog voor ons. Op de kamelen konden we er zonder problemen doorheen, maar voor de truck was het een uitdaging. Meneer He gooide een paar stenen in het water; hij dacht blijkbaar dat hij de truck daardoor boven water kon houden. Meneer Li nam een lange aanloop en racete rechtstreeks door naar de overkant van het water. Daar opende hij het portier, wenkte met zijn witgehandschoende hand dat meneer He en Mamat-Jan moesten instappen en reed met een voldaan gezicht in een stofwolk weg.

Wij volgden langzamer door de restanten van de overstroming: stukken modderige woestijn met hier en daar bossen riet. Ongeveer dertig kilometer verder kwamen we bij de 'burg' en keken een beetje teleurgesteld om ons heen. De onafzienbare watervlakte van wel bijna vier meter diep was geslonken tot een plas van een meter of tien breed en nog maar een halve meter diep. Op een eiland in de rivier zaten een paar arbeiders uienbrood te eten, met het zicht op de tijdelijke brug die ze net hadden gebouwd van hout, zand en tamarisktakken. Wic reed op Moon Boot, die toevallig dol was op tamarisktakken, en toen hij op de brug stapte, viel zijn oog meteen op dit fijnproeversmaal. Hij liet zijn kop zakken en begon in snel tempo de constructie op te eten waar de mannen zo hard aan hadden gewerkt. Ongelovig hielden ze op met eten en begonnen tegen ons te schreeuwen. Langzaam hief Moon Boot zijn majestueuze kop en met tamarisktakken die aan weerskanten uit zijn bek staken, liep hij waardig door.

De volgende dag, na opnieuw een nacht onder de sterren, vervolgden we onze weg over een stenig pad door hetzelfde eentonige landschap: harde zandduinen met hier en daar riet of struikjes. Een afgedankt onderkomen voor wegarbeiders – drie lege kamers met een dikke stoflaag op de vloeren – had niet op een beter moment kunnen opdoemen: net toen we zochten naar een plek om ons kamp op te slaan. Alles ging goed tot ik met het volgende voorstel kwam: 'Mamat-Jan, misschien moet jij morgen alvast naar Charchan rijden om erachter te komen hoe de weg naar Charklik en Dunhuang is, en om uit te vinden of de nieuwe truck eraankomt.' Tot mijn verbazing stemde hij ermee in en zei zelfs dat het een goed idee was, maar toen ik het plan voorlegde aan de anderen, onderbrak hij me met allerlei 'gemaar' en besloot zijn protest met: 'Je zei dat we naar een dorpje zonder telefoon zouden rijden dat vijfenvijftig kilometer verderop ligt.'

'Waarom zou ik je vragen naar een dorp zonder telefoon te gaan?'

'Hmm, dat weet ik niet.'

'Ik zei Charchan en jij vond het een goed idee.'

'Ach, dan heb ik het niet begrepen,' zei hij, alsof dat het probleem oploste.

'Begrijp je het nu, Mamat-Jan?' vroeg Lucy twijfelend.

'Eh, ja,' antwoordde hij, wat van alles kon betekenen, 'maar misschien zijn de meneer He en de meneer Li het er niet mee eens.'

'Waarom bespreek je het dan niet met hen?' zeiden we geduldig.

'Ja, maar wie betaalt de benzine?'

'Wat?' riepen we.

'We hebben niet genoeg benzine om naar Charchan te gaan.'

Even waren we sprakeloos, tot een van ons ferm zei: 'Jawel, jullie... hebben... genoeg... benzine... en... jullie... betalen... ervoor.'

'Nee, dat denk ik niet,' antwoordde hij luchtig.

Opnieuw werd het oude verhaal van de ziekenhuisrekening in de strijd geworpen. Toen de andere drie ziek waren, had meneer He voor hun behandeling betaald, maar we hadden onze schuld vereffend door Mamat-Jan in Xu Tang onze satelliettelefoon te laten gebruiken. We moesten hem honderd dollar voor het ziekenhuis betalen, maar het gebruik van de telefoon had tweehonderdvijfendertig dollar gekost. Je hoefde geen wiskundige te zijn om deze som uit te rekenen, maar Mamat-Jan bleef maar zeuren over de ziekenhuisrekening. Vervolgens probeerde Lucy Mamat-Jan duidelijk te maken dat zij die rekening moest hebben voor de verzekering, maar hij weigerde die te geven omdat meneer He het geld ook van zijn verzekering wilde claimen, terwijl wij het hem al hadden betaald. De arme Mamat-Jan was te naïef om te beseffen dat hij ons per ongeluk op de hoogte had gebracht van meneer He's oplichterij.

Nadat we nog een uur hadden aangedrongen, beloofde Mamat-Jan dat hij de volgende morgen om vijf uur zou opstaan, de ruim zestig kilometer naar Charchan zou rijden, op onderzoek uit zou gaan, en ongeveer dertig kilometer terug zou rijden om tijdig ons volgende kamp op te zetten. We drukten hem op het hart dat vooral het laatste belangrijk was, omdat we in de zadeltassen maar een beperkte hoeveelheid water konden meenemen.

Dit koppige gedrag was nog niets vergeleken bij wat er daarna kwam. De volgende dag was een logistieke nachtmerrie. Wij stonden om vier uur op, pakten onze spullen in, aten snel ons ontbijt en wilden vertrekken toen het tot ons doordrong dat ondanks de afspraak van de vorige avond nog niemand van de hulpploeg was opgestaan.

'Mamat-Jan, wakker worden!'

'Ik ben wakker,' antwoordde hij, 'maar we gaan niet.'

Meneer Li had bezwaar gemaakt tegen de vroege start.

'Jullie moeten begrijpen,' legde Mamat-Jan uit, 'dat het hier nu vijf uur is en in Beijing pas zeven uur. Meneer Li wil niet aan het werk voordat het in Beijing negen uur is.'

'Dit is de WOESTIJN!' riep Mouse kwaad. 'Dan begrijp je toch wel dat we hier geen kantooruren aanhouden? Wij moeten om vier uur op om de grootste hitte te vermijden, en om op tijd uit Charchan terug te zijn om het kamp op te slaan, moeten jullie nu weg!'

Dat ging boven zijn pet. Vervolgens eiste Mouse dat Mamat-Jan haar woorden rechtstreeks vertaalde voor meneer Li, die nog languit op het zand lag. Een van haar belangrijkste argumenten was dat meneer Li niet langer hoefde te werken dan één uur per dag, wanneer hij de vrachtauto van het ene kamp naar het volgende moest rijden. Daarna lag hij de rest van de dag te slapen of lege bierblikjes naar de kamelen te gooien. Dat kon je ook geen kantooruren noemen, dus hadden wij het recht te eisen dat hij wat vroeger aan het werk ging dan hij gewend was. Meneer Li antwoordde met hysterisch geschreeuw, maar uiteindelijk reden we weg in de hoop dat ons ultimatum zou werken. En ja hoor, om zeven uur werden we ingehaald door de truck, met in de cabine een strak voor zich uit kijkende meneer Li die zijn witgehandschoende handen stijf om het stuur klemde.

Die dag werd de weg kronkelig, een verademing. Aan weerskanten glooiden de duinen en soms liep de weg omhoog en hadden we een weids uitzicht over de woestijn voor ons, een lege vlakte met hier en daar wat wilde populieren.

Na een kilometer of dertig verwachtten we ergens ons kamp te zien, maar dat gebeurde niet. Een kilometer of drie verder begonnen we ons zorgen te maken. De vrachtauto werd steeds belangrijker voor ons, want we werden bijna bedwelmd door de middaghitte en snakten naar water en schaduw. Gevangen in het woestijnlandschap was het moeilijk niet in paniek te raken. Ondanks de bescherming van een hoed begon mijn hoofd te broeien en te bonzen onder de gloeiende zon. Roerloos en zwijgend zaten we op de kamelen om niet onnodig energie te verspillen.

Om twee uur werd de stilte verbroken door een stofwolk aan de horizon en tot onze blijdschap was het onze truck. Naarmate hij dichterbij kwam, vervloog onze bezorgdheid, maar nam onze woede toe. Mamat-Jan toonde geen enkel berouw omdat hij twee uur te laat was en leek niet te begrijpen aan welk gevaar hij ons had blootgesteld. Toen we ons na acht uur rijden en lopen in de hitte vanuit het zadel op de grond lieten glijden, begaven onze benen het bijna, maar ik kon nog genoeg kracht verzamelen om minstens vijf minuten tegen Mamat-Jan te schreeuwen. Toch kon er nog steeds geen verontschuldiging of geruststellend woord vanaf. Om ons te kalmeren, haalde Mamat-Jan een meloen te voorschijn die hij in Charchan had gekocht. Zwijgend aten we die op, terwijl we nadachten over de tekortkomingen van onze hulpploeg.

De dag eindigde met onenigheid over zo'n onbenullig onderwerp als toiletpapier. De karige hoeveelheid die meneer He ons had gegeven was op en toen we, ook al had Mamat-Jan ons verzekerd dat de hele voorraad op was, nieuwe rollen in de cabine van de truck vonden, hielpen we onszelf daaraan. Dit had weer een scheldkanonnade van meneer Li tot gevolg, die ons ervan beschuldigde zijn persoonlijke voorraad te stelen, en een lange woordenwisseling over wie er verantwoordelijk was voor de aankoop van nieuw papier. Mamat-Jan zei dat dat onze taak was, terwijl wij volhielden dat meneer He hiervoor moest zorgen, want hij beschikte over het geld dat wij vooruit hadden betaald. Het was niet leuk steeds weer het soort ruzies te moeten maken dat eerder bij achtjarige meisjes paste, maar ze hadden één gunstig neveneffect: onze gemeenschappelijke afkeer van de hulpploeg versterkte de band tussen ons vieren.

De frustraties van overdag werden echter meer dan goedgemaakt door de vredigheid van de nachten. Het licht was de afgelopen paar dagen prachtig helder geworden en bood schitterende zonsop- en ondergangen. Nadat de zon in een glorieuze mengeling van roze en gele tinten was ondergegaan, lagen we nog uren naar de sterren en de maan te kijken, die glinsterend helder in de zwarte lucht stonden. Ik had nog nooit zulke zuivere luchten gezien, en sindsdien heb ik dat ook niet meer meegemaakt. Er was geen bewoonde wereld met straatlantaarns die het donker verstoorden, en we hebben in die drie maanden in de Taklamakan ook geen vliegtuigen gezien. De woestijn leek 's nachts nog oneindiger dan overdag, want pas in het donker drong het goed tot je door hoe ver we overal vandaan waren. Maar dat maakte ons niet bang, integendeel, het gaf ons een geruststellend gevoel van vrijheid en afstand van de futiliteiten van het leven. Ik zal nooit vergeten hoe knus het was met z'n vieren op een rij op het zand te liggen en te praten en lachen tot we in slaap vielen.

Maar de dageraad bracht de werkelijkheid mee en dan werden we weer geteisterd door de meedogenloze hitte en het zand. Toch had de woestijn zijn eigen rauwe schoonheid. Elke dag was het landschap weer een beetje anders, variërend van een kale zandvlakte tot hopen stuifzand met tamarisken en groepjes wilde populieren. De nederzettingen lagen ongeveer honderd kilometer uit elkaar, de rest van het gebied was net zo woest en onherbergzaam als in de tijd van Marco Polo.

Later die dag bereikten we Charchan, vier dagen en honderdzestig kilometer na ons vertrek uit Xu Tang. De reis van die morgen was onderbroken door Rozi en Egem, die hadden ontdekt dat de kamelen vol teken zaten. Ze liepen bijna een kilometer achter ons en toen de truck hen inhaalde, hielden ze die aan. Meneer He, meneer Li en Mamat-Jan sprongen eruit en gingen om de dieren heen staan, terwijl Rozi en Egem naar ze wezen. Toen we terug waren gelopen, had Mamat-Jan een grote stok in zijn hand met donker, stroperig bloed aan het uiteinde.

'Wat is er aan de hand, Mamat-Jan?'

'De kamelen zitten vol met diertjes.'

'Ja, dat zijn teken, daar hebben alle dieren last van.'

'Maar de Rozi en de Egem zeggen dat ze gevaarlijk zijn en de kamelen kunnen doden.'

'Nee, maak je maar geen zorgen. Je hoeft ze alleen maar weg te halen, dan hebben de kamelen er verder geen last van.'

'Maar het bloed is zo donker... Ze zeggen dat het gevaarlijk is.'

'Hebben Rozi en Egem ooit eerder teken gezien?'

'Eh, ik denk het wel.' Mamat-Jans antwoord op elke vraag waarop hij geen antwoord wist.

'Hebben Rozi en Egem ze ooit eerder gezien?'

Met tegenzin vertaalde hij de vraag en moest daarna bekennen dat ze nog nooit een teek hadden gezien, alleen van deze parasiet hadden gehoord. Vervolgens prikte hij met zijn stok in een oksel van een van de dieren, waar een heel grote teek zich had vastgezogen. Zijn opgezwollen lichaam barstte open en er liep een straaltje donkerrood, kleverig bloed langs de poot van de kameel, en de kop begroef zich nog dieper in het vlees.

'Nee Mamat-Jan!' riep Mouse. 'Dat mag je nooit doen! Je moet de kop draaien en eruittrekken, anders kan het gaan ontsteken.'

Mouse liet behendig zien hoe het moest en even later had ze de meeste teken weggehaald en in een hoopje op de grond gegooid, en toen mocht Mamat-Jan ze met zijn stok verpletteren.

Het verbaasde ons dat Egem en Rozi, die uit een dorp kwamen en daar omringd waren door schapen, honden, geiten, jakken, ezels en paarden, nog nooit deze veelvoorkomende parasiet hadden gezien.

Zonder verder oponthoud bereikten we Charchan. Na de verlatenheid van de woestijn was het vreemd weer door straten vol mensen te lopen. Omdat de kamelen de stad niet in mochten, lieten we ze bij Rozi en Egem achter in een veld, terwijl wij incheckten in het Muztagh Hotel. Dit hotel, met het grootste stuk jade ter wereld in de schemerige lobby, is gebouwd voor investeerders in olie – het zuiden van Xinjiang is rijk aan dit natuurlijke product – en is luxueuzer dan de hotels waar we eerder hadden geslapen. Maar vanwege de overstroming was er bij onze aankomst nog geen elektriciteit en moesten we nog een etmaal wachten voordat we eindelijk konden douchen. In de hoofdstraat vonden we een restaurantje dat zich van de eentonige, witbetegelde gebouwen eromheen onderscheidde door een met houtsnijwerk versierd groen houten dak. Mamat-Jan had ons voorzien van een lijst van onze lievelingsgerechten in het Oeigoers, en we wezen enthousiast naar kebabs, tomatensla, brood en yoghurt. Vooral na de eindeloze mie van de afgelopen week smaakte het allemaal heerlijk.

De volgende dag was bedoeld als rustdag, maar van rust was geen sprake. Meneer Li en Mamat-Jan, die een paar dagen eerder alvast naar Charchan waren gereden, waren helaas niet met goed nieuws teruggekomen. Mamat-Jan had geïnformeerd naar de conditie van de weg van Charchan naar

Dunhuang en gehoord dat die door hoge zandhopen moeilijk begaanbaar was, dus hij had meneer Ma gebeld met het verzoek ons een andere vrachtwagen te sturen. Het enige dat hij daarmee had bereikt, was de verzekering dat meneer Ma ons, als de nood aan de man kwam, een wagen met vierwielaandrijving zou sturen. Verbijsterd omdat meneer Ma blijkbaar niet vond dat de nood al aan de man was, moesten we hem die dag een paar keer bellen in een wanhopige poging om voor de rest van de tocht toch een andere truck te krijgen. Maar we hadden net zo weinig succes als Mamat-Jan en moesten er ten slotte mee instemmen dat we onze vrachtwagen zouden houden tot hij letterlijk niet verder kon.

Die avond maakte Mamat-Jan zich ernstig zorgen om onze kameeldrijvers, want blijkbaar waren Rozi en Egem op dat moment aan het bespreken hoe ze konden terugkeren naar Karakol. 'Wat heb je gedaan om ze zo boos te maken?' vroeg Mouse. In Kasjgar hadden we ze ook al meer loon moeten beloven omdat Sadiq ons had verteld dat ze erover dachten ons in de steek te laten.

'Niets,' luidde het voorspelbare antwoord. 'Ze kamperen op een heel mooie plek – we hebben de beste plek uitgekozen – met water en gras. Ze zitten daar goed, dat zullen jullie morgen wel zien.' Maar daarmee stelde hij ons niet gerust en we kochten een grote doos sigaretten in de hoop Rozi en Egem daarmee tevreden te stellen.

De plek was inderdaad voorzien van water en gras. Toen we de volgende morgen vroeg de rustplaats voor de kamelen zagen liggen, was het mistig en leek het alsof Mamat-Jan inderdaad zijn best had gedaan. Maar toen we even later de hoek van een gebouw om liepen, dreef een verschrikkelijke stank ons tegemoet. Het gebouw bleek een schapenslachthuis te zijn en aan de andere kant lag een grote vierkante kuil, waar de stank vandaan kwam. Uit het hoge ijzeren hek van het gebouw kwam een man met een zak schapendarmen over zijn schouder. Hij liep naar de kuil, keerde de zak om en honderden wriemelende maden kwamen in actie.

Een eindje verder waren onze kameeldrijvers net aan het opstaan; hun tent stond in de schaduw van het gebouw. Met een zuur gezicht, wat te begrijpen was, kwamen ze naar buiten.

'Geen wonder dat ze naar huis willen, Mamat-Jan,' zei Mouse. 'Dit is walgelijk. Twee dagen hebben ze hier moeten doorbrengen, buiten de stad, omdat ze de kamelen niet alleen kunnen laten. Als jij niet iemand kunt vinden die een poosje op de kamelen wil letten, doen wij het wel. Egem en Rozi moeten ook een paar uur vrij hebben.' Maar Mamat-Jan wilde niet toegeven dat hij een fout had gemaakt en dat het een afschuwelijke plek was.

Misselijk van de indringende stank liepen we later voor de kamelen uit over een oude weg de stad uit. Mamat-Jan had gehoord dat de weg van Charchan naar Charklik niet al te veel waterschade had opgelopen en dat we alleen de eerste dertig kilometer een omweg over de oude weg moesten maken omdat de brug van de nieuwe weg was weggespoeld. Bij een dorp verlieten we het asfalt en namen een zandpad, waar we andere vroege vogels tegenkwamen op motorfietsen of ezelkarren, die geamuseerd het ongewone tafereel dat we boden bekeken. De mist hing laag, de zon rees er langzaam bovenuit en verlichtte de sluiers.

Plotseling stonden we na een bocht in de weg voor een plas water van ongeveer dertig centimeter diep. O jee, dat gaat niet goed, dachten we. We spreidden onze gewatteerde dekens op de grond naast het water, gingen zitten en aten de meloen en het brood die Rozi uit zijn zadeltas had gehaald. Toen we na ons ontbijt de vrachtwagen nog niet zagen aankomen, vulden we de tijd met het verwijderen van nieuwe teken op de kamelen. Ze lieten zich geduldig behandelen, behalve Wierook, een van de kleine. Hoewel het pas half augustus was, begon hun wintervacht al te groeien en die van Wierook was vrij wollig. Maar zijn knuffeldierachtige uiterlijk kwam niet overeen met zijn aard, en hij liet niemand in de buurt van zijn achterlijf komen. Met zijn poten onder zijn lichaam gevouwen zat hij op de grond en belette ons de teken uit de holtes tussen zijn poten en buik te trekken. Rozi en Egem bonden zijn poten bij elkaar en ten slotte ook zijn kaken, om te voorkomen dat hij hen besproeide met zijn vieze speeksel. Maar Wierook was iedereen te slim af. Met een paar welgemikte trappen van zijn achterpoten gooide hij Egem op de grond en slaagde erin zich uit zijn boeien te bevrijden.

Een paar uur later kwam de truck, en intussen was het water gelukkig gezakt. Maar verderop stroomde er steeds vaker water over de weg en omdat we steeds moesten wachten tot de truck er veilig doorheen was, schoten we niet erg hard op. Elke keer moest meneer Li eerst uitstappen en een greppel graven, terwijl meneer He zijn broekspijpen oprolde en met in zijn ene hand twee dozen eieren en in de andere zijn leren sandalen voorzichtig door het water waadde. Vervolgens beleefde meneer Li zijn moment van triomf wanneer hij loeiend gas gaf en door het water racete, waarna hij, door ons toegejuicht met 'hoera!', met een strak knikje uit de cabine stapte om zijn geliefde carburator te inspecteren.

Een paar uur later hadden we ongeveer vijf kilometer afgelegd. Voor ons lag een prachtig duinlandschap, als een kalme zee met duizenden golfjes. De felle zon zette het in een goudachtig rode gloed, in tegenstelling tot de grijze vlakte waar we vandaan kwamen. Ongeveer een kilometer verder stonden we voor een lage zandheuvel, waar de vrachtauto zelfs na een paar pogingen niet overheen kon. Eindelijk kwamen onze herhaaldelijke voorspellingen uit. Maar Mamat-Jan zag nog steeds geen probleem. 'Rijden jullie maar door!' riep hij. 'We halen jullie wel in!' Toen we op de kamelen langzaam de heuvel hadden beklommen, keken we om en zagen de truck nog steeds beneden staan. Omdat we Mamat-Jans optimisme niet deelden, stapten we af en wachtten in de verstikkende hitte in de schaduw van de kamelen voor de zoveelste keer op de anderen.

Opeens zagen we in de verte twee mannen aankomen. Mamat-Jan sprak ze aan en ze gingen weg en kwamen terug met een tractor, waarmee ze de truck over een paar duinen trokken. Inmiddels was het een uur of vier (we waren die morgen om vijf uur vertrokken) en we moesten nog ongeveer twintig kilometer afleggen. Maar Mamat-Jan bleef koppig volhouden. 'Rijden jullie toch door! Waarom wachten jullie steeds?' zei hij verwijtend. Langzaam reden we verder door de onafzienbare duinenrijen, waar volgens ons op deze manier nooit een eind aan zou komen.

Twintig minuten later hoorden we een auto toeteren in de stilte, en we hielden opnieuw halt. Pas twee uur later zagen we achter een duin de cabine van de vrachtauto glinsteren, waarna hij langzaam achteruit reed in de richting van de rivier. We stegen weer op en gingen kijken wat er aan de hand was, en eindelijk gaf Mamat-Jan toe dat de truck niet verder kon. We hadden geen andere keus dan omkeren en moedeloos teruggaan naar Charchan.

Het werd snel donker en om acht uur reden we de oase weer binnen, wat tot onze verbazing 's avonds een heel andere ervaring was. De mensen hadden het niet meer druk met hun werk, ontspannen stellen reden ons op motorfietsen voorbij, in hun eigen wereld, en letten niet op ons. We trokken minder bekijks en kregen daardoor de kans om zelf beter te kijken naar waar iedereen mee bezig was. Ezelkarren stopten langs de weg, vol grote families die gezellig met elkaar begonnen te kletsen. Vaders gingen terug naar hun gezin, mannen naar hun vrouwen, vuren werden aangestoken en exotische geuren zweefden ons vanuit smalle deuropeningen tegemoet. We passeerden het slachthuis en reden door naar een klein, stoffig hotel rondom een open binnenplaats. Wij kregen twee eenvoudige en niet bepaald schone kamers toegewezen, de kamelen mochten op de binnenplaats overnachten. Toen we eindelijk doodmoe en piekerend over de gebeurtenissen van die dag in bed lagen, waren meneer He en meneer Li in de vrachtauto nog steeds niet terug.

De volgende dag schreef Wic in haar dagboek: 'Het zou een keiharde leugen of een bewijs van krankzinnigheid zijn als ik zou beweren dat mijn hart wanneer ik 's morgens meneer He zag, werd vervuld van vreugde. Maar vandaag was een uitzondering. Toen hij en meneer Li gisteravond niet terugkwamen, was ik ervan overtuigd dat ze de truck ergens hadden achtergelaten en op zoek waren gegaan naar een kom mie en de bus naar Beijing. Tenslotte was het lang na kantoortijd. Dus toen ik vanmorgen pas om zeven uur uit mijn kamer kwam, was ik oprecht blij toen ik hem met zijn grijns vol zwarte tanden over de binnenplaats naar me toe zag komen, met in zijn hand zijn kostbare jampot met thee.'

'Meneer He!' riep Wic. Hij gromde alleen maar. 'De truck?' Geen antwoord. 'Broem, broem...' probeerde ze, terwijl ze woest aan een denkbeeldig stuur draaide. Er volgde nog wat gegrom en hij wees naar de andere kant van de straat. Toen ze weer naar hem keek, slofte hij al op zijn sandalen naar zijn kamer. '*Hen hao!*' (goed zo), riep ze hem opgelucht achterna, maar hij gooide de deur dicht.

Vervolgens kwam Mamat-Jan uit de kamer ernaast en vertelde ons trots dat hij meneer Ma al had gebeld, maar dat er die dag niets kon worden geregeld omdat het zondag was. We wisten niet of we hem moesten prijzen vanwege zijn onverwachte initiatief of uitkafferen als de gemakkelijkste zondebok. In plaats daarvan genoten we van een ontbijt bestaande uit warm brood, versgekookte eieren en een grote kom yoghurt met honing, waarna we ons een stuk beter voelden.

We ontsnapten naar de bazaar met Egem en Rozi, die ons voor de lunch trakteerden op geroosterde maïskolven en ons koperen armbandjes cadeau deden. Ik had ooit eerder gezegd dat ik een muts van schapenbont wilde hebben, dus Egem speurde met een ernstig gezicht elke kraam af naar een exemplaar en was erg teleurgesteld dat we er geen konden vinden. Hij en Rozi waren altijd heel beleefd; ze hielpen ons met de zadeltassen en deelden hun eten met ons, in tegenstelling tot meneer He en meneer Li, die ontzettend bot waren, nooit hielpen de zware rugzakken in de truck te tillen en kalm toekeken terwijl wij een moeizaam karwei verrichtten.

Charchan was net zo heet en stoffig als de andere oases. In de bazaar verkochten ze van alles, van tinnen theepotten tot zuurtjes. De enige bescherming tegen de felle zon bestond uit versleten stukken canvas. Na een uur vielen we bijna flauw van de hitte en de herrie, dus gingen we terug naar ons hotel om te wachten op nieuws van meneer Ma, dat niet kwam.

De volgende dag was er geen elektriciteit, waardoor we niet konden telefoneren. Het lot leek ons niet gunstig gezind te zijn, en somber brachten we de dag in onze kamers door. Het was buiten zo heet dat zelfs een wandeling over het binnenplein naar de wc, een gat in de grond achter de muur aan de overkant, een kwelling was. Het enige water kwam uit een tuinslang, maar dat werd ook afgesneden.

Die middag kwamen er nieuwe gasten op het binnenplein: een stuk of twintig Oeigoeren, boven op twee vrachtwagens vol schapenhuiden en één levend schaap. Gelukkig kwamen ze de rust in het restaurant, dat we voor ons alleen hadden, niet verstoren, maar zetten buiten hun eigen tafel op.

Rozi en Egem zaten het grootste deel van de dag samen te giechelen. Rozi had Mamat-Jan gevraagd hem de woorden *I love you* te leren, die hij vervolgens een paar keer op Mouse uitprobeerde, waarbij hij één keer meteen verlegen wegrende. En toen ik na het avondeten terugkwam in onze kamer, lag Lucy op haar eigen bed en Egem op het mijne. Blijkbaar had hij mijn hoofdkussen gestreeld en 'Alex mooi?' gevraagd, waarop Lucy loyaal 'Ja' had gezegd.

De derde dag van onze gevangenschap gingen we op zoek naar schoenen voor de kamelen. De arme kamelenvoeten begonnen te barsten en blaren te vertonen, en in sommige zaten zelfs gaten, wat de dieren zichtbaar pijn bezorgde. Tot op dat moment was onze suggestie de kamelen schoenen aan te trekken met hoongelach ontvangen, maar die dag waren Mamat-Jan en meneer He tot onze verbazing bereid mee te gaan naar de bazaar om ernaar te zoeken.

Uiteindelijk vonden we een kleermaker die erin toestemde de ongewone opdracht aan te nemen, en van zijn mooiste zwarte leer schoenen voor kamelen te maken. Hij vond het idee zelfs zo leuk dat hij met Mamat-Jan op zijn motorfiets stapte om extra materiaal te gaan halen. Intussen maakten wij van de gelegenheid gebruik om een middagmaal te eten dat alweer bestond uit kebabs en mie. Oeigoeren aten een heel beperkt menu; in restaurants kon je alleen kiezen uit mie, groente – altijd op dezelfde manier klaargemaakt – en kebabs. Steeds wanneer we naar een restaurant gingen, nam Mamat-Jan de moeite ons te vragen wat we wilden eten en dan vroegen we hoopvol of ze iets anders hadden dan mie en kebabs, en dan antwoordde hij steevast: 'Gebakken mie.'

Later die middag gingen we de kamelenschoenen ophalen. Ze waren heel slim gemaakt: de buitenkant was van zwart leer, de binnenkant van vilt en en zolen waren van bandenrubber. We besloten ze meteen te proberen, en Moon Boot was het eerste slachtoffer. Rozi hield een poot vast en Egem schoof de schoen aan de voet en probeerde die met een touwtje om de enkel vast te maken. Maar Moon Boot liet niet met zich sollen en begon te brullen en te spugen, en schopte ten slotte zo hard dat de schoen over de binnenplaats vloog. We besloten het bij deze poging te laten en de kamelen de schoenen pas aan te trekken als we vertrokken. Die avond sprak Mamat-Jan eindelijk met meneer Ma, die ons verzekerde dat er vanuit Kasjgar een vrachtauto met vierwielaandrijving naar ons op weg was en dat we die de rest van de reis mochten houden.

Op de vierde dag ontvingen we nieuws, maar niet het nieuws dat we wilden horen. Omstreeks het middaguur kwam Egem onze kamer in, plofte, zoals hij elke dag deed, op mijn bed en begon in mijn toilettas te rommelen. Geboeid staarde hij naar zijn gezicht in mijn handspiegel. Lucy en ik keken even op van onze boeken, glimlachten en lazen verder. We wilden niet onbeleefd zijn, maar hij en Rozi liepen als kinderen die zich verveelden voortdurend onze kamers in en uit. Ons gebrek aan belangstelling deerde hem niet en hij begon een verhaal te vertellen over auto's en Mamat-Jan, met te pas en te onpas de woorden 'goed' en 'niet goed'. Wat hij ons met zijn zangerige stem probeerde duidelijk te maken, was dat we toch geen nieuwe vrachtauto zouden krijgen, maar dat Mamat-Jan weg was gegaan om te zien of de 'burg' buiten de stad al gerepareerd was. Opnieuw kookten we van woede.

'Waar kom jij vandaan?' vroeg Mouse toen Mamat-Jan eindelijk terugkwam.

'Ik naar burg gaan.'

'Waarom?'

'Omdat ik denk weg is goed en we kunnen gaan.'

'Waar is de truck met vierwielaandrijving die ons is beloofd?'

'Nee, ik denk niet dat nieuwe truck komt.'

'Waarom niet?'

'Meneer Ma zegt weg is goed voor oude truck.'

We kregen te horen dat meneer Ma Mamat-Jan had opgedragen naar de weg te gaan kijken en dat had hij gedaan. Hij vertelde ons dat de brug weer begaanbaar was en dat we de volgende morgen konden vertrekken. We waren er absoluut niet van overtuigd dat de weg na de brug ook begaanbaar zou zijn, omdat wegarbeiders ons de dag daarvoor nog hadden verteld dat die bedekt was met zand. Maar Mamat-Jan verkoos de hoteleigenaar te geloven, die wel twee jaar geleden naar Dunhuang was gereden en hem had verteld dat het een mooie weg was. Opnieuw waren we machteloos.

Toen Mouse de volgende morgen vroeg wakker was geworden en de binnenplaats overstak, zag ze toen ze langs de kamer van Rozi en Egem liep door hun raam een witte schim. Vlug kwam ze terug naar onze kamer om ons het nieuws te vertellen: de witte schim was een meisje en ze lag in Rozi's bed. We renden de binnenplaats op en zagen eerst Mamat-Jan hun kamer binnengaan en met haar praten, en haar daarna in een dun nachthemd op de stoep voor hun deur gaan zitten. Wat ons verbaasde, was dat Egem, terwijl ze in Rozi's bed had gelegen, degene was die bij het afscheid haar hand niet kon loslaten en haar onder haar kin kriebelde.

In de ochtendschemering verlieten we Charchan voor de

tweede keer. We namen de nieuwe weg tot we afsloegen naar de oude. Nadat we twintig kilometer hadden afgelegd in een rechtstreekse lijn over de brug en vervolgens over een steengruispad dat hier en daar werd doorkruist door een stroompje, beseften we dat we de vier verspilde dagen gemakkelijk hadden kunnen vermijden als de hulpploeg voortijdig de route had verkend.

In Centraal-Azië hadden we drie maanden door de woestijn, over ingewikkelde bergpassen, door moerassen en wouden gereden en hadden we geen enkel oponthoud gehad. De Russische hulpploeg had de route met veel enthousiasme en zorg uitgestippeld, waarbij ze rekening hadden gehouden met onze wensen en problemen die zich later voordeden, hadden opgelost. Maar onze Chinese hulpploeg leefde nog in een communistische microkosmos. Behalve Mamat-Jan, die net was begonnen aan een loopbaan als rijksambtenaar, had niemand belang bij een vindingrijke aanpak en voelden ze zich nergens verantwoordelijk voor. Zelfs Mamat-Jan werd alleen gedreven door gehoorzaamheid aan zijn baas in plaats van het zijn cliënten naar de zin te willen maken. Meneer He en meneer Li waren verzekerd van een levenslange baan bij de officiële instantie waarvoor ze werkten. Er was geen verband tussen loon en prestatie. Daarentegen was het team in Centraal-Azië in particuliere dienst en had iedereen er baat bij zijn best te doen. Het hele stuk door China hebben we ze gemist.

Omstreeks het middaguur bereikten we ons eerste kamp na Charchan, wat na vijf nachten binnen een bevrijdend gevoel was. Tevreden pakten we de routine van ons rondreizende leven weer op, maar helaas vonden Rozi en Egem dat zij nu aan de beurt waren om voor problemen te zorgen. Ze hadden besloten hun werk op een andere manier te verdelen: voortaan zouden ze om beurten een dag werken en een dag slapen. De rebellie was het gevolg van hun afkeer om 's ochtends om vier uur te moeten opstaan.

'Als er in het contract staat dat ze om vier uur op moeten, doen ze dat, want ze zijn niet lui,' verzekerde Mamat-Jan ons ernstig. Het was duidelijk dat Rozi en Egem een voorbeeld hadden genomen aan meneer Li, want ze vertelden ons dat ze niet verplicht waren vóór acht uur Xinjiangse tijd te beginnen omdat dat niet in hun contract stond. Omdat ze niet konden lezen, twijfelden we aan het bestaan van een contract, bovendien konden we ons niet voorstellen dat ze er in dat verafgelegen gehucht in Xinjiang waar ze vandaan kwamen kantoortijden op na hielden.

Om te beginnen zeiden we dat ze niet meer hun volledige loon zouden krijgen als ze maar de helft van de tijd werkten. Vervolgens probeerden we uit te leggen dat ze, hoe vroeg of laat ze ook opstonden, altijd dezelfde hoeveelheid werk moesten doen. Zelf klaagden ze ook voortdurend over de hitte en we probeerden hun duidelijk te maken dat we de middagzon alleen door heel vroeg te vertrekken konden vermijden. Maar wat we ook aanvoerden, ze wilden niet luisteren, tot we botweg zeiden dat het hun werk was en dat we, als ze dat niet naar behoren deden door 's morgens allebei op tijd op te staan, meneer Ma zouden inlichten, voor wie ze gelukkig doodsbang waren.

Rozi en Egem stonden de volgende morgen om vijf uur klaar, zoals ze beloofd hadden, en we vertrokken onder een heldere lucht die een snikhete dag voorspelde. De vorige avond had meneer Li een vrachtwagenchauffeur gesproken die had gezegd dat er een kortere route door de woestijn was. Blijkbaar liep de weg voor ons met een grote kronkel, die we konden omzeilen door gewoon rechtdoor te gaan, in de richting van het Kun Lun-gebergte en Charklik. Mamat-Jan gebood ons de kortere weg pas te nemen wanneer we de telegraafpalen aan de andere kant van de kronkel konden zien, niet eerder. Maar nadat we een paar kilometer hadden gelopen, zagen we dat de kameeldrijvers de weg al verlaten hadden en in de richting van de bergen reden. Dit leek ons een verstandig idee, want we wisten dat we, zolang we de bergen voor ons hadden, de goede kant op gingen omdat de weg straks weer tussen ons en de bergen in moest liggen. De morgenzon stond recht voor ons, dus we liepen naar het oosten. In een zo recht mogelijke lijn ploeterden we verder in de richting van de bergen in de wazige verte.

Op een gegeven moment joeg Mouse ons de stuipen op het lijf met de opmerking dat de bergen ruim driehonderd kilometer verder lagen en dat wat we zagen dus hoge duinen moesten zijn, die tussen ons en de weg in lagen. Maar Rozi en Egem stelden ons gerust met: '*Tagh*, ja.' (*Tagh* is het Turkse woord voor 'gebergte'.) Maar doordat wij begonnen te twijfelen, waren zij ook niet meer zeker van hun zaak en veranderden van richting naar het zuidoosten, ook al zeiden we dat ze rechtdoor moesten bijven gaan. Ze waren echter een stuk minder gewillig dan anders en negeerden ons. Omdat we hen niet nog meer wilden ergeren, hielden we onze mond en zagen de bergen steeds dichterbij komen. Om één uur zagen we tot onze opluchting de telegraafpalen opdoemen en even later reden we weer op de weg, ongeveer anderhalve kilometer voor de afgesproken kampeerplaats. Ongerust constateerden we dat de vrachtwagen nergens te zien was. Net toen we waren afgedaald in een oude rivierbedding om nog een bocht in de weg af te snijden, zagen we de truck opdoemen aan de horizon. Toen hij ons had bereikt, wierp meneer Li een blik op onze karavaan in de diepte, besloot dat hij de afdaling en beklimming van de ongeveer drie meter hoge wanden van de bedding niet hoefde te proberen, keerde om en reed weg. Inmiddels was het drie uur in de middag. We hadden het vreselijk warm en onze ogen waren wazig van de felle zon. Waar waren de anderen al die tijd gebleven? Waarom stonden ze niet allang op de afgesproken plek op ons te wachten?

Uiteindelijk zagen we na de laatste bocht de hulpploeg schaapachtig aan de kant van de weg staan wachten. Ik viel meteen uit tegen Mamat-Jan, want dit was echt de druppel die de emmer deed overlopen. Hij keek me zo geschrokken aan dat ik naar de keukentent ging om hooglopende ruzie te vermijden. Uiteindelijk bleek dat Mamat-Jan zijn werk goed had gedaan en dat de schuld bij de kameeldrijvers lag. Zij waren niet, zoals Mamat-Jan hun had opgedragen, pas van de weg af gegaan toen ze de telegraafpalen zagen en daardoor waren we veel verder weer op de weg gekomen dan hij had voorzien. Toen we niet kwamen opdagen, was hij erg ongerust geworden en waren ze de weg op en neer gereden om ons te zoeken. Hijzelf was zelfs een kilometer of tien de woestijn in gelopen. Toen ze opnieuw terugreden, hadden ze ons eindelijk de rivierbedding zien oversteken. Ik schreef in mijn dagboek: 'Toen ik zijn uitleg had gehoord, had ik vreselijk spijt van mijn uitval en bood een paar keer mijn excuses aan, maar hij bleef verongelijkt kijken. Later liet hij me met een meelijwekkend gezicht zien dat hij in de woestijn was gevallen en zijn been had verwond.'

De volgende dag was het oorlog. Zoals gewoonlijk stonden we, onder een prachtige sterrenhemel, om vier uur op, pakten onze spullen in, poetsten onze tanden en smeerden ons in met zonnebrandcrème. Om half vijf wekten we de kameeldrijvers door zacht: 'Goedemorgen Rozi en Egem, lunchtijd!' te roepen. ('Lunchtijd' was het sein voor elke maaltijd.) Vervolgens gingen we zitten om onze dagelijkse portie hard brood met gekookte eieren te eten, die vreemd genoeg naar vis smaakten. Om de paar minuten liep een van ons naar de kameeldrijvers om ze een duwtje te geven, wat later om ze met een zaklantaarn in het gezicht te schijnen en nog wat later om tegen ze te schreeuwen: 'Rozi en Egem, wakker worden!' Om kwart voor vijf verblijdde Egem ons door aan het ontbijt te verschijnen. Hij had in Charchan zijn haar heel kort laten knippen en zag er nogal onheilspellend uit. 'Komt Rozi er ook aan?' Hij haalde zijn schouders op. Blijkbaar hadden ze toch afgesproken om om beurten te werken.

Mouse liep weer naar Rozi toe en schreeuwde dat hij moest opstaan. Eén oog knipperde toen ze herhaalde: 'Het is vijf uur, we moeten gaan! Sta op!' Hij grinnikte vals en trok zijn gewatteerde deken over zijn gezicht. 'Nu heb ik er genoeg van, opstaan!' Ze rukte de deken van hem af. 'Rozi, opstaan! Kamelen!' Ze wees naar de dieren.

Rozi kwam overeind, liep naar de andere kant van het kamp en liet zich op zijn hurken zakken. Intussen was Wic bezig de kamelen reisklaar te maken, terwijl Egem elk touw dat ze vastbond, weer losmaakte. Uiteindelijk gingen we te voet op weg, niet eens zeker of zij en de kamelen wel zouden volgen. Na ongeveer achttien kilometer gingen we bij de eerste waterplaats, met twee bouwvallige schuren, zitten wachten. Gelukkig zagen we wat later de kamelen aankomen. Helaas was de rivier opgedroogd. Toen Egem gebaarde dat we moesten opstijgen, zeiden we: 'Nee, de kamelen hebben al drie dagen niet gedronken, ze moeten eerst drinken.' De kameeldrijvers, die nog steeds woedend waren en ons niet wilden aankijken, mompelden: 'Geen water.'

'Er moet hier toch wel ergens een bron zijn? Ze moeten drinken.'

Na veel zuchten en steunen kregen de kamelen elk een emmer water. We vervolgden de lange, rechte weg met alleen hier en daar een bosje tamarisken om de eentonigheid te doorbreken. Op een gegeven moment zagen we in de verte een hert op een duintop staan. Het was vreemd in dit troosteloze landschap een levend schepsel te zien en we vroegen ons af waar het van leefde. Ongeveer tweeëntwintig kilometer verder kwamen we bij het volgende kamp, nadat Rozi en Egem onderweg geen woord hadden gezegd.

Omdat de meloenen op waren, aten we droog brood en vroegen Mamat-Jan waarom de kameeldrijvers zich opeens zo raar gedroegen. Dit waren Rozi en Egems klachten: 1. In de woestijn schreeuwden we tegen hen. 2. We behandelden hen als slaven en maakten hen op een brute manier al om half vijf wakker. 3. We zeiden altijd wat zij met de kamelen moesten doen, bijvoorbeeld dat ze ze water moesten geven of schoenen aantrekken. 4. Ze verveelden zich.

We begonnen te lachen en zeiden dat ze net meisjes waren omdat ze niet konden opbrengen wat wij zonder klagen al honderdvijftig dagen hadden gedaan. Toen werden ze nog kwader en begonnen ons in het Kirgizisch uit te schelden. We vroegen waarom ze eerst wél aardig waren geweest. Mamat-Jan vertaalde hun misselijke antwoord: 'Dat moeten Maxi en Alkeez zich dan maar eens afvragen.' Mouse en ik, die door Rozi en Egem met deze namen werden aangesproken, keken elkaar sprakeloos aan, diep beledigd omdat zij vonden dat wij ons jegens hen niet vriendelijk genoeg hadden gedragen.

'Mamat-Jan, jij weet ook dat de kameeldrijvers niet altijd de waarheid zeggen, hè?'

'Hoezo?'

'Ze wekken de indruk dat ze jou wél aardig vinden, hè?'

'Ja.'

'Maar tegen ons zeggen ze elke dag: "Mamat-Jan niet goed."'

Mamat-Jan keek gegriefd toen het langzaam tot hem door-drong dat Rozi en Egem probeerden ons tegen elkaar op te zetten. Opeens vond hij hen een stuk minder sympathiek en verzekerde ons dat ze voortaan naar behoren hun werk zou-den doen.

Die avond ging Moon Boot per ongeluk op onze waskom-men staan en ze braken. We hadden niets meer om water in te doen. Toen ik meneer He vroeg of we zijn rode plastic em-mertje mochten lenen, kreeg ik een stortvloed verontwaar-digd Chinees over me heen. Ik greep het emmertje en liep er-mee naar de anderen, maar meneer He en meneer Li renden achter me aan en probeerden het uit mijn hand te trekken. Ik liet niet los en we hielden, terwijl de anderen lachend toeke-ken, een soort wedstrijd, die zij wonnen.

'Waarom mogen wij die emmer niet even lenen, Mamat-Jan?' vroeg ik.

'Eh, de meneer He zegt dat je te vuil bent en misschien een ziekte hebt.'

'Wat?'

'Hij zegt dat je een andere huid hebt.'

Zelfs toen ik had gezegd dat ik mijn huid eerst zou desin-fecteren, wilde meneer He me de emmer niet lenen. Hij spuugde, schold en zwaaide wild met zijn armen. Ik gaf het op en we wasten ons om beurten in een voerbak van de kame-len. Toen ik onder de sterren in mijn slaapzak lag, dacht ik dat Shamil nooit zou weigeren vroeg op te staan of iemand zijn emmer te lenen.

Voor de strijd van de volgende dag kozen we een andere tactiek: we lieten het aan Mamat-Jan over de kameeldrijvers te wekken. Hij wilde niets liever dan beide partijen zoet houden en bracht het er beter vanaf dan wij.

Toch waren we ook opgelucht dat Rozi en Egem een hekel aan ons hadden gekregen, want hun bewondering was ons gaan irriteren. Opeens gedroegen ze zich als mokkende kinderen, dus vonden we het grappig tegen ze te glimlachen en te zien hoe ze hun best deden niet terug te lachen, maar boos terug te kijken. Voordat we uit de gratie waren, hadden Mouse en ik altijd de kameel achter onze respectievelijke aanbidder toegewezen gekregen, maar nu moesten wij achteraan rijden.

De dag daarna riep Mamat-Jan ons allemaal bij elkaar om over het onderwerp 'aardig zijn tegen de buitlanders' te praten. Hij slaagde erin het team te laten beloven dat ze hun best zouden doen om met ons overweg te kunnen en zich niet zo kinderachtig te gedragen. Als aansporing werd de kameeldrijvers na afloop een uitje naar een nachtclub in Urumchi beloofd, als het mogelijk was in vrouwelijk gezelschap.

Onderweg schoten er steeds hagedisjes voor ons langs. Soms kwamen ze onder onze laarzen terecht en overleefden dit niet ongeschonden, of helemaal niet. We zagen geen enkele begroeiing en kampeerden langs de weg op de kale, stenige vlakte. Even later zochten we naarstig dekking toen het zand begon te wervelen in de wind. Een van de rugzakken was binnen twintig minuten begraven.

De storm duurde de hele dag, en die nacht zagen we geen sterren en kropen onder de truck om te slapen. De woestijn was opeens niet vredig meer, maar vreselijk benauwend. We sliepen met stofbrillen op en sjaals strak om het hoofd, en toen we wakker werden, lagen we onder een laag zand. Het was een opluchting toen de zon opkwam, ook al was het in de stoffige lucht al meteen verstikkend heet. De wind ging een paar uur liggen, maar halverwege de morgen wakkerde hij weer aan. Het werd zo donker dat we bijna geen hand voor ogen konden zien.

Na een paar uur kwamen we bij een stuk weg met grote zandhopen, dat bijna vijf kilometer lang bleek te zijn. We waren bang dat de vrachtauto hier niet verder zou kunnen, maar besloten zelf door te gaan, al was het alleen maar om te bewijzen dat we echt een ander voertuig moesten hebben. We vervolgden onze weg en de truck haalde ons almaar niet in. Uiteindelijk kwamen we bij een kloof met in de diepte een stroompje water. De kamelen zouden de hellingen nog net kunnen nemen, maar we vermoedden dat de truck het niet zou redden. Toen we stonden te overwegen wat we zouden doen, kwam er een vrachtauto ons tegemoet met drie Oeigoeren erin. We hielden hen aan en vroegen of ze een boodschap wilden doorgeven aan Mamat-Jan. Ze waren erg aardig en gaven ons al hun brood, druiven en een meloen.

Inmiddels hadden we die dag al achtendertig kilometer afgelegd, dus besloten we aan de andere kant van de kloof te wachten. Op dat moment zagen we de truck aankomen, voorafgegaan door een tractor. Daar sprong een man af, die een sleepkabel aan de truck bond en hem de helling af en de andere helling weer op trok. Vooral het laatste viel niet mee en kostte meerdere pogingen. Een paar meter verder sloegen we ons kamp op, onder de eerste boom die we in weken hadden gezien. Gelukkig was de wind weer wat gaan liggen en konden we een deel van het verzamelde vuil van ons af wassen.

Na een week in die kale woestijn waren we dolblij toen we de volgende dag een oase, Wasa, binnenreden. Langs de weg stonden tamarisken, populieren en wilgen, en goed onderhouden akkers met maïs, aardappels en kool waren afgebakend met rijen zonnebloemen. Een eindje van de stoffige weg af stonden in groene lanen lemen huisjes begroeid met wijnranken. We zagen veel ossen, voor wagens of ploegen, of zomaar ergens onder een hoge populier. Het verbaasde ons nog steeds dat je in zo'n levenloze omgeving opeens zo'n weelderige plantengroei kon aantreffen.

In de kleine oase Wasa woonden gek genoeg veel Chinezen, die met een kegelvormige strohoed op en een schoffel op hun schouder in groepjes naar de akkers liepen. In het algemeen woont de Chinese bevolking van Xinjiang in de grote steden, Urumchi en Kasjgar, terwijl dorpen en oases worden bevolkt door Oeigoeren. Rozi's hoofd begon naar links en naar rechts te draaien om elk meisje dat we tegenkwamen te bekijken, een luxe die hij sinds Charchan had moeten missen.

We kampeerden vijf kilometer buiten de beschaduwde oase. Hoewel de zon hoog aan de hemel stond en de wind ons kamp probeerde weg te blazen, waren we tevreden, want Mamat-Jan had vers brood en meloenen gekocht. Onze tenten stonden vlak naast de kamelen om zoveel mogelijk profijt van hun beschutting te hebben. Helaas kleefden hier ook nadelen aan. Ten eerste stonken ze de hele nacht een uur in de wind en ten tweede stonden ze geen seconde stil. Midden in de nacht schrok ik wakker toen Wierook me met zijn kop vlak boven mijn hoofd ernstig aanstaarde.

Nog maar een paar dagen en dan was het eind augustus. We verheugden ons steeds meer op de herfst. Ervan overtuigd dat het 's ochtends vroeg al iets kouder was, trokken we een trui aan, maar toen de zon hoger kwam te staan, betreurden we de impulsieve daad, want zelfs een extra laag om het middel was onverdraaglijk. Nog steeds genoten we het meest van de dageraad, wanneer de lucht stil was, het licht warm oranje en de temperatuur nog laag genoeg om zonder te zweten een eind te lopen. De pieken van het Kun Lun-gebergte, dat nu nog maar hooguit vijfentwintig kilometer ten zuidoosten van ons lag, staken scherp af tegen de lucht tot de hitte ze versluierde. Tegen tienen wakkerde de wind aan en blies zandspiralen over de vlakte.

Na negen dagen bereikten we de oase Charklik, waar we onze laatste rustdag zouden houden voordat we drie weken later in Dunhuang zouden aankomen. Net als in Wasa zagen we tussen de zonnebloemen een heleboel Chinese gezichten. Anders dan in de vorige oases stonden de wilgen en populieren echter niet in keurige rijen, maar in bosjes bij elkaar. Vogels vlogen kwetterend van tak naar tak, en we beseften dat we al heel lang geen vogels meer hadden gehoord. Algauw gingen akkers en bomen over in lemen huizen. We reden langs een gebouw met hoge muren en een torentje op elke hoek, zonder ramen en met een bewaker die rondliep op het dak. Volgens Mamat-Jan was het een gevangenis. Ons hotel was vlak in de buurt en we bleven bijna de hele middag binnen, om de verstikkende hitte buiten te vermijden.

Charklik had een oninteressant Chinees centrum, dat pas bij zonsondergang tot leven kwam. De moskee aan de westkant stak tegen een lucht met roze strepen hoog boven de andere gebouwen uit. In een van de straten was het 's avonds markt en toen het wat koeler werd, kwamen de mensen uit hun huizen om langs de kramen te slenteren en ergens te gaan eten. Het lege, stoffige plein werd gevuld met brandende barbecues en het wemelde er van de Oeigoeren van alle leeftijden. Net als in mediterrane steden wordt het in een oase pas 's avonds gezellig. Ouders en kinderen eten buiten de deur hun mie en zelfs kleine baby's mogen mee.

Lucy en ik waren die avond verbaasd dat we zelfs na vijf maanden samen nog boeiende onderwerpen vonden om over te praten. We kletsten tot diep in de nacht en werden helaas de volgende morgen al vroeg gewekt door Mamat-Jan, die op onze deuren klopte en trots verkondigde dat hij een wasvrouw had gevonden.

# 9  De lange tocht naar Dunhuang

Het volgende stuk van de route was een van de grootste uitdagingen van de hele reis: de vierentwintig dagen durende tocht naar Dunhuang. We hadden besloten op dat hele stuk geen rustdag te nemen, omdat er geen oases lagen en we het liefst zo snel mogelijk in Dunhuang wilden zijn. Deze legendarische oase op de Zijderoute, waar de noordelijke en de zuidelijke weg om de Taklamakan samenkomen, was een baken op onze reis geworden. Alle vier droomden we van dit stadje, waar we volgens de herhaaldelijke beweringen van Mouse fruit, chocola en andere lang gemiste luxeartikelen konden kopen. Bovendien was Dunhuang het officiële eindpunt van de Taklamakan, ook al hadden we dan nog een groot deel van de Zwarte Gobi voor de boeg.

De tweede nacht in Charklik kregen we niet veel rust, omdat we een beetje zenuwachtig waren over de lange tocht die ons te wachten stond. We vertrokken heel vroeg in de morgen en liepen door lege straten, langs lemen huizen en stallen, en zagen er tot onze verbazing ook varkens, een zeldzaamheid in een islamitisch gebied.

Het werd steeds warmer en we beleefden niets bijzonders. Onze hoop dat het koeler zou worden, werd de bodem ingeslagen. Mouse noteerde een hoogste temperatuur van vijfenveertig graden. De bergketen die ons scheidde van Dunhuang lokte ons vanuit het oosten, maar helaas zouden we die pas de volgende dag bereiken. Toen we gingen slapen, betwijfelden we of de onmenselijke hitte ooit zou afnemen.

De volgende dag beklommen we de eerste berghelling sinds twee maanden. Toen we omkeken naar de open vlakte met het lint van de weg door het zand, namen we opgelucht afscheid van de Taklamakan. Vervolgens trokken we de bergen in en verheugden ons op de pieken en dalen die voor ons lagen.

De beklimming van de uitlopers van de Argyn Shan kostte twee dagen. Deze bergketen is een onderdeel van het grotere Kun Lun-gebergte, dat de scheiding vormt tussen China en Tibet. Pas in 1876 hoorde de buitenwereld van het bestaan van de Argyn Shan, toen de Russische ontdekkingsreiziger kolonel Nikolai Mikhailovich Przjevalsky terugkeerde van zijn belangrijke expeditie naar de Lop, een woestijn ten oosten van de Taklamakan. Zijn ontdekking van de lokatie van Lop-Nor, een toen nog onbekend zoutmeer, veroorzaakte destijds in geografische kringen heel wat opschudding. Toen zijn telegram met het nieuws de wereld overging, schreef de geograaf dr. E. Behm: 'Eindelijk is de duisternis om Lop-Nor verdreven en zullen we binnenkort op kaarten het meer zien zoals het werkelijk is. Maar wie had kunnen vermoeden dat er ten zuiden van dat meer nog een gebergte [het Argyn Shan] lag? Onze ideeën over de Gobi zullen totaal veranderen.' Onze route liep over de hoge, kale hellingen van dit gebergte. In de tijd van de Zijderoute werd die weg gebruikt wanneer de weg door de woestijn van Charklik naar Dunhuang tussen het late voorjaar en de winter was gesloten vanwege het hoge zoutgehalte van de bronnen langs de oever van de oude, opgedroogde bedding van Lop-Nor.

Algauw gingen de glooiende heuvels van de uitlopers over in dalen met steile hellingen, en volgden we een stenig pad met haarspeldbochten. De kale, onverbiddelijke bergen boden een welkome afwisseling na de vlakke, eentonige woestijn. Op een bepaald moment schreeuwde Wic Rozi's naam, die weergalmde door het dal. Toen we haar allemaal nadeden, draaide Rozi zich geschrokken en verbijsterd om en keek zelfs naar de lucht om te ontdekken waar het onaardse geluid vandaan kwam.

Onze eerste nacht in de bergen brachten we door in een kleine vallei met schaarse begroeiing. Voor het eerst in twee maanden zagen we wilde bloemen: gele blaadjes op felgroene steeltjes, waar de kamelen van smulden. We waren die dag langs een rivierbedding gereden en waar de weg deze had verlaten om een steile, rotsachtige helling op te lopen, wisten we meteen dat de vrachtauto ons niet zou kunnen volgen. En inderdaad, acht uur na ons vertrek zagen we nog geen spoor van de truck. We besloten toch maar halt te houden. Na twee uur te hebben gewacht, zagen we tot onze verbazing Mamat-Jan te voet het dal in komen. De vrachtauto zat vast in de rivierbedding en hij had twaalf kilometer gelopen om ons voedsel te brengen. Een half uur later kwam een verwilderde meneer He opdagen, die op rubber slippers een uur had gelopen nadat de tractor waarop hij was meegereden het had begeven. Tot ons genoegen zagen we dat hij meteen Mamat-Jans fles water pakte en leegdronk. Misschien zou hij voortaan meer begrip hebben voor onze smeekbeden om grotere hoeveelheden.

Het was ironisch dat we het in de eerste koude nacht sinds maanden zonder onze slaapzakken en tenten moesten doen. Mamat-Jan zei dat de truck muurvast zat en dat de tractor van het kleine wegwerkersdepot dat we onderweg waren gepasseerd pas de volgende dag beschikbaar was. Toen de zon achter de bergen zakte en het koud en somber werd in ons dal,

gingen we brandhout zoeken voor een kampvuur. Later wikkelden we ons in onze gewatteerde zadeldekens, gingen zo
dicht mogelijk bij de gloeiende as liggen en zagen de maan
opkomen en het hele dal verlichten.

Omdat we geen tijd wilden verliezen, besloten we de volgende morgen verder te gaan en Mamat-Jan het probleem te
laten oplossen. Per slot van rekening had de hulpploeg ons
keer op keer verzekerd dat de truck ons overal zou kunnen
volgen. In de kille ochtendschemering vertrokken we om vijf
uur en klommen steeds hoger door de Argyn Shan naar de
drieduizend meter hoge Tashipas. Met een schitterend uitzicht op de besneeuwde toppen van de Kun Lun gingen we
daar zitten om van de zon en een watermeloen te genieten.
Een half uur later kwamen Rozi en Egem eraan, die klaagden
dat Moon Boot had liggen slapen. Op dat moment zagen we
een rij kamelen, die brulden als leeuwen, over de slingerende
weg onze kant op komen, met een stuk of tien paarden en
twee mannen. De onverwachte ontmoeting vrolijkte ons op,
maar Rozi beklom vlug een helling, bang dat de mannen
'bandieten' waren, terwijl Egem dit laffe gedrag uitlegde door
op zijn hart te wijzen en 'klein, klein' te zeggen.

Het bleken vijf kamelen te zijn, waarvan er een wit was,
heel ongewoon. Ze waren allemaal groter dan de onze. De
mannen die er twee van bereden, waren donkere Oeigoeren.
De neuspennen van de kamelen zaten onder het neuskraak-
been in plaats van zoals bij de onze erboven. De paarden waren klein, maar opeens begonnen ze ongeduldig te trappelen
en draafden weg. Egem en Rozi spraken de Oeigoeren aan en
we kregen de volgende informatie: de paarden werden vanuit
de zomerweide naar beneden gebracht, de kamelen werden
vanuit Dunhuang naar Charklik gebracht om er buitenlanders gebruik van te laten maken. Egem zei tegen de mannen

dat ze, wanneer ze Mamat-Jan tegenkwamen, met hem moesten praten over de verkoop van de kamelen, en toen we onze tocht vervolgden, hoopten we dat de toevallige ontmoeting niet voor niets was geweest.

De afdaling aan de andere kant van de pas was minder zwaar en het was er warmer. 'Argyn' is Chinees voor 'goud', en de bergen hadden inderdaad een gele kleur, veroorzaakt door de laag zand op de lagere hellingen. Het goudgele zand tegen de felblauwe lucht vormde een prachtig plaatje.

Na een paar uur ging Amec liggen en weigerde op te staan, zelfs niet na aandrang van Rozi's dikke stok. Moon Boot was ook nog erg loom, dus we besloten Egem bij deze twee dieren achter te laten terwijl wij doorliepen. Ruim twaalf kilometer verder hielden we weer halt. Mamat-Jan had ons nog steeds niet ingehaald, dus we vreesden dat we opnieuw de nacht in de buitenlucht moesten doorbrengen. Om later een vuur te maken, verzamelden we bergen tijmstruiken, die overal groeiden, en gingen na de vermoeiende dag liggen uitrusten. De zon naderde de rand van de bergen toen we Egem de hoek om zagen komen met alleen Moon Boot aan de teugel. Hij zei dat hij Amec tot een paar kilometer bij ons vandaan had kunnen meeslepen, maar dat die toen weer was ingestort. We vonden het vreselijk dat hij helemaal alleen was achtergelaten, maar we konden er niets meer aan doen. We konden alleen maar hopen dat hij genoeg te eten zou vinden om weer op te knappen en in het wild te leven.

Bij het vallen van de avond staken we het vuur aan en gingen er op onze dekens naast liggen. Toen we ons lagen te warmen, zagen we van de andere kant een wegwerkerstruck aankomen. Rozi rende erheen om hem aan te houden. We meenden de mokkende stem van meneer Li te horen, maar dat kon niet, want de auto was van de verkeerde kant gekomen. Toch bleek hij het te zijn; hij kwam van Simianqiang, een asbestmijn hoog in de bergen voor ons, en was op de terugweg naar Mamat-Jan. We waren woedend toen we hoorden dat hij eerst weer helemaal terug moest naar onze eigen vrachtauto, die nog steeds in de rivierbedding stond, en ons daarna pas onze slaapzakken en iets te eten kon brengen. Het was inmiddels ijskoud en terwijl we dicht tegen elkaar aan onder de dekens lagen, probeerden we niet te denken aan onze waardeloze hulpploeg en natuurlijk het lot van de arme Amec.

Tegen één uur 's nachts verschenen er eindelijk twee lichtbundels om de hoek van een berg en gleden over de vallei. Opnieuw was het de truck van de wegwerkers. We waren zo opgelucht dat we de avondmaaltijd oversloegen en meteen in onze slaapzakken kropen. Mamat-Jan vertelde ons dat meneer He zijn zorgvuldige plan had genegeerd – eerst met de wegwerkerstruck onze spullen naar ons toe brengen – en meneer Li midden in de nacht op pad had gestuurd om een nieuwe as voor onze vrachtwagen te kopen. Meneer Li, niet bepaald een voorzichtige chauffeur, had in het donker veel te hard gereden en was van een kapotte brug getuimeld. Hij was gered door een tweede wegwerkerstruck, de truck waarin hij ons was gepasseerd. De arme Mamat-Jan had de hele dag in z'n eentje op de plaats van de vorige overnachting moeten wachten. De koppigheid van meneer He had blijkbaar een nieuw hoogtepunt bereikt. We begrepen niet waarom meneer Li ons onze spullen niet had gegeven toen hij ons op weg naar Simianqiang passeerde, of waarom hij niet tot de volgende dag had gewacht voordat hij de as ging kopen.

De volgende morgen werden we wakker van meneer He die tegen Rozi stond te schreeuwen. De zon gluurde net over de rand van de bergen en meneer He bakte patat, misschien uit schuldgevoel vanwege de ellende van de vorige dag. We hadden twee dagen niet gegeten en propten ons vol terwijl we een opgewonden discussie voerden met de hulpploeg. Om te beginnen hadden we dringend nieuwe kamelen nodig. Amec was achtergebleven, Neuroot, de kleinste, kon niet meer bereden worden en Moon Boot ging achteruit en zou beslist de volgende pas niet meer halen. De meest logische oplossing was achter de karavaan van de vorige dag aan te gaan, terug naar Charklik, en twee van hun dieren te kopen. Vanzelfsprekend stuitte dit voorstel op fel verzet. Meneer He wilde eerst in Simianqiang meneer Ma bellen voordat er een besluit werd genomen, maar zelfs Mamat-Jan vond dit een dwaas plan. We hadden net een karavaan met kamelen voorbij zien gaan en mochten die kans niet laten lopen. Na veel geschreeuw gaf meneer He Mamat-Jan toestemming om achter de karavaan aan te gaan en twee kamelen te kopen. Meneer Li moest onze truck repareren, en de wegwerkers waren bereid om meneer He en onze spullen naar de kampen voor de volgende twee nachten te vervoeren. Over drie dagen zouden we elkaar allemaal in Simianqiang ontmoeten, meneer Li in de truck en Mamat-Jan met de nieuwe kamelen.

En zo vervolgden we onze tocht door de afgeknotte uitlopers van het hooggebergte, nog steeds genietend van de bergwind en de lage temperatuur. Het eerste uur reed Mamat-Jan met ons mee, tot we bij een bushalte kwamen. Daar zou hij wachten op de bus naar Charklik, die volgens de wegwerkers een paar maal per dag langskwam. Een van de vele rivieren in de Argyn Shan had een deel van de weg vernield en voorzichtig baanden we ons een weg over de afbrokkelende rand langs het water. Een paar kilometer verder had de rivier de helft van een brug meegesleurd en daar had meneer Li zijn ongeluk gehad. De truck hing er nog, met zijn achterwielen op de brug en zijn voorwielen boven het water. We schrokken ervan en waren verbaasd dat meneer Li er met een paar schrammen en blauwe plekken vanaf was gekomen.

Vervolgens bereikten we een veel bredere vallei met prachtige weiden. We droegen alleen dunne blouses en wikkelden ons in de zadeldekens tegen de koude regen die af en toe viel. Moon Boot kwam al de hele morgen moeizaam vooruit; hij stak zijn neus zo ver mogelijk naar voren om het touw waarmee hij aan zijn voorganger vastzat slap te laten hangen. Maar er druppelde bloed uit zijn neusgaten en zijn ogen stonden waterig van uitputting. Uiteindelijk besloten we dat we hem dit niet langer konden aandoen, want met ons tempo zou hij nooit de kans krijgen om aan te sterken. Maar als hij kon uitrusten en genoeg te eten en te drinken had, zou hij het wel overleven. We keken om ons heen en een eind achter ons stroomde door grasland met tijmstruiken een heldere, brede rivier. Egem maakte de verzwakte Moon Boot los en bracht hem naar de rivier. Het dier was al zo lang bij ons dat we het verdrietig vonden hem achter te laten, maar gelukkig deed hij geen poging ons te volgen. We reden door en keken om tot hij niet meer was dan een stipje in de verte. Nu hadden we nog maar vijf kamelen over, waaronder de arme Neuroot, die niemand kon dragen. Dus hadden we er vier om te berijden, en dat deden we om beurten.

Het grasland ging over in moeras met veel riet en werd toen gruis met tijmstruiken. Om half vijf zagen we onze keukentent staan, die er erg kwetsbaar uitzag te midden van de hoge, kale bergen. Nadat meneer He een avondmaaltijd had gekookt van rijst en groente die nog bijna vers was uit Charklik, rolden we vanwege de dreigende regen de slaapzakken uit in de keukentent. Rozi wilde liever buiten slapen.

'Waarom wil je buiten slapen, Rozi?'

'Bandieten,' antwoordde hij onheilspellend.

'Wat doe je als ze komen?'

'Ik, Maxi, kameel, Xiang,' was zijn beknopte antwoord, en hij wees naar het oosten.

Nu we geen rekening meer hoefden te houden met de hitte van de woestijn, konden we op een redelijker tijdstip opstaan: om een uur of zes. Na een tocht van vijf dagen over de bergen en door de dalen van de Argyn Shan bereikten we Simian-qiang, de asbestgroeve hoog in de bergen.

Uit het niets doemde een troosteloos landschap van hoog-spanningsmasten op, dat aangaf dat we het stadje naderden. Na een laatste bergtop stonden we voor een zee van hoge schoorstenen en bergen asbest. Plotseling trilde de grond, er volgde een explosie en een regen van stenen vloog de lucht in, vergezeld van wolken stof. Grote vlokken asbest dwarrelden neer op onze kleren en ons hoofd en we wikkelden vlug een trui om ons gezicht om ons tegen de gevaarlijke stof te be-schermen.

Alles was grijs: de lucht, de weg en de mensen, die van-achter de bergen stof te voorschijn kwamen met witte mas-kers op en dof, door asbest vervuild haar. Met hun witte prui-ken en stoffige gezichten leken ze allemaal oud voor hun tijd. Het spookachtige tafereel, waar de zon niet bij machte leek door te dringen, was net iets uit een sciencefictionfilm. We drongen er bij Egem en Rozi op aan zo snel mogelijk door te rijden.

In de enige straat was het zicht net zo wazig en keken de mensen net zo gelaten. Na twintig minuten van rondvragen werd ons eindelijk de weg gewezen naar het enige hotel, waar meneer He op zijn rubber slippers op de binnenplaats stond te wachten. Hij bracht ons naar een kleine kamer met gam-mele bedden zonder matras, een aarden vloer en een raampje, dat we stevig dicht lieten. En hij maakte ons op zijn specifieke manier – met veel gegrom – duidelijk dat we de kamer niet mochten verlaten. Later vertelde Mamat-Jan ons dat we huisarrest hadden gekregen omdat de stad verboden was voor buitenlanders.

Ik was toen net Marco Polo's reisverhaal over de Zijderoute aan het lezen en tot mijn verbazing was hij ook langs de asbestmijn gekomen. Hij schreef: '... En u moet weten dat daar een ader ligt van de substantie waarvan Salamander is gemaakt. Want de waarheid is dat de Salamander geen dier is, zoals ze in ons deel van de wereld beweren, maar een stof die in de aarde wordt gevonden... De substantie van deze ader wordt fijngestampt en breekt dan op in een soort woldraden, die worden gedroogd. Als ze droog zijn, worden de draden in een grote koperen vijzel nog verder verpulverd en dan gewassen om alle aarde te verwijderen en alleen de draden, als woldraden, over te houden. Vervolgens worden ze geweven tot servetten. Eerst zijn die servetten niet helemaal wit, maar door ze een poos in het vuur te hangen, worden ze zo wit als vuur.'

De fabel dat asbest de substantie van de mythische Salamander is, dateert uit de Middeleeuwen en was zowel in Azië als in Europa bekend. Hoewel asbest tegenwoordig voor nuttiger zaken wordt gebruikt dan witte servetten, hoorden we later dat deze spookstad een goelag is, waar mensen uit heel China naartoe worden gestuurd om te werken.

We wilden er het liefst zo vlug mogelijk weg en waren blij toen we de volgende morgen door het bekende gebrul werden gewekt. Voor de deur stonden twee nieuwe kamelen, die met kop en schouders boven de vijf overgeblevenen uitstaken. Mamat-Jan stond er glimmend van trots naast; hij was de vorige avond met de kamelen achter in een vrachtauto aangekomen. Intussen was meneer Li met onze truck in een andere vrachtauto gearriveerd en hij kwam er ten slotte ook aan, zoals gewoonlijk met veel drukte, om ons toch vooral duidelijk te maken dat de truck weer piekfijn in orde was.

Jammer genoeg bleek ons verblijf in de bergen van korte duur te zijn, want na Simianqiang daalden we af naar de eindeloze zandvlakte aan de rand van het Tsaidambekken, dat Peter Fleming in 1935 overstak op weg van Xining naar Kasjgar. Hij was toen speciaal correspondent voor *The Times* en reisde over een tak van de Zijderoute van Beijing naar Kasjmir. Zijn verslag van deze tocht is een klassiek geworden reisverhaal, vol avontuur en humor.

We bleven op een hoogte van drieduizend meter, dus het was koel en de dagen waren ondanks de eentonigheid een stuk comfortabeler. Het hoogtepunt was een optocht van honderden rupsvoertuigen met aanhangwagentjes vol zwartbesmeurde mannen, potten en pannen, schoppen, houten palen en volle jutezakken. Ze kropen met de snelheid van kreupele slakken vooruit en de chauffeurs droegen allemaal een zwarte stofbril en een bontmuts.

Toen we Mamat-Jan vroegen wie die mensen waren, antwoordde hij: 'Ach, dat zijn zakenlieden.'

'Zijn het Hoeien?'

We wisten dat Hoeien, ofwel Toenganen, afstammen van zowel Chinezen als moslims. Marco Polo noemt hun voorouders 'Argonen' en zegt dat ze zijn 'voortgekomen uit twee verschillende rassen, te weten het ras van de Idolators van Tenduc [boeddhisten] en dat van de volgelingen van Mohammed. Het zijn knappere mannen dan de overige inwoners van het land en omdat ze bekwamer zijn, hebben ze gezag gekregen en zijn ook eersteklas kooplieden.' In een ander verslag staat dat de Toenganen afstammen van een grote groep

Oeigoeren die tijdens de T'ang-dynastie (618-907) naar het gebied rondom de Grote Muur zijn gebracht, maar volgens weer een andere theorie komen ze uit Samarkand. Fleming is van mening dat ze na de communisten de beste krijgslieden van China zijn; in de twintigste eeuw hebben ze diverse bloedige opstanden veroorzaakt, waarvan die onder leiding van generaal Ma in 1931 tegen president Jin Shuren het bekendst is. De mannen in de rupsvoertuigen zagen er inderdaad anders uit dan Chinezen en Oeigoeren, dus namen we aan dat het Hoeien waren. Mamat-Jan, die nooit scheutig was met uitleg, zei alleen: 'Het zijn moslims.'

Ik lachte. 'Als het zakenlieden zijn, waar zijn hun koffertjes dan?'

Hij dacht even na. 'O, in Charchan of Charklik.'

Later hoorden we dat de Hoeien van de Chinezen een speciale vergunning hadden gekregen om goud te delven in de gouden bergen, de Argyn Shan, waarvan ze met horden gebruik maakten.

Een van de nachten sloegen we ons kamp op bij een olieveld; de lelijke boortorens vielen in het kale landschap volkomen uit de toon. Uit het stadje eromheen stroomden beekjes vol teer. De volgende dag passeerden we een semipermanent kamp van legertenten, waar de arbeiders woonden. Het was lunchtijd en honderden mannen zaten in het zand en sloegen in afwachting van hun maaltijd met lepels op metalen kommen. Hun leven leek nauwelijks beter dan dat van de asbestarbeiders in Simianqiang, en toch waren zij geen dwangarbeiders.

Intussen was het weer drastisch veranderd. Het was koud en er waaide een ijzige oostenwind, die door niets in het vlakke land werd gebroken. Verveling werd ons grootste probleem en we bedachten van alles om die te doorbreken. Op een morgen probeerde ik aan onze strikte routine te ontsnappen door in plaats van de eerste vijftien kilometer te lopen eerst een stuk te rijden, in de hoop dat de dag hierdoor sneller voorbij zou gaan. Maar het hielp niet. In die periode las Lucy een boek over twee vrouwelijke missionarissen, Mildred Cable en Eva French, die aan het begin van de twintigste eeuw door de Taklamakan waren getrokken: 'Wat me hier te wachten stond, was de last van grenzeloze verveling. Zou ik ooit het ene landschap van het andere kunnen onderscheiden? Zou ik zelfs sterven, niet zoals anderen van dorst of vermoeidheid, maar van verveling? Zou ik uiteindelijk mijn doel bereiken of zou de woestijn het van me winnen? Waar zou het eindigen? Er kon van alles gebeuren en het kon overal eindigen.'

Wij voelden ons even wanhopig.

Na een week ging de kale vlakte over in een gebied met zandduinen. Soms moesten we door de harde wind uitgesleten diepe geulen oversteken, dan weer had de wind alleen wat groeven in het zand getrokken en leek het of geploegde akkers zich uitstrekten naar de horizon. Hoewel de verandering een opluchting was, werden we doodmoe van het struikelend en glijdend beklimmen van de eindeloze rulle hellingen. Net wanneer we dachten dat er een vlak stuk zou komen, lag er beneden weer een klein dal met een steile helling aan de overkant. Maar van de toppen hadden we een prachtig uitzicht: kilometers gevlekt goudgeel zand onder een diepblauwe lucht.

De twee nieuwe kamelen, die weliswaar groter en sterker waren dan de oude, kregen een paar ergerlijke gewoontes. Een ervan bespuugde ons voortdurend met stinkende slierten herkauwde maïsballen en de andere brulde aan een stuk door. Soms hield ik het niet vol in de karavaan te rijden omdat ik gek werd van het lawaai en er niet bij kon praten of lezen. De anderen waren verdraagzamer, dus reed ik vaak in m'n eentje.

Op een dag reden we op een kale vlakte waar de grond bezaaid lag met kwartsachtige scherpe stenen, die in het zonlicht glinsterden als miljoenen sterren aan een zandhemel. Arbeiders waren die stenen aan het verzamelen; blijkbaar houden ze warmte vast en worden gebruikt voor zonnepanelen. We overnachtten in hun tijdelijke verblijf, dat bestond uit twee schuren. In het noordwesten zagen we de schimmige omtrekken van de Argyn Shan weer opdoemen aan de horizon en toen de zon onderging, hing er een roze sluier boven de wazig blauwe en grijze pieken.

Tien dagen en driehonderdtwintig kilometer na Simianqiang kwamen we weer in de bewoonde wereld: Lenghu, een oliestadje. Ooit moesten de heuvels rondom het stadje met hun door de wind uitgesleten zandpieken erg mooi zijn geweest, maar nu worden ze doorkruist door dynamietkabels en ontsierd door olieraffinaderijen. Aan de rand van de stad stond Mamat-Jan bij een wegversperring. Het bleek dat de Chinezen ons op stonden te wachten omdat ze achter ons de weg wilden opblazen. Pas toen Mamat-Jan in Lenghu arriveerde, had hij ontdekt wat ze van plan waren en omdat hij geen tijd meer had om terug te rijden en ons te waarschuwen, had hij zich van zijn meest ondernemende kant laten zien en de opblaasploeg radiotelegrafisch verzocht ermee te wachten tot we voorbij waren.

Vlak nadat we de hoofdstraat, met de enige boom van de stad, hadden verlaten en ons bij een armoedig hotelletje hadden gemeld, stond de plaatselijke politiemacht voor de deur. Via Mamat-Jan lieten ze ons weten dat ze het niet eens waren met de keuze van onze overnachtingsplek, omdat dat hotel en ook de rest van het stadje voor buitenlanders verboden terrein waren. Ze stelden voor dat we verkasten naar het dure hotel voor vreemdelingen aan het andere eind van de hoofdstraat en we verkneuterden ons al, maar helaas lieten ze zich te gemakkelijk ompraten, namen onze paspoorten in beslag tot de volgende morgen en verboden ons het hotel te verlaten. Eens te meer was gebleken dat meneer He als het om geld ging uitstekend kon onderhandelen, terwijl hij er wat de truck of de kamelen betrof niets van bakte.

Opgesloten in ons hotel brachten we de tijd door met alles waar de vermoeide reiziger maar naar kon verlangen. Ten eerste bestelden we in het restaurant een heleboel gerechten en die waren niet alleen heel gevarieerd, maar ook erg lekker: mangetout en sperziebonen met knoflook en gember, kool en courgette met bosuitjes en komijn, eieren, mie met Chinese spinazie, verse tomaten, taugé, grote stukken gebakken aardappels en, het lekkerst van alles, varkensvlees. We hadden bijna drie weken geen vlees gegeten. Ten tweede waren we beschut tegen de ijskoude nachtwind. Ten derde werden we vermaakt door een grijs donzig katje, en ten vierde vertoonden ze in het restaurant een Engelse flutfilm. Intussen hadden Rozi en Egem, die op hun manier gelovige moslims waren, het veel minder naar hun zin, want we zagen ze met een blik vol walging langs een paar op de binnenplaats spelende biggetjes sluipen.

De volgende morgen werden we nog meer verwend: we konden ons wassen. We dompelden onze hoofden in de vijf centimeter warm water in de geëmailleerde kommen die ons werden gebracht en deden vervolgens ons best er zoveel mogelijk ledematen mee schoon te krijgen. Nadat we ieder met een paar eieren hadden ontbeten en van ons huisarrest waren bevrijd, vervolgden we met nieuwe moed onze reis langs de rand van het Tsaidambekken.

Eind augustus hadden we een e-mail ontvangen van ene John C. Z. Thomas uit Knoxville, Tennessee, U.S.A., die bij toeval onze website had ontdekt en die in september zelf een deel van de Zijderoute wilde volgen. We hadden onmiddellijk geantwoord, erop aangedrongen dat hij ons zou ontmoeten en gesmeekt om Hershey-chocoladerepen, en hij had er graag mee ingestemd.

We verwachtten hem die dag te zien en ik had uitgerekend dat hij in de morgen voor onze neus zou staan, en we waren dan ook diep teleurgesteld toen 'John Cee Zet' niet kwam opdagen. Mismoedig vervolgden we onze tocht, maar twintig minuten later kwamen er twee landcruisers in grote stofwolken aanrijden en stopten vlakbij.

Er stapten een paar oudere heren uit en een van hen kwam op een sukkeldrafje naar ons toe en vroeg: 'Zijn jullie Engels?'

'Ja!' riepen we.

'Zijn jullie die meisjes...'

'Ben jij John C. Z. van Rodeo Drive nummer 2071?'

'Ja!'

We lieten ons van de kamelen glijden en Rozi en Egem keken, kennelijk stomverbaasd om de blijkbaar toevallige ontmoeting, toe. John was een vrij kleine man met dikke brillenglazen en een grijze snor in een geruit overhemd en kaki broek; hij zag er precies zo uit als we ons dat in urenlange gesprekken in de woestijn hadden voorgesteld. Nadat we ons allemaal aan elkaar hadden voorgesteld, gaf John C. Z. ons de beloofde chocoladerepen. We bedankten hem uitbundig en vroegen zijn metgezellen naar hun reis. En we kwamen erachter dat John C. Z. een grote fan van Peter Fleming was. 'Het komt door "Pieder" dat ik deze reis maak.' De tijd ging te snel voorbij en met tegenzin namen we afscheid. We wensten onze Amerikaanse vrienden een goede reis en wuifden ze na tot ze uit het zicht waren verdwenen. De enige echte teleurstelling van die dag waren de Hershey-repen, en het speet ons dat we niet om Engelse chocola hadden gevraagd.

Toen we de volgende dag op weg waren naar het Nan Shangebergte, kwamen we erachter dat het weer op het plateau dat we overstaken van het ene op het andere moment kon omslaan. De herfstzon verwarmde nog onze gezichten toen het plotseling vanuit het noordoosten begon te stormen. Het ging zo hard waaien dat we er niet meer tegenin konden lopen, dus we bestegen de kamelen en wikkelden ons in de zadeldekens, die nauwelijks beschutting boden. De wind loeide zo dat we zelfs het gebrul van de kamelen niet meer konden horen, laat staan elkaar.

Links van ons kwam een rij besneeuwde bergtoppen in zicht en we kwamen zelfs in een sneeuwstorm terecht. We gingen steeds meer opzien tegen een nacht op dat winderige plateau, maar opeens kwam Mamat-Jan te voorschijn uit een grijs gebouw dat een beetje verloren een eind verderop stond. We reden de binnenplaats op, bonden de kamelen vast aan de muur en zagen dat meneer He, meneer Li en Mamat-Jan binnen de vloer hadden geveegd en er een soort tafel hadden neergezet. We waren blij dat we aan de kou konden ontsnappen en probeerden Mamat-Jan die avond whist te leren, een kaartspel. De Chinezen doen kaartspelletjes blijkbaar altijd tegen de klok in, maar toen Mamat-Jan deze kleine handicap overwonnen had, leerde hij het snel. Als extra aanmoediging om ons best te doen legden we de verliezer een boete op en de zwaarste was meneer Li een kus geven. Ik had de pech dat ik bijna de hele avond slechte kaarten had.

De hele nacht huilde de wind om het gebouw, maar de volgende morgen werden we begroet door een helderblauwe lucht en een zachte bries. De bergen leken dichterbij dan ze waren. Toen we dachten dat een pas op een hoogte van ruim zevenendertighonderd meter niet ver meer voor ons lag, hadden we die tot onze verbazing twee uur later nog steeds niet bereikt. Zoals Cable en French op hun tocht door de Gobi ook al hadden opgemerkt: 'De lucht is zo helder dat elk perspectief ontbreekt. Bomen, muren en andere bakens die maar een kilometer of zo bij je vandaan lijken, blijken een halve dag reizen verder te liggen.'

Uiteindelijk kwamen we bij de bergen en meteen werd het pad steil. Hoger groeiden kale struikjes en zagen we dieren, sinds weken het eerste teken van leven in het wild. Er liepen enorme hazen rond en ook muizen en konijnen. Achter de eerste heuveltop graasden drie wilde, zwarte paarden, maar even later werden we aangehouden door twee figuren die van top tot teen in het zwart waren gehuld, met alleen twee gaatjes voor hun ogen. Ze reden op heel kleine paarden, daarom waren we waarschijnlijk niet bang. Rozi schrok zich een hoedje, maar Egem, die moediger was, sprak ze in het Kirgizisch aan. Het waren Kazakken, die hun paarden ophaalden uit de zomerweide. Ze deden hun maskers af en keken ons met roze wangen en een kinderlijk stralende lach aan – blijkbaar boden de maskers bescherming tegen de zon. Rozi trok een beschaamd gezicht toen we teruglachten.

De pas heet Dangjin Shankou – Mond van de Gouden Berg – vanwege de glinsterende gele hellingen. Puffend en blazend klommen de kamelen naar boven en daalden aan de andere kant half glijdend op hun schoenen af terwijl wij ons angstig aan ze vastklampten. We reden door droge rivierbeddingen en bereikten ten slotte het einde van de Argyn Shan, een diep dal met joerten van Kazakken en kudden schapen.

Toen de zon zijn laatste, roze stralen over de pieken wierp, arriveerden we in ons kamp van die nacht, dat Mouse terecht een 'vuilnisbelt' noemde. De hulpploeg had het enige, druk bevolkte afvalterrein binnen een straal van honderd kilometer als rustplaats uitgekozen. Omdat we te moe waren om te protesteren, maakten we de kamelen los en lieten ze tussen de oude schoenen en lege flessen op zoek gaan naar gras. Er kwam een grote groep mensen om ons heen staan om ons te zien eten, dus we waren opgelucht toen Mamat-Jan ons vertelde dat we in een lege garage mochten slapen. Hij raadde ons aan de deur op slot te doen.

'Waarom?'

'Aan de overkant van die binnenplaats woont een krankzinnige man, voor wie je moet oppassen.'

Maar we hadden niets om de deur mee te blokkeren, en het duurde lang voordat we in slaap vielen.

'O, gelukkig, je bent er nog!' riep Wic de volgende morgen, toen Mamat-Jan nog lag te doezelen op het krakkemikkige bed dat hij naar de binnenplaats had gesleept. 'Dus de gek heeft je met rust gelaten?'

'Ja, maar ik heb hem wel gezien.'

Mouse, die toevallig de binnenplaats overstak en het hoorde, zei dat ze de 'gek' bij de vrachtauto had zien rondhangen en dat hij er erg onschuldig uitzag.

'Waar is meneer Li?' vroeg Wic. Hij had ook buiten geslapen, maar zowel zijn bed als hijzelf was verdwenen. Wic zag al voor zich hoe meneer Li door een gek met een wilde haardos en schuim om zijn mond was meegesleurd.

'Hij is naar kamer gegaan.'

'Was hij ook bang voor de gek?'

'Nee, dat denk ik niet. Hij had het koud.'

Wic grinnikte ongelovig.

Tegen het middaguur kwamen we aan in New Aksay, een

rechthoekig stadje met saaie, witte huizenblokken langs brede, lege straten. Mamat-Jan kwam uit een winkel en zou de rest van de middag met ons mee rijden. Wic reed voor hem, op Wierook.

'Mamat-Jan,' riep ze achterom, 'zou jij hier willen wonen?' Ze wees naar de ongezellige, stoffige straat.

'Nee, dat denk ik niet.'

'Waarom niet?'

'Ik denk dat ik verveling heb.'

'Ja, ik ook, en het is erg lelijk.'

'Vind je dat?'

'Ja, kijk maar naar al die witte gebouwen. Ze zien er best schoon uit, maar vind je ze niet vreselijk oninteressant?'

'Nee, dat denk ik niet.' Zijn lievelingsuitdrukking.

'Dat gebouw daar, Mamat-Jan, vind ik een stuk interessanter.'

Hij keek naar de oude bakstenen fabriek die ze aanwees.

'Vind je dat mooi?'

'Ja, dat gebouw heeft karakter. Je zult nergens een ander gebouw vinden dat er precies op lijkt.'

'Ik vind jou erg raar.' Mamat-Jan keek met een bedenkelijk gezicht naar de fabriek.

Toen we in het kamp waren aangekomen, begonnen we om de een of andere reden onze beenspieren met elkaar te vergelijken.

'O jee, Mamat-Jan,' zei Wic, en ze prikte in zijn dijbeen. 'Wij zijn veel sterker dan jij.'

'Oké, dan zal ik morgen dertig kilometer lopen.'

'Nou, ik niet, Mamat-Jan,' zei Wic. 'Mijn voeten zitten onder de blaren.'

'Ja, de mijne ook. Mijn voetvingers doen erg pijn.'

'Ik zal onze gesprekken missen, Mamat-Jan.'

Na drie maanden in de Gobi vingen we eindelijk een glimp op van de golvende duinen die je in een woestijn zou verwachten. Op een van de laatste ochtenden voordat we Dunhuang bereikten, rezen ze op tot een gouden hoogte van wel achttien meter en liepen glooiend af naar een rivierbedding. Maar we konden niet lang van hun schoonheid genieten, want even later reden we alweer over een stenige vlakte.

In Dunhuang zou onze hulpploeg worden afgelost. Om onze laatste avond samen te vieren, haalde Mamat-Jan een fles Chinese rode wijn te voorschijn en boden wij hun onze Cock o' the North-whiskylikeur aan. Voordat we gingen slapen, smeekten we Mamat-Jan bij ons te komen zitten. 'Vertel ons nog wat meer over je leven thuis. We vinden het leuk verhalen over je familie en Kasjgar te horen.'

'Kasjgar is de prefectuur met driehonderdduizend bevolkingen. In de prefectuur liggen elf gewesten, het gewest Kasjgar is het grootste...'

'Eh, Mamat-Jan, zou je het wat smakelijker kunnen opdissen?'

'Smakelijker? Om te eten?'

'Nee, we bedoelen dat we het leuk vinden als je verhaal wat persoonlijker is.'

Mamat-Jan vervolgde zijn bestuurlijke opsomming. We lieten hem zijn gang gaan en bestookten hem met vragen over het huidige China, maar jammer genoeg beperkte zijn kennis zich tot propaganda.

'Hebben jouw ouders onder de Culturele Revolutie geleden?'

'Nee, dat denk ik niet. Maar een paar vrienden van hen zijn gedood door Tibetaanse bandieten.'

We probeerden hem uit te leggen dat vanuit ons standpunt bezien de Tibetanen op een wrede manier door de Chinezen werden behandeld, maar dat kon hij niet bevatten. Hij zei dat hij de dag dat het socialisme in China een kans had gekregen betreurde. 'Onder het communisme was het veel beter. Toen hoefde niemand voor het ziekenhuis te betalen,' zei hij wijsgerig, misschien als laatste verwijzing naar ons gevecht met meneer He. Daarna lieten we hem naar bed gaan en lagen zelf nog een poosje naar de heldere sterrenhemel te kijken.

Toen we de volgende morgen wakker werden, was meneer Li in een heel joviale bui. Hij praatte honderduit en maakte zelfs pret met Mamat-Jan. Het was de eerste keer dat we hem zagen lachen; blijkbaar schaamde hij zich er niet voor te laten merken hoe blij hij was dat hij binnenkort afscheid van ons mocht nemen. Hij werd zelfs handtastelijk en pakte vrolijk Lucy's schouders vast voor een foto. Ondanks al hun tekortkomingen had deze ploeg de afgelopen drie maanden natuurlijk wel een bijzonder zware tijd gehad. We vermoedden dat meneer Ma niet had uitgelegd wat hen te wachten stond, en we konden hun ook niet de schuld geven van alle problemen. Wel waren wij net zo blij om hun aanstaande vertrek als zij.

Hoe dichter we bij Dunhuang kwamen, des te ongeduldiger we werden. Opeens zagen we onze vrachtauto staan – hij was ons eerder voorbijgereden – met een kleiner voertuig erachter. We waren diep teleurgesteld, want meneer Ma had beloofd dat we de rest van de reis een 'Italiaanse joint-venture-vrachtwagen' mee zouden krijgen. Het chassis van deze auto hing nog lager dan dat van de oude en in het canvas dak zaten grote gaten. De nieuwe chauffeur en gids sprongen eruit en stelden zich voor. De chauffeur was een grote kerel en Lucy keek hem vol belangstelling aan omdat hij de eerste Chinees was die boven haar uitstak. Hij had een baseballpet op zijn schouderlange haar en vond zichzelf blijkbaar een hele bink toen hij stoer naar ons toe kwam en ons welwillend een hand gaf.

'Dit is meneer Hor,' zei Mamat-Jan, en we probeerden niet te lachen om de naam, die klonk als '*horror*'. 'Dat betekent "vuur". En dit is Jason,' vervolgde hij, toen de gids met een ernstig, plichtsgetrouw gezicht voor ons ging staan. (Chinezen die met 'buitlanders' te maken hebben, kiezen vaak een tweede, Europese naam.)

Ze stapten weer in hun 'rijkamer', zoals Jason de cabine noemde, en reden door naar Dunhuang. Meneer He en meneer Li grijnsden ons vanuit hun eigen rijkamer overdreven toe en gaven flink gas, dolblij dat ze aan hun laatste kilometers toe waren.

Eindelijk werd ons ongeduld beloond en reden we door de buitenwijken van Dunhuang. Via smalle straatjes kwamen we bij een groot, modern hotel. Jason stond heel formeel in zijn groene legerbroek voor de deur op ons te wachten en nam ons mee naar binnen. Na de woestijn was het hotel een paradijs. We hadden badkamers, minibars, dikke witte handdoeken, telefoons en televisies – vooral de laatste waren het toppunt van luxe, hoewel de tv het dinsdags niet deed.

Dunhuang is beroemd om zijn Mogaogrotten – de Grotten van Duizend Boeddha's – die ongeveer vijfentwintig kilometer buiten de stad hoog in een rotswand die dramatisch uit de woestijn oprijst, zijn uitgegraven. Vroeger brachten alle reizigers over de Zijderoute een bezoek aan deze grotten; degenen die de woestijn ingingen, baden om een veilige reis, degenen die eruitkwamen, dankten de goden voor hun veilige aankomst. In 1907 slaagde Sir Aurel Stein erin de behoedzame taoïstische monnik Wang, die zichzelf had benoemd tot opzichter van de bibliotheek die bij de grotten hoort, over te halen een deel van de duizenden kostbare manuscripten aan hem over te dragen. Zo komt het dat de British Library nu onder meer in het bezit is van de Diamanten Sutra, het oudste gedrukte boek ter wereld.

Jason ging de volgende dag met ons mee naar de grotten. Toen we over een constructie van ladders en steigers naar de ingang klommen, vroeg ik me af of de vroegere pelgrims op de Zijderoute ook op deze manier naar binnen hadden gemoeten. De kleine houten deuren verrieden niet wat erachter lag. Toen we in de lage deuropening bleven staan, viel het licht van onze zaklantaarns tot onze verbazing op kleurige fresco's. De muren waren versierd met duizenden prachtige afbeeldingen van de Boeddha, geschilderd met minerale verfstoffen in de kleuren groen, rood, turkoois, zwart, roestbruin en blauw. De afbeeldingen toonden de Boeddha in het verleden, het heden en de toekomst; vroeger had hij Indiase trekken, maar later, toen India voor de Zijderoute van minder belang werd, maakten ze zijn gezicht ronder en Chineser.

Sommige grotten hadden een voorvertrek, van het heilige deel gescheiden door een gang. In een van die gangen stuitten we op angstaanjagende bewakers: reusachtige houten monsters met grote snijtanden en gekruiste armen, die met hun van zwemvliezen voorziene voeten duivels verpletterden. Tussen de benen van een van die monsters ontdekten we een klein figuurtje dat meneer Tao voorstelde, de tiende-eeuwse beschermheilige van deze grot. In het heiligdom zelf zagen we dat de goudkleurige gezichten van de Boeddha zwart waren geworden, maar dat het turkoois en het donkerblauw in de fries met *asparas* – vliegende engelen – mooi helder was gebleven. Het viel ons op dat de engelen geen vleugels hadden, zoals in het christendom, maar linten.

In een van de andere grotten zag Mouse een primitief gete-kend mensengezicht op een vierpotig dier. Toen ze onze gids vroeg wie dat had gedaan, antwoordde hij kortaf: 'Verniel-zuchtige toeristen.' 'Wanneer dan?' Hij keek er niet eens naar en zei ferm: 'Tijdens de Qing-dynastie.' Als er ergens een beeld ontbrak of een gezicht beschadigd was, zei hij dat dit de schuld was van 'Amerikaanse mensen' of zelfs dat het door Amerikanen was gestolen. We kwamen tot de conclusie dat hij met Amerikanen iedereen bedoelde die niet Chinees was. Op een gegeven moment probeerden we hem uit te leggen dat de Chinezen ook hun eigen beeldenstormers hadden ge-kend, zelfs nog niet zo lang geleden, maar hij keek ons zo ijzig nietszeggend aan dat we besloten verder maar over dit pijnlij-ke onderwerp te zwijgen.

Diep onder de indruk van het feit dat pelgrims en kooplie-den op de Zijderoute al tweeduizend jaar lang in deze grotten hadden gebeden, prevelden we zelf ook een paar dankwoor-den voor onze veilige oversteek van de Taklamakan.

Terug in Dunhuang gingen we naar Shirley's, een westers café waar we 'buitlanders' hoopten te vinden. Na drie maan-den in de woestijn snakten we naar mensen met wie we nor-maal konden praten, maar tot onze teleurstelling waren wij de enige klanten, afgezien van twee Chinezen van middelbare leeftijd die alleen belangstelling hadden voor hun eten.

De volgende dag zouden we beginnen aan de laatste etappe van de reis, een twee maanden durende tocht door China naar Xian, het traditionele eindpunt van de Zijderoute. Ter-wijl Wic en ik nog even in Shirley's gingen ontbijten, voerden Mouse en Lucy een laatste strijd met meneer He. Toen ze hem nog een keer om een fotokopie van de ziekenhuisrekening vroegen, werd hij opnieuw woedend en weigerde te geloven dat we hem met het gebruik van de satelliettelefoon ruimschoots terug hadden betaald. Uiteindelijk slofte hij, met het belangrijke document nog steeds in zijn propvolle porte-feuille, op zijn rubberen slippers weg. Hij was niet te vermur-wen, en Mouse en Lucy moesten de handdoek in de ring gooi-en.

Na de lunch namen we afscheid van de hulpploeg, die te-rugging naar Kasjgar. We waren het allemaal met Wic eens toen ze schreef: 'Eerlijk gezegd deed het me niets toen ik af-scheid nam van "de Chinezen" en ik weet dat dat wederzijds was.' Maar het had ons goed gedaan toen we merkten dat de vijandige houding van Rozi en Egem jegens ons maar tijdelijk was geweest en ze weer net zo behulpzaam waren als eerst. Toen we Mamat-Jan vroegen of meneer He en meneer Li ons zouden missen, aarzelde hij. Mouse vulde de ongemakkelijke stilte met: 'Nee, dat denk ik niet', terwijl Mamat-Jan, die niet begreep dat we hem plaagden, nog even diep nadacht voordat hij ons ten slotte gelijk gaf met: 'Nee, dat denk ik ook niet', en nerveus giechelde.

Misschien maakten we met onze afscheidscadeautjes iets te veel onderscheid, maar gelukkig openden ze die niet in ons bijzijn. Meneer He en meneer Li kregen ieder een T-shirt met DHL erop. Al kon Egem niet lezen, hij had altijd veel belang-stelling getoond voor onze Everyman-koran en die gaven we hem, samen met een paar wandelschoenen. (Het laatste was geen kwestie van vrijgevigheid, want hij had ze al twee maan-den van ons geleend en de lucht ervan was niet meer te har-den.) Rozi kreeg ook een paar schoenen en het waterproof jack dat hij steeds had willen dragen. Mamat-Jan, onze favo-riet, kreeg een grijze kasjmierwollen trui en een verkorte uit-gave van *The Prisoner of Zenda* en *The Thirty-Nine Steps*, in het Engels. Wic schreef: 'Ik had de laatste drie graag hartelijk willen omhelzen, want ze hadden geweldig hun best gedaan.

Maar om Mouse en Alex niet in gevaar te brengen, schudden we ze formeel de hand voordat we het hotel weer in liepen.'
Toen pas beseften we hoezeer we op hen gesteld waren geraakt, ondanks de vele dieptepunten in de woestijn. Nu gingen onze wegen uiteen en zouden we hen nooit meer zien.

# 10  De zwarte Gobi

We voelden ons erg voldaan toen we de Taklamakan achter ons konden laten, ook al liep ons volgende traject door de reep woestijn die de Taklamakan met de Gobi verbindt. Deze reep heet de Kara Gobi; de aarde wordt er bedekt door ruwe, maar glanzende zwarte steentjes – vandaar de naam. Marco Polo schreef over dit deel van de reis: 'Na het vertrek... [uit Dunhuang]... rijd je tien dagen in oostnoordoostelijke richting en al die tijd zie je nergens een menselijk onderkomen, of bijna nergens, zodat er niets is waar ons boek over kan vertellen.' En dat is tegenwoordig ook nog zo. Het landschap bestaat uit niets anders dan een eentonige, stenige vlakte, waar niets de gierende wind uit de Gobiwoestijn kan afzwakken.

Op de ochtend van vertrek maakten we kennis met meneer Shu en meneer Wu, onze nieuwe kameeldrijvers. Ze zagen er engelachtig uit, met ronde gezichten die eeuwig glimlachten. We kwamen er echter algauw achter dat ze nooit eerder op een kameel hadden gezeten, maar deze dieren alleen voor een ploeg hadden gespannen. Ze wisten niet hoe ze hun kameel moesten besturen en waren daardoor gedwongen de hele dag te lopen, wat wij toen ook maar deden om hen niet in verlegenheid te brengen. Af en toe keken we stiekem om, om te zien hoe het met ze ging, en dan glimlachten ze breed vanonder hun identieke rode petten. Aan het eind van de eerste dag strompelden ze op gekneusde voeten door het kamp, want ze droegen canvas schoenen. We lieten Jason weten hoe bezorgd we waren, maar hij verzekerde ons trots dat ze zich heel gauw zouden aanpassen.

De volgende dag waaide het zo hard – en de wind nam nog steeds in kracht toe – dat meneer Shu en meneer Wu een dappere poging waagden om te rijden. We waren blij dat de grond bedekt was met zwarte steentjes, want daardoor kon de wind geen zand omhoogblazen. Toch konden we niet lopen, want elke stap was een gevecht tegen een onzichtbare kracht. Niet dat rijden veel comfortabeler was, want je kon geen boek openslaan en vanwege het geloei van de wind konden we elkaar niet verstaan. Zo ging het de hele dag door, dus waren we erg blij toen Vuur en Jason, ondanks Marco Polo's ontmoedigende relaas, een groepje lemen huizen vonden, omringd door twee muren tegen de wind, die door wegwerkers werden gebruikt. Zij sliepen op een *kang*, een hoog bakstenen bed waaronder met hout en kolen een vuurtje werd gestookt om hen warm te houden, en wij spreidden ons bed in de garage.

Vier dagen na ons vertrek uit Dunhuang bereikten we Anxi, een onaantrekkelijk stadje. Het stond bekend als de winderigste plek in heel China, geen enkel gebouw had er meer dan één verdieping en er was niets bijzonders te zien. We zouden het vergeten zijn als er niet iets was voorgevallen. Toen we door de hoofdstraat reden, werd onze karavaan plotseling onbestuurbaar. De Brulaap, zoals we de luidruchtigste kameel hadden genoemd, sprong zomaar naar het midden van de weg en trok de andere dieren mee. Wierook, die achter hem liep, schrok en begon te bokken. Mouse verloor haar evenwicht en gleed van het zadel. Toen Wierook haar vanuit zijn ooghoek zag hangen, bokte hij nog wilder en Mouse kwam hard op het asfalt terecht.

Meteen stond er een menigte toeschouwers om ons heen en we konden nog net voorkomen dat ze Mouse naar het ziekenhuis droegen. Gelukkig kon ze na een paar zorgelijke minuten opstaan en had ze alleen een grote blauwe plek op haar been. De drie kamelen die zich los hadden gerukt lieten zich niet gewillig vangen en we moesten hun neuspen zien vast te pakken om de touwen weer vast te knopen. Goliath, de andere nieuwkomer, was ruim twee meter hoog en hij wist dat we, als hij zijn neus in de lucht stak, niet bij zijn neuspen konden komen. Meneer Shu en meneer Wu, die veel minder daadkrachtig waren dan Rozi en Egem, aaiden hem eindeloos lang over zijn nek om hem te kalmeren, waarbij ze een klodder spuug op de koop toe moesten nemen. Ten slotte riepen ze een fietstaxi aan en lieten die naast het koppige dier stilstaan. Meneer Shu en meneer Wu klommen boven op de taxi en reikten naar de pen, maar Goliath stak zijn neus nog wat hoger in de lucht.

Ruim een half uur later was het toneel niet minder beschamend en hadden onze kameeldrijvers nog steeds geen vooruitgang geboekt. Op het wankele voertuig sprongen ze met zwaaiende armen op en neer om te proberen de nog steeds buiten bereik gehouden pen te grijpen. Plotseling werd de menigte stil en week uiteen. Wic schreef later: 'De lucht werd (bijna) donker en ik hoorde (bijna) een donderslag. Wie kwam daar met grote stappen (in slow motion) door de toeschouwers aanlopen? VUUR! Zoef!' Meneer Hor knikte minzaam naar ons, drukte de spugende kameel koeltjes op de grond, bond het touw aan de pen vast en liep terug naar zijn 'rijkamer'. De menigte juichte toen de truck langzaam verder reed. (Het verbaasde ons steeds weer dat Vuur ondanks zijn wereldse uiterlijk zo voorzichtig reed.)

De dag leek langer dan anders – we legden drieënveertig

kilometer af en het waaide nog steeds hard – maar we vonden de extra inspanning de moeite waard omdat we daarna konden overnachten in wat Jason een 'kot' noemde.

Omdat we geen aanmerkingen op zijn Engels wilden maken terwijl hij pas vier dagen bij ons was, vroegen we geen uitleg over zijn 'kot', maar pas toen we er aankwamen, zagen we wat hij bedoelde.

'O, een *court*!' riep Lucy uit toen we een brandschone, lege binnenplaats betraden, net zoiets als die van de wegarbeiders.

'Ja, een kot,' herhaalde Jason trots.

Het was een ideale plek voor een kamp, want de muur eromheen bood vrij veel bescherming tegen de niet aflatende wind. Een uur later zaten we te smullen van wat Vuur voor ons had gekookt – hij was een prima kok. Elke avond maakte hij verschillende gerechten klaar van gebraden vlees en groente, meestal met heerlijke specerijen en verse gember, en die aten we met gestoomde rijst. We werden voorgesteld aan de eigenaar van het kot, die eveneens eigenaar van een fabriek was die rijstwijn maakte. Wat later zei hij dat hij ons graag zijn product cadeau wilde doen.

'O, dank u wel,' zeiden we een beetje nerveus, want na eerdere ervaringen met deze sterkedrank zaten we niet op een volgende proeverij te wachten (Wic vond dat je net zo goed een slok benzine kon nemen). Maar we konden niet weigeren. De dwergachtige eigenaar kwam even later terug met zijn hele familie en een aantal vrienden, onder wie een Chinese vrouw in een soort zijden smoking. Toen we allemaal om onze kleine tafel zaten en zij ons de oren van het hoofd vroegen, kwam er door de poort opeens een filmploeg binnen. Er werd een sterke stroboscooplamp op ons gericht en de camera ging rollen. Jason legde uit dat ze van het buitenkansje wilden profiteren door een reclamefilmpje maakten. De eigenaar gaf ieder van ons een fles rijstwijn en schudde ons daarbij lang-durig de hand, zoals staatslieden dat speciaal voor journalis-ten doen.Vervolgens schonk hij de drank in grote kommen en hief zijn eigen kom voor een toast. 'Proost!' riepen we alle-maal, waarna we onze kom leegdronken en met een verlek-kerde blik naar de camera keken. Gelukkig werd de lamp daarna gedoofd en toen we weer zaten, viel onze blik op de doos waarin de wijn was aangeboden. Op de voorkant stond een plaatje van een hoge, robuuste cactus en op de achterkant stond een korte, Engelse beschrijving van de wijn, met onder meer de aanbeveling dat 'slappe lichaamsdelen' ervan 'opleef-den'. Het drong tot ons door dat het mogelijk was dat we niet lang daarna ongewild op reclameborden door heel China de-ze Gobi Viagra zouden aanprijzen.

Hoewel de kamelen zich in het begin tegen hun schoenen hadden verzet, hadden we toch voor elkaar gekregen dat ze die al een maand droegen. Voldaan zagen we dat de blaren langzamerhand verdwenen en we voelden ons niet langer schuldig omdat we elke dag ongeveer veertig kilometer wil-den afleggen. Vier dagen na ons vertrek uit Dunhuang wilden we de versleten schoenen omwisselen voor nieuwe, die al sinds Charchan in de vrachtauto lagen. We doorzochten alle bagage en kwamen uiteindelijk tot de conclusie dat meneer He ze moest hebben meegenomen naar Xinjiang. We waren woedend omdat we zelfs na zijn vertrek nog onder zijn gierig-heid moesten lijden, vooral omdat we pas in de volgende stad nieuwe schoenen konden laten maken.

De volgende dag reden we langs een heel oud lemen fort. Het was nu een museum en toen we probeerden naar binnen te gluren, werd ons zicht belemmerd door een zee van Chine-se gezichten. Het was duidelijk dat de staf van het museum groter was dan het aantal bezoekers, dus we voelden ons schuldig toen we wegslopen en niet eens meer omkeken. (We hadden geen geld bij ons, en meneer Shu en meneer Wu ook niet.) Later die avond vertelde Jason ons het verhaal van het fort. Een Chinese keizer had gedroomd van een zilveren berg en een boom met een gouden kroon aan een van de takken, en hij beval een van zijn generaals en zijn zoon de plaats met die berg en die boom te vinden en er een prachtig paleis te bouwen. De generaal besliste dat dit de plaats moest zijn, omdat de besneeuwde toppen van de zuidelijke bergen, die je van hieruit kon zien, in het wazige licht van de woestijn zilver leken, terwijl er vlakbij een boom stond met aan een van de takken een strohoed, die hij met een beetje fantasie een gouden kroon noemde. Maar de generaal, die wist dat de keizer zich waarschijnlijk nooit op die verafgelegen plek zou vertonen, besloot zichzelf een plezier te doen en gebruikte het grootste deel van het geld om er een bescheiden fort te laten bouwen. Op een dag kwam er een andere generaal langs, die besloot een bezoek aan het fort te brengen. Toen hij de keizer later vertelde hoe klein het was, werd de keizer zo kwaad dat hij zowel de eerste generaal als zijn zoon liet vermoorden en trommels van hun huid liet maken. In dat kleine museum kun je die aantrekkelijke aandenkens nog bekijken.

Toen we ons die avond zoals gewoonlijk achter de truck met een emmer water aan het wassen waren, merkten we opeens dat ons kamp was omringd door vreemdelingen en dat de koplampen van hun trucks ons van akelig dichtbij beschenen. Vervolgens zagen we dat ze veel aandacht hadden voor Neuroot, onze jongste kameel, die we vanwege haar pijnlijke voeten nog niet hadden bereden. Toevallig waren we al met Jason overeengekomen dat het een goed idee was Neuroot te ruilen voor een andere kameel, en het bleek dat deze mensen haar wel wilden hebben om mee te fokken. Na een snelle onderhandeling werd ze verkocht voor vijfhonderd yuan, ongeveer veertig pond, en meegenomen. Nadat ze drie maanden bij onze karavaan had gehoord, was het verdrietig haar in het donker te zien verdwijnen, maar Jason verzekerde ons dat de bronsttijd pas in januari zou beginnen en dat ze dus een paar maanden rust zou hebben voordat ze haar plicht moest doen. Nu hadden we nog zes kamelen en dus geen reserve meer. En alleen de twee nieuwe, die we in Simianqiang hadden gekocht, waren helemaal gezond, terwijl de andere er steeds vermoeider uitzagen.

De reis tussen Anxi en Jiayuguan, de volgende rustplaats, zou ons in zes dagen over het laatste deel van de Zwarte Gobi voeren, met slechts twee korte rustpauzes in het eentonige, winderige landschap. De eerste halte was Yumen, een kleine oase halverwege, waar we opeens weer omringd werden door groen. Vrouwen met bontgekleurde hoofddoeken plukten in boomgaarden appels en peren, ossen trokken ploegen door de droge aarde en jongetjes legden maïskolven op de grond om te drogen voor de winter. De herfstzon verdreef de wind van de afgelopen dagen. Maar we gingen er niet op onderzoek uit. We verheugden ons op het einde van de reis en praatten voortdurend over Engeland en wat we na onze terugkeer zouden doen.

Na een paar kilometer beschaving reden we opnieuw door 'het niets' van de Gobi, langs een spoorlijn met veel verkeer van goederen- en passagierstreinen. Het enige andere dat onze aandacht trok, was een stevige, ronde kameel die aan een touw achter een kleine tractor langs de spoorlijn draafde. Steeds haalde het dier ons in en mocht een paar kilometer verder een poosje grazen voordat het weer met opgeheven kop en een schommelend rond lijf verder draafde en ons opnieuw inhaalde. Elke keer dat wij die kameel passeerden, raakte Wierook helemaal opgewonden en begon te springen, zijn ogen vol bewondering op het voluptueuze dier gericht, terwijl Mouse haar ogen strak gericht hield op het versleten touw dat zijn neuspen scheef trok. We veronderstelden dat de kameel achter de tractor een loops vrouwtje was, maar later kwamen we erachter dat hij een gecastreerd mannetje was dat door een hoop verse mest had gerold, en dat het zijn geur was die Wierook zo aantrekkelijk had gevonden.

Wic vermoedde al een paar weken dat DHL zwanger was – haar buik werd steeds dikker terwijl ze niet meer at dan normaal. Bovendien waren haar voeten erg pijnlijk en boden haar schoenen niet genoeg bescherming tegen blaren. Daarom hadden we besloten haar te ruilen als de gelegenheid zich zou voordoen. De toevallige ontmoeting met de voluptueuze kameel leek ons een mooie kans, dus Jason begon te onderhandelen met de eigenaar. Die had er wel oren naar, nam DHL en een geldbedrag in ontvangst en gaf ons zijn dier, dat we Ben doopten, naar een vriend van ons in Londen.

Ben kreeg een plaats aan het eind van een rij en zo trokken we verder. DHL deed wanhopige pogingen om ons te volgen, maar de struik waaraan ze was vastgebonden gaf niet mee en ze kon er alleen maar rondjes omheen draven. Haar nieuwe eigenaar zag er vriendelijk en capabel uit (hij had handig een paar teken uit de buik van Meredith-Jones getrokken) en haar nieuwe leven zou beslist minder zwaar zijn. Toen we omkeken, zagen we dat zij op haar beurt achter de tractor werd gebonden en dat ze een zandpad insloegen.

De tweede oase tussen Anxi en Jiayuguan was Chikhin Pu. Er stonden weer bomen langs de wegen, op stoppelvelden graasden paarden, kamelen en muilezels, en de maïsoogst was in volle gang, maar helaas was de zo laat in het seizoen geplukte maïs alleen nog maar geschikt als veevoer. Vlak na

Chikhin Pu lag een gehuchtje met de naam 'Helder water', genoemd naar een beekje, waar we dan ook uit dronken. Vijftien kilometer verder lag ons kamp, voor een groepje bomen in herfsttooi die zandjujube of woestijndadel werden genoemd. De vruchten waren erg bitter en ik herinnerde me dat we ze in Merv, zes maanden geleden, ook hadden geproefd, en ik dacht terug aan die tijd, al zo lang geleden.

Daarna was het nog maar een korte rit naar Jiayuguan en het 'echte China'. In Jiayuguan, op de grens tussen China en haar Turkse buren, staan een groot lemen fort en het meest westelijke deel van de Grote Muur. De laatste paar kilometer voor deze stad reden we weer over het zwarte zand van de afgelopen tien dagen en zagen in de verte de omtrekken van het enorme fort. We konden ons voorstellen hoe blij Chinese soldaten, kooplieden en reizigers moesten zijn geweest als ze dit fort zagen opdoemen wanneer ze vanuit het land van de 'afschuwelijke barbaren' terugkeerden naar hun geboorteland. Het bouwwerk dateert uit de tijd van de Ming-dynastie en staat strategisch in de flessenhals tussen twee bergketens, en het deed dienst als een bolwerk tegen de plunderende Hunnen die ten noorden van het Tarimbekken woonden. Het werd als een stadje bewoond tot de jaren dertig van de twintigste eeuw, toen de volgelingen van generaal Ma het bezetten en de inwoners een kopje kleiner maakte.

We gingen het fort binnen door de westelijke poort, de Reizigerspoort. Voor de dertig centimeter dikke, met ijzer beslagen houten deur ligt een grote berg zand om woestijndemonen en duivels tegen te houden, die blijkbaar te dom zijn om eromheen te gaan. Het fort omvat een enorm terrein en de raamloze muren rijzen hoog op naar de blauwe lucht. Er zijn twee ommuurde ruimtes, een voorplein en een binnenplaats. Het voorplein was bedoeld voor reizigers en kooplieden, maar wij troffen er alleen paarden en een sjofele kameel aan, die zich door toeristen lieten fotograferen. De binnenplaats bereik je via een tempel die is versierd met een rode boeddha van papier-maché, paarden en krijgers. In het midden lag een hofje, waar een verschrompelde oude man een kom mie zat te eten bij een vat wierook waaruit langzaam een sterk ruikende, groenachtige rookpluim opsteeg. Door een gewelfde poort in de versterkte binnenmuur kwamen we in het hart van het fort. Deze muur was minstens drie meter dik en negen meter hoog, en had vijftien meter hoge torens met een opkrullende dakrand. We voelden ons heel klein. We beklommen de steile opgang de muur op en maakten er een rondgang. Voor ons lag de Gobi, en de 'Zwarte' Bergen rezen statig links van ons omhoog. Het was een tafereel waaraan in honderden jaren niets kon zijn veranderd.

In de week van 1 oktober werd in het hele land de vijftigste verjaardag van de Volksrepubliek China gevierd. Waar wij waren, bestonden de festiviteiten echter alleen maar uit beelden op de ongeveer dertig nationale televisiezenders van de pracht en praal tijdens de officiële plechtigheden in Beijing, en uit diverse soap opera's gebaseerd op de ontelbare goede daden van de vrijgevige, meelevende Voorzitter Mao. Lucy bracht de avond in Jiayuguan voor de televisie door, onverklaarbaar geboeid.

Jiayuguan was voor ons de afsluiting van de eentonige woestijn en het begin van de vruchtbare Hexi-corridor met eindeloos veel dorpen. Deze strook tussen twee bergketens stond vroeger bekend als het fokgebied van de 'hemelse paarden', die in 138 v.C. vanuit de Ferganavallei naar China waren gebracht. De dorpen zagen er anders uit dan in Xinjiang; elk gebouw had omkrullende dakranden en we zagen er geen Oeigoeren meer, en ook geen moskeeën. Wel waren het nog steeds echte landbouwnederzettingen, met lemen huizen met hooistapels op het dak en een klein erf vol mensen en dieren.

In het eerste dorp werd voornamelijk maïs verbouwd. Overal zag je maïs: op de grond en op de daken, in enorme cirkels die in de najaarszon lagen te drogen. De mooie goudgele kleur stak prachtig af bij de herstkleuren van de populieren langs de straten. Iedereen die we tegenkwamen, deed iets met maïs; Jason vertelde ons dat dit gebied de belangrijkste maïsproducent voor heel China was. Door de straten reden tractoren met overvolle karren maïs die naar de dorsvloeren werd gebracht, waar de kolven van de stelen werden gehakt en in nette patronen te drogen gelegd. Vervolgens werden de korrels van de kolven geschraapt en leek het alsof ze de lucht in werden gesproeid terwijl vrouwen er geduldig het stof uit verwijderden en ze op hopen gooiden, klaar om te worden verpakt. De stelen werden in bundels bijeengebonden en in rijen tegen de muren en op de daken van de huizen gezet als brandstof voor de winter. Op de akkers trokken ossen eenvoudige ploegen die de stoppels weer mengden met de aarde, terwijl ezels voor karren die met herfstfruit werden gevuld, toekeken. Van maïsdorpen kwamen we bij dorpen waar ze alleen uien verbouwden en waar de lucht bezwangerd was met hun scherpe geur. (In China moeten de landbouwgebieden een vast product verbouwen, elk jaar een bepaalde hoeveelheid.) Ik herinner me dat Wic en ik een keer een wandeling maakten en ze zei: 'Wat jammer dat we op sommige plekken niet wat langer kunnen blijven.' Ik was het met haar eens; soms was het frustrerend door te moeten reizen en vooral in China had ik graag wat meer rustdagen gehad. Ook verlangden Wic en ik minder sterk naar huis dan Mouse en Lucy; ik denk dat we allebei niet goed wisten wat we na onze thuiskomst zouden moeten doen.

We probeerden niet de hoofdweg door de Hexi-corridor te nemen, maar hier en daar dwong de intensieve landbouw ons terug naar het asfalt. Een week na ons vertrek uit Jiaguyuan liepen we voor de kamelen uit toen we werden ingehaald door een kleine open vrachtwagen met twee reusachtige kamelen achterin. Wierook en Meredith-Jones, twee van onze drie oorspronkelijke dieren, waren de laatste paar dagen moeilijk gaan lopen en we hadden opnieuw besloten dat we ze moesten vervangen. Jason en Vuur hadden gezegd dat je alleen in de buurt van de bergen goede kamelen kon vinden en ze waren die morgen op verkenning uitgegaan. Tot onze blijdschap waren de twee mooie dieren in de vrachtwagen voor óns bestemd.

Het waren prachtexemplaren. Een ervan had bijzonder fiere bulten en een zachte vacht, en Vuur was er weg van. 'Een model,' zei hij, terwijl hij haar aaide. En zo kreeg dit dier de naam Het Model, en haar uiterlijk wat minder goed bedeelde kameraad werd De Vriendin (van Het Model) gedoopt. Maar ook al was Het Model beeldschoon om te zien, ze had de vervelende gewoonte vaak te struikelen, terwijl De Vriendin van onschatbare waarde bleek omdat ze vooraan kon lopen en alleen maar verbale aanwijzingen nodig had.

Marco Polo trok door de Hexi-corridor op weg van Italië naar Karakoram, de zetel van de Mongoolse kans. Men zegt dat Kublai Khan, de stichter van de Mongoolse Yuan-dynastie in China en een kleinzoon van Dzjengis, is geboren in Zhangye, onze volgende halte. Onderweg bracht Marco Polo ook een bezoek aan deze stad (die hij Campichu noemde) en hij beschreef 'de grote idolen... die... languit liggen'. Toen wij er aankwamen, was de elektriciteit in de hele stad uitgevallen, maar we konden nog wel naar de Tempel van de Slapende Boeddha, die ruim drieëndertig meter lang was. Hoewel hij lag, had hij zijn ogen open en zag hij er niet erg vredig uit. We waren teleurgesteld toen we later door de stad liepen en opnieuw witbetegelde gebouwen zagen in plaats van houten pagoda's. Zelfs de klokkentoren was verpest doordat er bontgekleurde nylon vlaggen overheen waren gedrapeerd.

Toen we uit Zhangye vertrokken, werd het opeens een stuk kouder en werd de lucht heel helder. De bergen aan weerskanten van de corridor werden duidelijk zichtbaar en de sneeuwgrens veranderde van dag tot dag. Eén avond besloten Jason en Vuur heel onverstandig dat we de nacht boven op een niet te hoge pas zouden doorbrengen. De zon zakte achter de bergen en het werd ijzig koud. We kropen dicht tegen de vrachtwagen aan en toen we wakker werden, lag er een laagje rijp op de slaapzakken en wapperden onze spullen in de harde wind.

Aan de andere kant van de pas liepen kudden muilezels en ezels. Er waren ook schapen, gehoed door herders in lange schapenbonten capes die met een touw om hun hals waren vastgebonden. Ze zagen eruit als reusachtige, witte vliegend herten die op hun achterpoten stonden. De sneeuwwolken dreven weg en de zon scheen op de lemen huizen en stapels hooi en maïs. De twee grote kamelen, Brulaap en Goliath, hadden zwoegend de pas beklommen en daarbij een paar keer hun neuspen gebroken, dus we vroegen ons bezorgd af of zij de volgende waren die op instorten stonden. Maar bij de afdaling trokken ze weer bij en draafden zelfs het schoolterrein op waar we de nacht mochten doorbrengen. We werden naar het kantoor van het schoolhoofd gebracht, dat volhing met posters van Mao, maar we aten buiten op het speelplein, nieuwsgierig bekeken door een groep kinderen en hun ouders. Ze leken stomverbaasd omdat we Chinese gerechten aten.

Het werd steeds kouder. 's Morgens lag er een dikke laag ijs op het water in onze containers. Omdat we te lui waren om de tenten op te zetten, sliepen we nog steeds in de buitenlucht en vaak lag dan bij het wakker worden alles onder een laagje sneeuw. Maar overdag was het heerlijk zonnig, we liepen en reden door de dorpen en de dagen vlogen om. Op een avond ontmoetten we twee Duitse jongens die vanuit Duitsland naar Beijing fietsten, en we nodigden hen uit in ons kamp. Het was leuk om na al die tijd weer eens met westerlingen te praten, maar Jason en Vuur protesteerden geagiteerd dat ze de kans liepen door de politie gestraft te worden als ze erop werden betrapt twee extra buitenlanders in hun kamp te hebben. We legden uit dat de Duitsers alle benodigde papieren voor hun reis door China hadden, maar dat hielp niet. Jason zei dat we, omdat ze niet op ónze documenten voorkwamen, een zware boete konden krijgen.

Jason legde ook uit dat de Chinese regering er voortdurend op hamert dat buitenlanders niet te vertrouwen zijn. Toch zijn de mensen nieuwsgierig. Waar we ook ons kamp opsloegen, al was het in nog zo'n verlaten gebied, overal kwam er een menigte om ons heen staan, zowel jonge als oude mensen. In felle kleuren geklede, smoezelige kinderen duwden elkaar naar voren tot we aan alle kanten omringd waren (het voorschrift van één kind per gezin werd blijkbaar op veel plaatsen genegeerd). Oude vrouwen met gebroken, ingebonden voeten strompelden moeizaam langs de rand, respect afdwingend door met een gehavende wandelstok te zwaaien. In elk geval moesten ze ouder zijn dan vijftig, want toen Mao in 1949 aan de macht kwam, werd het inbinden van voeten verboden. De mensen lachten en wezen, en ze stoorden zich er niet aan dat we niet met hen konden praten; ze leunden zelfs over ons heen om zich met ons kaartspel te bemoeien. Ze keken toe hoe we de kamelen aflaadden, schreven, aten en lazen, en lieten zich ook nog vermaken door het schouwspel van onze voorbereidingen om te gaan slapen. Eerst deden ze beleefd een paar stappen achteruit, alsof ze weer naar huis gingen, maar dan kreeg hun nieuwsgierigheid weer de overhand en moesten ze ook nog zien hoe we onze matten en slaapzakken uitrolden en ten slotte onze pyjama's aantrokken.

Inmiddels gaven we de kamelen dubbele porties maïsballen, want Jason liet zich veel gemakkelijker overhalen dan meneer He of Mamat-Jan. Maar opeens wilde Brulaap niet meer eten en brulde nog smartelijker dan anders, waarbij hij alles en iedereen onder spuugde. Onze kleren bleven er dagenlang naar stinken, dus probeerden we allemaal te vermijden vóór hem te rijden. Vuur was zo op Het Model gesteld geraakt dat hij ons had verboden haar als rijdier te gebruiken. Eerst hadden we hem zijn zin gegeven, maar nu vonden we het welletjes en stonden erop Brulaap wat meer rust te geven en hem zonder berijder achteraan te laten lopen.

De volgende plaats waar we doorheen kwamen heette Wuwei, ook weer een halte op de Zijderoute die tijdens de Culturele Revolutie door de Chinezen was verwoest. We reden er snel doorheen, omdat we de lemen dorpen verkozen boven de verkeersdrukte en de stank van een stad. Het platteland was steeds dichter bevolkt. Elk stukje land, ongeacht de grootte, vorm, grondsoort of hellingshoek, was zorgvuldig bebouwd. Akkers lagen op berghellingen en liepen in smalle stroken langs rotswanden omhoog. Als we dwars door het land trokken, moesten we voorzichtig achter elkaar tussen netjes afgebakende akkertjes over smalle richels lopen. Onze voeten waren te lomp voor dit precisiewerk en we zakten dan ook regelmatig weg in de modder. We waren gewend geraakt aan omgeploegde velden die het landschap verfraaiden met nette bruine, oranje of gele strepen, maar naarmate we verder afdaalden, zagen we steeds vaker smaragdgroene wintertarwe boven de grond komen, wat een fraai contrast vormde met de achtergrond van kale bergen. De eerste groene vlakte na de sappige weiden in Kirgizië was een welkome afwisseling.

De eerste avond na Wuwei kampeerden we naast een veld met radijs. Onder het eten stelden we Jason vragen over het communisme en hij vertelde ons dat hij de Culturele Revolutie beschouwde als het beschamendste deel van de Chinese geschiedenis. Zijn vader, een leraar, was gedwongen om na zijn diensttijd in het leger vijf jaar lang als landarbeider te werken, en Jason mocht pas op zijn achtste naar school. Lucy veranderde van onderwerp met een vraag over discotheken in Lanzhou, misschien, zeiden we plagend, omdat ze hoopte Vuur op de dansvloer te krijgen. Jason zei dat hij niet van dansen hield, maar dat zijn leraar had gezegd dat hij het moest leren als hij een baan in de toeristenindustrie wilde. Daarom had hij met veel moeite de tango en de foxtrot geleerd. Met een ernstig gezicht danste hij de tango door het kamp, waar we uren later nog om moesten lachen. Jason had iets aandoenlijks; hij was altijd zo serieus en heel beleefd tegen Vuur, die dat eigenlijk helemaal niet verdiende. Hij vertelde ons een paar keer mismoedig dat hij geen vriendin had, terwijl allerlei mooie meisjes het op Vuur hadden voorzien.

Die avond kwam er een veearts naar Brulaap kijken en hij schreef een kleverig bruin geneesmiddel voor. Hij zei dat zijn maag van streek was, waarschijnlijk omdat hij verkeerd gras had gegeten.

De volgende paar dagen beklommen we de Wu Shao Lingpas, ruim negenentwintighonderd meter hoog. Hoe hoger we kwamen, hoe moeilijker Brulaap het kreeg. De weg naar boven begon in een dorp dat van de regering blijkbaar een enorme hoeveelheid kool moest produceren. Iedereen, jong en oud, hielp mee de tot kilometers ver in de omtrek verbouwde kool te oogsten. Het hart van de kool werd uit de donkere buitenste bladeren gesneden en via een keten van handen in een kar achter een kleine tractor gegooid. De kolen werden wel twee meter hoog opgestapeld, en de buitenste bladeren werden in bundels bijeengebonden om als veevoer te dienen. Halverwege de berghelling doemde links van ons een enorme schuine muur op en pas toen deze wat lager werd, zagen we dat het een dam was. Aan de andere kant lag een groot waterreservoir, en de bergen eromheen weerspiegelden in het heldere water. Na de maanden in de droge woestijn en daarna al dat bouwland vonden we het leuk weer eens een grote plas water te zien. We bleven een poosje naar het verstilde tafereel kijken voordat we verder gingen.

Na een bocht in de weg stuitten we weer op een heleboel activiteit. In een veld lagen een paar enorme bergen graan. Een aantal arbeiders was aan het oogsten en voor ons stond een oude man met een grote cirkel graan om zich heen gespreid, dat werd gedorst door twee muilezels die in de rondte liepen met rollers achter zich aan. Een eindje verder gooiden mannen en vrouwen het stro met hooivorken hoog in de lucht, waarbij het stof regende. Boven op een drie meter hoge berg stro in een kleine wagen achter een tractor stond een man en beneden hem op de grond stond een andere man, die met grote zwaaien van zijn hooivork het stro naar boven gooide. Bij elke worp werd de man op de kar bedolven onder het stro voordat hij het platdrukte op de berg.

Na nog een bocht zagen we gelukkig onze vrachtauto

staan, een eind bij een groepje bijenkorven vandaan dat werd bewaakt door een jongeman. Hoewel de kamelen maar een paar kilometer achter ons hadden gelopen, deden ze er nog ruim een uur over voordat ze ook het kamp bereikten. Het ging niet goed met Brulaap, die op een bepaald moment zelfs niet verder had gewild. Meneer Wu en meneer Shu hadden het zadel van zijn rug gehaald en op Wierook gelegd, die rust had mogen houden, en de kamelen met grote moeite naar het kamp gedreven.

Terwijl de andere kamelen begonnen te grazen, bleef Brulaap roerloos staan. Bij het opstaan hadden we gedacht dat het met zijn maag iets beter ging, maar vlak voor zonsondergang zag Wic dat hij zijn ogen dicht had gedaan en dat er tranen over zijn snuit liepen. Hij was gaan liggen en zag er meelijwekkend uit. Meneer Wu en meneer Shu gaven hem een beetje gras en dat probeerde hij te eten, maar zelfs dat bleek te veel inspanning te kosten. We legden een paar dekens over hem heen en hoopten dat de nachtrust hem goed zou doen.

Intussen hadden Mouse en Lucy een tent uit de vrachtwagen gehaald en waren die aan het uitschudden. Na maanden niet te zijn gebruikt, waren de ritsen stroef geworden, maar Vuur kwam hen met zijn plantaardige olie te hulp. Wic en ik waren nog steeds te lui om onze tent op te zetten en toen we onze matten uitrolden, vroeg Jason of wij soms in de tent van hem en Vuur wilden slapen.

'Waarom willen jullie daar zelf niet in?'

'Wij moeten de hele nacht opblijven om het kamp tegen achterlijke mensen te beschermen.'

We vermoedden dat hij de bijenhouder bedoelde, die om rijstwijn was komen bedelen.

De volgende morgen zagen we dat Brulaap in de loop van

de nacht zijn gras had opgegeten en dat zijn ogen alweer een beetje openstonden. We vervolgden onze beklimming van de pas en een uur later bereikten we Vuur en Jason, die op de top stonden te wachten.

'Geen foto's maken en op de weg blijven. Dit is een militaire controlezone!' beval Jason.

Nadat de truck uit het zicht was verdwenen, verlieten we de weg en trokken de bergen in. De andere drie zetten koers naar de glooiende hellingen en ik nam een richel hoog boven de weg. Ik liep diep de bergen in, tot waar niemand meer woonde, en het leek een andere wereld. Toen ik daar in m'n eentje wel vijf uur lang klom en daalde en genoot van prachtige vergezichten over het woeste landschap voelde ik me weer net zo vrij als in de woestijn. Ten slotte liep ik terug naar de weg, waar de anderen langs de kant op de kamelen stonden te wachten. Die avond kampeerden we in een berkenbos, waar de kamelen die op hun gemak herfstblaadjes van de takken knaagden een pittoresk plaatje vormden. De zonsopgang de volgende morgen was net zo mooi als de zonsondergang was geweest; de morgenzon schitterde op een beekje en gaf het gele gebladerte een gouden gloed.

Een paar dagen later kwamen we aan in Lanzhou, onze eerste rustplaats na eenentwintig dagen onderweg. Tot onze teleurstelling was het een grote, grauwe industriestad, die we via de drukke hoofdweg vanuit het westen binnengingen. Daarentegen had Peter Fleming in 1935 'de pagoda's en mezenkooien van een grote ommuurde stad' gezien. Jason had in een buitenwijk een 'volksdorp' gevonden, waar we de kamelen konden achterlaten terwijl wij een paar nachten in een hotel logeerden. Toen we daar aankwamen, deelde Jason ons plechtig mee dat twee nationale televisiezenders ons wilden interviewen en ons hadden uitgenodigd voor een etentje. Ze

hadden het restaurant in het volksdorp als lokatie uitgekozen, omdat ze ons wilden filmen met de kamelen. We stemden toe voordat we een bad namen en op de zachte hotelbed-
den een veel te kort dutje deden.

# 11  Het eindpunt

Na Lanzhou vervolgden we schommelend onze weg over in terrassen verdeelde, omgeploegde hellingen. Ondanks de rustpauze was Brulaap vermoeider dan ooit; het was gewoon pijnlijk het te moeten aanzien. Hij hield zijn nek gestrekt, het touw aan zijn neus stond gespannen en zijn neuspen trok bij elke trage stap scheef. Ten slotte brak het touw en liet hij met een zwak gebrul horen dat hij het opgaf. We besloten dat Mouse en Wic bij Brulaap zouden blijven, terwijl Lucy en ik met de andere kamelen verder zouden gaan. (Mouse vertelde ons later dat Jason er met tegenzin in toegestemd had Brulaap te verkopen of te ruilen, en was doorgereden om meneer Shu opdracht te geven het arme dier op te halen. Ze hadden er twee uur over gedaan de paar kilometer naar het kamp af te leggen, omdat Brulaap steeds stilstond en wilde gaan liggen.)

We kampeerden voor een eenzame hut die werd bewoond door een wat oudere man met twee dikke varkens, een paar ronde kippen en een kefhondje. Het was in een paar maanden de eerste avond dat we geen publiek hoefden te vermaken. De volgende morgen ontbeten we vlug met thee en gekookte ei-eren, en haalden Jason over om Brulaap achter te laten bij de oude man. Dat wilde hij eigenlijk niet omdat de man maar heel weinig geld voor hem wilde betalen, zo weinig dat Jason het ons niet eens durfde te vertellen. Toch lieten we de zieke Brulaap achter en gaven de man ook zijn medicijn. We hoopten dat hij beter zou worden en daarna een minder uitputtend leven zou leiden dan als lid van onze karavaan.

Inmiddels was het eind oktober, en vaak lag er 's morgens een laagje rijp of sneeuw op de tenten. De hele dag liepen of reden we berg op, berg af. Soms konden we nauwelijks onderscheid maken tussen de dorpen en de heuvels waarop ze gegroeid leken te zijn, want alles had dezelfde bruine kleur. Af en toe kwamen we langs een oude man die tussen grote bergen maïs voor een lemen hut zat en een stenen pijp met een losjes gerolde sigaret erin rookte. Mannen en vrouwen liepen samen naast ploegen met twee ezels ervoor en stonden even stil om naar ons te kijken. Aan de rand van de velden lagen hopen maïsstelen, die vaak een familie hongerige ezels aan het zicht onttrokken.

Bij het rijden op de kamelen kregen we het steeds kouder, zelfs als de zon scheen, dus liepen we zoveel mogelijk. Op een avond volgden we een pad dwars over de heuvel op weg naar een groepje lemen huizen waar ons kamp zich moest bevinden en liepen een binnenplaats op. Er stond een vrouw die haar bezem stilhield om ons met een verbaasd gezicht te bekijken. De binnenplaats was brandschoon en stond vol keurige hooioppers. Elk dier had er zijn eigen hok, en het woonhuis lag knus tegen de helling genesteld. De mensen in dat gehucht vonden het blijkbaar belangrijk dat hun huis en erf smetteloos schoon waren; het leken wel poppenhuizen. We bleken verkeerd te zijn en de vrouw wees waar we wél naartoe moesten: een andere binnenplaats. Erachter lag een varkenskot met een big zo klein als een rat, die alsmaar een klein gat in en uit rende. Onze keukentent had het lang geleden begeven en nu pas begonnen we hem te missen. We aten buiten zo vlug mogelijk ons eten op en kropen meteen in de slaapzakken.

Op 2 november schreef Wic in haar dagboek: 'Ik kan nauwelijks geloven dat we ons einddoel zo dicht zijn genaderd. Op de een of andere manier heb ik met die gedachte nu meer moeite dan toen we in het begin nog acht of negen maanden voor de boeg hadden. Bij zo goed als elke stap worden we gekweld door het idee. Lucy sloeg de spijker op de kop toen ze zei dat niet de gedachte aan het thuiskomen bij onze familie en vrienden ons zo van streek maakt, maar het besef dat er dan aan dit leven een eind komt. Ze heeft gelijk.'

We konden ons niet voorstellen dat we ooit niet meer hoefden op te staan om vijfendertig kilometer te lopen of te rijden.

Plotseling weigerde Meredith-Jones net als Brulaap zijn maïsballen, en we waren bang dat hij ook last van zijn maag had gekregen. Jason beloofde dat hij op zoek zou gaan naar een veearts, en op een morgen stonden hij en Vuur op ons te wachten met een 'heel beroemde dierendokter'. Het halve dorp was meegekomen om het onderzoek bij te wonen en de diagnose te horen. De dokter haalde een stethoscoop uit een leren tasje en luisterde met een ernstig gezicht naar Meredith-Jones' maag en ingewanden. 'Zijn vierde maag is niet in orde,' vertaalde Jason. We wisten niet dat kamelen zoveel magen hadden. De dierenarts stuurde ons weer op pad met zakken vol medicijnen, en die avond begonnen we ze toe te dienen. Meredith-Jones stond een uur lang te braken en spuugde naar ons, wat niets voor hem was. Maar we volgden de instructies van de veearts op en gaven hem minstens honderd pillen per etmaal, en een paar dagen later at hij weer normaal.

De volgende paar dagen kronkelde de weg langs afgronden omhoog de bergen in. In de rotswanden boven ons zagen we een heleboel gewelfde openingen, waar holbewoners woonden. Lapjesgordijnen beschermden de grotten tegen nieuwsgierige blikken en buiten hurkten oude mannen naast stapels pompoenen. Er kwam een man aan met een stok waaraan twee dode konijnen, een duif en een fazant bungelden. We wilden ze kopen, maar helaas zei Jason dat Vuur niet wist hoe hij ze moest klaarmaken. We namen genoegen met een paar pompoenen, die gestoomd een heerlijke afwisseling waren van gebakken groente met rijst.

Tien dagen voor onze verwachte aankomst in Xian kwamen we bij een tunnel die ruim drie kilometer lang was. We waren van plan geweest om door die tunnel te rijden en zo de hoge pas te vermijden, maar Jason vertelde dat hij onverlicht was en daarom te gevaarlijk voor ons, en ook voor de kamelen. Er zat niets anders op dan toch de weg over de pas te nemen.

Het was maar zeven kilometer naar boven, maar de weg was zo steil dat het een zware klus was. De hele weg volgden we een man van zo te zien achter in de vijftig voor wie het een fluitje van een cent leek te zijn, terwijl wij het ene kledingstuk na het andere uittrokken en steeds moesten stilstaan om op adem te komen. Toen wij eindelijk zwetend en hijgend boven stonden, had de man het vuur in zijn hut al aangestoken en maakte hij zijn eten klaar. Opeens keken we recht in een videocamera. Jasons collega's waren ons de hele weg vanuit Lanzhou gevolgd en stonden nu met een cameraman op sleeptouw weer voor ons, om ons 'naar boven te helpen'.

Op de top van de berg stond een klein monument, 'De Herdenkingszaal'. Daar hadden Mao en zijn troepen elkaar tijdens de Lange Mars ontmoet en nu hadden wij deze gedenkwaardige plek helemaal voor onszelf, afgezien van de man in zijn hut. Toen hij ons zag aankomen, kwam hij met een handvol kaartjes naar ons toe gerend. We hadden geen geld bij ons, dus we mochten de zaal niet in. We voelden ons schuldig, niet omdat we het monument niet konden bekijken, maar omdat we bang waren dat de man alleen maar haastig de berg op was gelopen om ons kaartjes te verkopen.

We haalden opgelucht adem toen de kamelen ook de top haalden, en we liepen aan de andere kant met ze mee naar beneden. Ons kamp lag in een breed rivierdal met een rotsachtige bodem. Omdat het nog vroeg was, besloten we van de extra daguren gebruik te maken om onze uitrusting op orde te brengen, ter voorbereiding van het eind van de reis. Jason en Vuur keken aandachtig toe terwijl we al onze spullen op een hoop gooiden. Vooral Lucy was erg precies en haalde de hele truck leeg, 'om indruk op Vuur te maken en hem te laten zien dat ze een uitstekende Chinese echtgenote zou zijn,' zei Wic. Toen Lucy in haar rugzak zat te rommelen, keek ze Jason opeens aan en vroeg: 'Vind jij ons lastig, Jason?'

'Ja, soms.'

'O jee, waarom?'

'Alle meisjes zijn lastig.'

'Maar wie is het lastigst?'

'Jullie tweeën.' Hij wees naar Lucy en naar mij. 'Mouse is de beste, jullie tweeën zijn het ondeugendst.'

'Hoezo?'

'Dat weet ik niet, maar het is zo.'

Niet veel wijzer wensten we hen welterusten en gingen naar bed.

De volgende dag bereikten we Pingliang, de laatste halte voor Xian, de plaats met de eerste heilige Taoïstische berg in China. In de grijze, moderne stad hing dichte mist, dus we kregen het prachtige uitzicht dat je er moest hebben niet te zien. Op de laatste etappe van de reis gingen de vorst en de sneeuw van de afgelopen weken over in regen, wat veel oncomfortabeler was. De wegen werden glibberige modderpoelen, waar zelfs de kamelen soms moeite hadden om overeind te blijven. Een voor een lieten we ons van hun ruggen glijden en ploeterden mistroostig verder, wel een kilometer achter elkaar, tot we eindelijk in ons kamp waren. Nadat we somber bij kaarslicht hadden gegeten, maakten Jason en Vuur van een stukje canvas aan een kant van de truck een afdak en daaronder gingen we liggen, op matten die dreven in de modder. Terwijl we sliepen, liep het afdak vol water, dat door de stof heen op onze slaapzakken druppelde. Het hele kamp werd een modderzee, en ook de kamelen stonden er mismoedig bij terwijl de regen langs hun grote donkere ogen en over hun geplette vacht stroomde.

Toen we de volgende morgen in de motregen verder gingen, was de weg nog even glibberig en vermoeiend. Met gespreide armen om ons evenwicht te bewaren maakten we langzaam voortgang, gevolgd door de kamelen. Dat ging een paar dagen zo door, wat dodelijk vermoeiend was, terwijl bovendien het zicht steeds minder werd. Op een morgen merkten we dat we geen drie meter meer voor ons uit konden zien. We zorgden ervoor niet van de weg af te raken om niet te verdwalen. Op een gegeven moment bevonden we ons op een hoog plateau, met hier en daar een ravijn. Opeens trok de mist op en verscheen er boven onze hoofden een ronde vlek blauwe lucht. Voor ons uit kijkend hadden we het gevoel dat we over de rand zouden vallen als we niet op de weg bleven, die breed en recht tussen graanveldjes en abrikozenboomgaarden door liep. Na een poosje dook de weg weer het mistige dal in en was het uitzicht verdwenen.

Op de derde mistige dag liepen Lucy en ik naast elkaar. Opeens zagen we een eindje verder een grote groep mensen staan en toen we dichterbij kwamen, ontdekten we Wic en Mouse met grote bossen bloemen in hun midden, omringd door mannen in rode jasjes met microfoons voor hun mond. Toen we hen bereikten, kregen wij ook bloemen, en mandarijntjes. Mouse legde uit dat het een televisieploeg uit Xian was, die ons wilde interviewen.

'Waarom zijn jullie naar China gekomen?'

'Omdat we belangstelling hadden voor de Zijderoute.'

'Eh, wat was dan de reden voor jullie komst?'

'We hadden de geschiedenis van de Zijderoute gelezen en vonden die interessant.'

'O, dan was de reden dus cultuur.'

Ze wilden dolgraag dat we een stukje op de kamelen zouden rijden, maar dat wilden we niet omdat de arme dieren doodop waren. We vroegen de filmploeg ons een paar uur later nog een keer op te wachten, en zeiden dat we dan zouden rijden. Toen we doorliepen, zagen we een eind verder Vuur en Jason met de vrachtwagen langs de kant van de weg staan. We vertelden wat er was gebeurd en vroegen of zij er dan ook bij wilden zijn, om te voorkomen dat die televisiemensen ons zouden ophouden.

'Besteed geen aandacht aan ze, het is een andere ploeg, niet die van meneer Ma,' raadde Jason ons aan, met een ferm handgebaar, alsof hij ze wilde onthoofden.

Op de afgesproken plaats zagen Lucy en ik dat Mouse en Wic zich hadden verstopt achter een muur. Nadat ze zich hadden laten overhalen om te voorschijn te komen, kregen we nog meer vragen op ons afgevuurd, onder andere over onze fysieke training en onze dertig rollen film.

De rest van de dag reden we tamelijk vredig door een mooie vallei diep in de heuvels. We kampeerden voor enkele in een rotswand uitgehakte boeddhistische grotten met een sierlijke pagoda ervoor.

Vandaar was het nog maar een rit van twee dagen naar de westelijke poort van Xian. We wisten eigenlijk niet meer hoe we ons moesten gedragen, of we blij of bedroefd moesten zijn dat het zo goed als voorbij was. De ouders van Mouse hadden met de mijne afgesproken om samen naar Xian te vliegen om ons op te wachten, en de gedachte dat we hen na acht maanden zouden weerzien, droeg niet weinig bij tot een staat van nerveuze opwinding. We deden bijna geen oog meer dicht.

De laatste nacht van onze reis logeerden we in een hotelletje aan de drukke weg die vanuit het westen Xian binnenloopt, terwijl de kamelen op een modderige binnenplaats werden ondergebracht. We deden ons best om ons zo goed mogelijk schoon te maken, goten emmers koud water over ons haar en stoften onze laarzen af. Na acht maanden onderweg waren onze kleren te vies om met een tang aan te pakken, maar daar konden we nauwelijks iets aan doen en dus poetsten we alleen onze gezichten.

De volgende morgen werden we veel te vroeg wakker. We pakten onze spullen in en wachtten ongeduldig tot het tijd was om aan de laatste, korte etappe van onze achtduizend kilometer lange reis te beginnen. Onze ouders zouden ons om een uur of elf maar tien kilometer bij het hotelletje vandaan opwachten, dus het had geen zin om voor negenen te vertrekken. We zochten afleiding in eindeloze spelletjes kaart.

Eindelijk was het zover. Met meer energie dan we maandenlang hadden kunnen opbrengen, verlieten we de binnenplaats. Te opgewonden om te rijden, liepen we voor de kamelen uit en tuurden alvast ingespannen in de verte.

Op de drukke weg denderden vrachtwagens en bussen langs ons heen en drukten de kamelen van de weg. Opeens zagen we een witte minibus langzaam naar ons toe komen, met wuivende handen uit de raampjes.

'Daar zijn ze!'

Het busje stopte, en ik kon me bijna niet inhouden toen

mijn ouders eruitsprongen. Toen ik hen omhelsde, schoten mijn ogen vol tranen en was ik zielsgelukkig omdat ik hen weer zag. Pas toen ik iemand zachtjes aan mijn jas voelde trekken, drong het tot me door dat meneer Shu en meneer Wu graag door wilden naar Xian. Met tegenzin sloot ik me weer bij de karavaan aan, maar anderhalf uur later waren we al bij het standbeeld van middeleeuwse kooplieden op kamelen dat in de afgelopen tien jaar is gemaakt om het officiële eindpunt van de Zijderoute te markeren.

Toen we er op de kamelen naartoe reden en een grote groep studenten begon te juichen en foto's van ons te nemen, voelden we ons ongelooflijk trots en blij. Auto's en bussen stonden stil om onze karavaan door te laten. Het was ons gelukt! Na achtduizend kilometer en acht maanden aan één stuk door onderweg zijn hadden we onze eindbestemming bereikt. Alle problemen die de tocht met zich mee had gebracht werden weggevaagd door de triomfantelijke vreugde die er door ons heen stroomde, en we zwaaiden uitbundig naar de menigte die zich voor ons had verzameld.

De televisieploegen vroegen ons op een rij te gaan staan toen de studenten ons voorzichtig vier porseleinen kamelen overhandigden. We bedankten hen glimlachend, hielden het beeldje in de ene hand en staken de andere voor de camera's zegevierend in de lucht. Het was jammer dat Lucy's kameel juist dit moment uitkoos om voorzichtig te gaan liggen, eerst door zijn voorpoten te vouwen en daarna zijn achterpoten. Op de foto's zit ze als een dwerg een stuk lager dan wij, maar ze zwaait even enthousiast.

Onze laatste zorg was het lot van de kamelen. Al een paar dagen hadden we Jason en Vuur gevraagd wat er met ze zou gebeuren en wat we konden doen om een prettig thuis voor ze te vinden. Ze hadden een antwoord ontweken, maar toen we voor het laatst waren afgestegen, kwam Jason met een brede glimlach naar ons toe.

'De kamelen gaan naar de broer van Vuur,' kondigde hij aan.

We kregen te horen dat de broer van Vuur in de buurt van Xian woonde en dat hij had beloofd goed voor de dieren te zorgen. Bedroefd keken we ze na. Met een treurige blik in hun ogen met lange wimperfranje sjokten ze weg, gehoorzaam tot het laatst. Het maakte ons extra duidelijk dat de reis werkelijk voorbij was en dat een tijdperk van ons leven was afgesloten.

Helaas had Xian tijdens de Culturele Revolutie hetzelfde lot ondergaan als de meeste andere steden in China, zodat er van het oude eindpunt van de Zijderoute nog maar weinig over is. Maar we genoten ervan onze ouders weer bij ons te hebben en niet meer verder te hoeven. Na acht maanden onderweg was dat wel een vreemd idee, maar we voelden ons voldaan. Een week later vlogen we terug naar Londen, en ons avontuur vervaagde langzaam tot een droom. De afgelegen passen van Kirgizië en de winderige vlakte van de Taklamakan lagen zo ver weg van het heuvelachtige Engelse platteland dat we nauwelijks konden geloven dat we daar echt waren geweest. Maar nog steeds kan ik me elke dag van onze reis helder voor de geest halen, zo'n diepe indruk heeft die tocht op me gemaakt. Nooit zal ik vergeten hoe romantisch en opwindend ik al die schitterende landschappen en verschillende volken heb gevonden. En het gevoel van tijdloosheid dat ermee gepaard ging, zal de rest van mijn leven een dierbare herinnering blijven in deze te snel veranderende wereld.

Ik moet heel wat mensen bedanken, want ons avontuur was vooral mogelijk dankzij de steun en het enthousiasme van anderen. In de eerste plaats onze ouders, die allemaal achter ons stonden, ook al moeten ze zich soms veel zorgen hebben gemaakt en een goede afloop weleens betwijfeld hebben. Maar ze hebben nooit bezwaar gemaakt, wat ons genoeg zelfvertrouwen gaf om onze droom waar te maken en iets te presteren waar we anders waarschijnlijk van afgezien hadden. Behalve onze ouders zijn ook grootouders, tantes, ooms, peetouders en vrienden erg gul en hulpvaardig geweest.

We zijn veel dank verschuldigd aan onze sponsoren, die het hebben aangedurfd een onbekend, onervaren team jonge vrouwen behulpzaam te zijn. Vooral de griffier van de organisatie voor Chinese kruidendokters was ongekend edelmoedig. Ten tijde van onze expeditie vochten deze mensen in de EU tegen een voorgesteld verbod op invoer van Chinese kruiden zonder importvergunning, wat de verkoop en het gebruik van deze middelen in het Verenigd Koninkrijk ernstig zou hebben geschaad. Het was de bedoeling dat onze tocht langs de Zijderoute eveneens het belang zou aantonen van de medicijnen die langs deze route duizenden jaren door Oost en West werden verhandeld.

Rathbones, Amec, Sedgewicks, CLC en Sir David Barnes gaven gul financiële steun. DHL bezorgde ons op diverse plaatsen langs de route broodnodige pakketpost om belangrijke materialen te vervangen en onze honger naar chocolade en *Hello! Magazine* te stillen. Mountain Horse rustte ons uit met rijbroeken, laarzen, beenkappen en jassen, die tijdens onze rit van ongeveer achtduizend kilometer door onherbergzame gebieden aan de zwaarste proeven werden onderworpen en goddank onverslijtbaar bleken. Terranova leende ons tenten die de hevigste hagel-, sneeuw- en zandstormen doorstonden. Datadial maakte een website om onze vorderingen in kaart te brengen. Panasonic en ICS leenden ons een laptop en een satelliettelefoon om in geval van nood naar huis te kunnen bellen, en een groot aantal andere bedrijven schonk materiaal om onze zware tocht ietwat comfortabeler te maken.

We hadden ook baat bij goede raad, vooral van Shane Winser van de Royal Geographical Society en de bekende ontdekkingsreizigers James Greenwood, John Warburton-Lee en John Labouchere. Monument Oil in Ashgabad hielp het pad te effenen door de bureaucratie van Turkmenistan, en de katoenonderneming Meredith-Jones deed hetzelfde voor ons in Oezbekistan.

Ik moet Paul Marsh en Leyla Moghadam, mijn literair agenten, en Peter Carson, mijn redacteur, bedanken voor het grote risico dat ze namen om publicatie van dit boek mogelijk te maken. Zonder hen zou ik nooit genoeg zelfvertrouwen hebben gehad om het te schrijven, en ik ben hen dan ook erg dankbaar voor het vertrouwen dat ze in me hebben gesteld.

Persoonlijk bedank ik in de eerste plaats mijn reisgenoten: Mouse, Wic en Lucy. Geen van ons had zonder de rest ons einddoel kunnen halen en ik zal hen altijd dankbaar blijven voor een van de gelukkigste en meest fantastische jaren van mijn leven. Ze waren perfect gezelschap en ik denk met grote weemoed terug aan de boeiende, en vooral fijne maanden die we samen hebben doorgebracht. Het eerste wat iedereen na onze thuiskomst vroeg, was: 'Zijn jullie nog vriendinnen?' en 'Hebben jullie veel ruzie gemaakt?' Natuurlijk hebben we soms ruzie gemaakt, maar we hebben veel meer gelachen dan gekibbeld en, wat nog belangrijker is, onze vriendschap is hechter geworden. Een ervaring als deze schept een ongelooflijk sterke band, en ik weet dat ik altijd bijzonder op hen gesteld zal blijven.

Zonder hen had ik ook dit boek niet kunnen schrijven en alleen met behulp van hun dagboeken heb ik dit reisverslag kunnen maken. Vaak gebruik ik hun woorden, zodat dit verhaal eigenlijk door ons alle vier is geschreven. Zij hebben er ieder op hun eigen, unieke manier aan bijgedragen, zodat het veel kleurrijker is geworden dan als ik het alleen had geschreven. De grappige anekdotes zijn meestal afkomstig van Wic en Mouse, terwijl Lucy's bijdrage bestaat uit lyrische beschrijvingen en historische kennis. Ik ben hen erg dankbaar voor hun ruimhartigheid, niet alleen wat dit boek betreft, maar ook in alle andere opzichten.

De laatste die ik wil bedanken is Shamil, onze gids in Centraal-Azië, die een van mijn beste vrienden en mijn vaste reisgezel is geworden. Sinds de Zijderoute-expeditie rijden we elk jaar samen door gebieden in Centraal-Azië of Rusland, en ik hoop dat we dit nog jaren zullen volhouden. Geen van deze reizen zou mogelijk zijn geweest zonder zijn grote kennis van en ervaring met paarden en de natuur, zijn opgewekte aard en zijn charmante persoonlijkheid. Ik zal hem altijd dankbaar blijven voor alles wat hij me heeft geleerd, en ik bof dat ik hem heb leren kennen.

Bailey, Colonel F. M.: *Mission to Tashkent* (Londen, 1946)

Cable, M. en French, F.: *The Gobi Desert* (Londen, 1942)

Fleming, Peter: *News from Tartary* (Londen, 1936)

Hopkirk, Peter: *The Great Game: On Secret Service in High Asia* (Londen, 1990)

Hopkirk, Peter: *Setting the East Ablaze: On Secret Service in Bolshevik Asia* (Londen, 1984)

Hopkirk, Peter: *Foreign Devils on the Silk Road: The Search for the Lost Treasures of Central Asia* (Londen, 1980)

Hopkirk, Peter: *On Secret Service East of Constantinople* (Londen, 1994)

Kipling, Rudyard: *Kim* (Londen, 1901)

Knauer, Elfriede Regina: *The Camel's Load in Life and Death* (Zwitserland, 1998)

Larner, John: *Marco Polo and the Discovery of the World* (Hongkong, 1999)

Maclean, Fitzroy: *A Person from England and Other Travellers to Turkestan* (Londen, 1958)

Maclean, Fitzroy: *Eastern Approaches* (Londen, 1949)

Spence, Jonathan: *The Chan's Great Continent: China in Western Minds* (Londen, 1998)

Stein, Sir Aurel: *On Ancient Central Asian Tracks* (Londen, 1933)

*The Travels of Marco Polo: The Complete Yule-Cordier Edition* (Londen, 1993)

Thubron, Colin: *The Lost Heart of Asia* (Londen, 1997)
Whitfield, Susan: *Life along the Silk Road* (Londen, 1999)